Het grote huis

Van Nicole Krauss verscheen eveneens bij uitgeverij Anthos

Man komt kamer binnen
De geschiedenis van de liefde

Nicole Krauss

Het grote huis

Vertaald door Tjadine Stheeman
en Rob van der Veer

Anthos|Amsterdam

De vertalers ontvingen voor deze vertaling een werkbeurs van het Nederlands Letterenfonds.

ISBN 978 90 414 1661 2

Oorspronkelijke titel *Great House*
Oorspronkelijke uitgever W.W. Norton & Company
Omslagontwerp Roald Triebels, Amsterdam
Omslagillustratie © Monsoon/Photolibrary/Corbis
Foto auteur © Joyce Ravid

Verspreiding voor België:
Veen Bosch & Keuning uitgevers n.v., Antwerpen

Voor Sasha en Cy

Recht van spreken

Praat tegen hem.

Edelachtbare, in de winter van 1972 hebben R. en ik het uitgemaakt, of liever gezegd, R. maakte het uit. Zijn redenen bleven vaag, maar het kwam erop neer dat er een verborgen persoon in hem huisde, een laf, verachtelijk persoon die ik niet mocht leren kennen, en dat hij zich als een ziek dier moest afzonderen totdat hij van die persoon iemand had gemaakt die naar zijn oordeel andermans gezelschap waard was. Ik sputterde tegen – ik was al bijna twee jaar zijn vriendin, zijn geheimen waren mijn geheimen en als er iets wreeds of lafs in hem school, had ik dat onderhand wel gemerkt – maar dat was zinloos. Drie weken nadat hij uit huis was vertrokken, kreeg ik een kaartje van hem (zonder antwoordadres) met de mededeling dat hij vond dat ons besluit, zoals hij het noemde, moeilijk maar wel juist was geweest, en toen moest ik aan mezelf toegeven dat onze relatie voorgoed voorbij was.

Het duurde een tijdje voordat ik uit het dal omhoog was gekropen. Ik wil er niet al te veel over kwijt, alleen dat ik het huis niet meer uit kwam, zelfs niet om naar mijn grootmoeder te gaan, en ook geen zin had in bezoek. Het enige wat troost bood, gek genoeg, was het stormachtige weer, waardoor ik gedwongen werd de hele tijd heen en weer te hollen met de buitenissige koperen moersleutel, die speciaal gemaakt was om de vleugelmoeren aan weerszijden van mijn ouderwetse raamlijsten aan te draaien; als het hard waaide, begonnen de ramen te kermen. Er waren zes ramen, en net als ik het ene had vastgedraaid, begon het andere te jammeren, waardoor ik constant met de moersleutel in de weer was, en daarna was me misschien een halfuurtje stilte op de enig overgebleven stoel gegund. Een tijd lang leek de wereld alleen te bestaan uit die gestage regen en de noodzaak om de moeren aan te draaien. Toen het weer eindelijk opknapte, ging ik buiten een eind wandelen. Overal waren diepe plassen en van dat roerloze, weerspiegelende water ging een zekere rust uit. Ik maakte een lange wandeling, van wel zes of zeven uur, door buurten waar ik nog nooit was geweest en sindsdien ook niet meer ben gekomen. Doodop kwam ik thuis, maar met het gevoel dat ik me van iets had bevrijd.

Ze waste het bloed van mijn handen en gaf me een schoon T-shirt, misschien wel eentje van haarzelf. Ze dacht dat ik uw vriendin was of zelfs uw vrouw. Er is nog niemand bij u langs geweest. Ik wijk niet van uw zijde. *Praat tegen hem.*

Niet lang daarna werd de vleugel van R. uit het grote raam van de zitkamer naar beneden getakeld, op dezelfde manier als hij omhoog was gekomen. Het was een van zijn laatste bezittingen die het huis verlieten, en zolang de vleugel er stond, leek het of R. nog niet helemaal weg was. In de weken dat ik in mijn eentje met de vleugel woonde, voordat ze hem kwamen weghalen, gaf ik hem in het voorbijgaan soms een klopje, net als ik bij R. had gedaan.

Een paar dagen later belde een oude vriend van me, Paul Alpers, om me over een droom te vertellen. In die droom was hij samen met de grote dichter César Vallejo in een huis op het platteland dat al sinds Vallejo's kinderjaren eigendom van de familie was. Het was leeg en alle muren waren blauwig wit geverfd. Het geheel had een bijzonder serene uitstraling, zei Paul, en in de droom benijdde hij Vallejo om zo'n mooie werkplek. Het lijkt haast wel de wachtruimte van het hiernamaals, zei Paul tegen hem. Vallejo hoorde hem niet, dus moest hij het nog twee keer zeggen. Het duurde even voordat de dichter, die in werkelijkheid op zijn zesenveertigste straatarm tijdens noodweer aan zijn eind was gekomen, precies zoals hij had voorspeld, hem verstond en knikte. Voordat ze het huis binnengingen, vertelde Vallejo Paul een verhaal over zijn oom die vroeger altijd zijn vingers in de modder stak en dan een kruisje op zijn voorhoofd zette – dat had iets met Aswoensdag te maken. En daarna deed hij iets, zei Vallejo (volgens Paul), wat hij niet goed snapte. Ter illustratie stak Vallejo twee vingers in de modder en tekende hij een snorretje op Pauls bovenlip. Ze moesten allebei lachen. Het opvallendst tijdens die droom, zei Paul, was het gevoel dat ze samenzweerders waren, alsof ze elkaar al jaren kenden.

Toen hij wakker werd, had Paul vanzelfsprekend aan mij moeten denken, want we hadden elkaar tijdens ons tweede studiejaar ontmoet, bij een werkgroep over avant-gardedichters. We waren bevriend geraakt omdat wij het in de werkgroep altijd met elkaar eens waren, terwijl de rest van de studenten met ons van mening verschilde, steeds heftiger naarmate het semester vorderde, en na verloop van tijd was er tussen Paul en mij een verbond ontstaan dat na al die jaren – vijf – op elk gewenst moment kon worden uitgevouwen en opgepompt. Hij vroeg hoe het met me ging, zinspelend op de breuk, waarover hij van iemand gehoord moest hebben. Ik zei dat het goed ging, maar dat ik dacht dat mijn haar uitviel. Ik vertelde hem dat behalve R. ook de vleugel, de bank, de stoelen, het bed en zelfs het bestek weg waren, want toen ik R. leerde kennen leefde ik nog min of meer uit een koffer, terwijl hij als een zittende boeddha omringd was door alle meubels die hij van zijn moeder had geërfd. Paul zei dat hij wel iemand kende, een dichter, een vriend van een vriend, die naar Chili terugging en wellicht een goed onderkomen voor zijn meubels zocht. Hij belde en, inderdaad, de dichter Daniel Varsky had nog wat spullen over waarvan hij niet wist wat hij ermee moest doen; hij wilde ze niet verkopen, voor het geval hij van gedachten veranderde en besloot terug naar New York te gaan. Paul gaf me zijn nummer en zei dat Daniel erop rekende dat ik contact opnam. Het telefoontje stelde ik nog een paar dagen uit, niet alleen omdat het iets gênants had om een onbekende om zijn meubels te vragen, al was het pad voor me geëffend, maar ook omdat ik in de maand nadat R. en al zijn spullen het huis uit waren, gewend was geraakt aan het hebben van niets. Het gaf alleen problemen als er iemand op bezoek kwam en ik aan zijn gezicht kon aflezen dat de leefomstandigheden, mijn leefomstandigheden, Edelachtbare, een treurige indruk op een buitenstaander maakten.

Toen ik Daniel Varsky eindelijk belde, nam hij al na één keer overgaan op. Er klonk iets behoedzaams in zijn begroeting voordat hij wist wie hij aan de lijn had, en dat behoedzame associeer ik sindsdien met Daniel Varsky, en eigenlijk met Chilenen in het algemeen, ook al ken ik er maar een paar. Het duurde enkele tellen voordat tot hem doordrong wie ik was, enkele tellen voordat het kwartje viel en hij weer wist dat ik de vriendin van een vriend was en niet zomaar een maf mens dat belde – over zijn meubels? Had ze gehoord dat hij die kwijt wilde? Of ze alleen in bruikleen wilde geven? –, enkele tellen waarin ik overwoog om mijn excuses aan te bieden, op te hangen en rustig verder te leven met alleen mijn matras, plastic bestek en die ene stoel. Maar toen het kwartje eenmaal was gevallen (Ach! Natuurlijk! Sorry! Ze staan hier voor je klaar) werd zijn stem zachter en luider tegelijk en ging over in een hartelijkheid die ik sindsdien ook met Daniel Varsky associeer en, mutatis mutandis, met iedereen die afkomstig is uit het land dat als een dolk recht naar het hart van Antarctica wijst, zoals Henry Kissinger het ooit omschreef.

Hij woonde een heel eind *uptown*, op de hoek van 99th Street en Central Park West. Onderweg ging ik even langs bij mijn grootmoeder, die in een verpleeghuis op West End Avenue zat. Ze herkende me niet meer, maar als ik me daar eenmaal overheen had gezet, vond ik het wel gezellig met haar. Doorgaans bespraken we het weer vanuit acht of negen gezichtspunten, waarna we overgingen op mijn grootvader, die haar tien jaar na zijn dood nog altijd fascineerde, alsof zijn leven, of hun leven samen, met elk jaar dat hij er niet was een steeds groter raadsel voor haar werd. Het liefst zat ze, behangen met al haar sieraden, in de recreatiezaal verwonderd om zich heen te kijken – Is dit allemaal van mij? vroeg ze af en toe met een weids armgebaar dat de hele zaal omvatte. Elke keer dat ik op bezoek kwam, bracht ik een chocolade-*babka* van Zabar voor haar mee. Uit beleefdheid knabbelde ze er wat aan, terwijl de bladerdeegschilfers op haar schoot vielen en aan haar lippen kleefden, maar zodra ik weg was, gaf ze de rest aan de verzorgsters.

Op 99th Street werd ik door Daniel Varsky via de intercom binnengelaten. Terwijl ik in de groezelige hal op de lift stond te wachten, kwam het bij me op dat ik zijn meubels misschien niet mooi zou vinden, dat het donkere of anderszins deprimerende meubelstukken zouden zijn en dat het te laat was om er nog vriendelijk voor te bedanken. Maar integendeel, toen hij de deur opendeed was mijn eerste indruk er een van licht, zoveel licht dat ik mijn ogen moest toeknijpen, en door het tegenlicht duurde het even voordat ik zijn gezicht kon zien. Verder rook ik een baklucht, die later van een auberginegerecht afkomstig bleek te zijn dat hij in Israël had leren maken. Toen mijn ogen eenmaal aan het licht waren gewend, zag ik tot mijn verbazing dat Daniel Varsky nog jong was. Ik had een ouder iemand verwacht, omdat Paul had gezegd dat zijn vriend dichter was, en al schreven we zelf ook gedichten, al dan niet geslaagd, we gingen nooit zover om onszelf dichter te noemen, want die benaming was in onze ogen voorbehouden aan mensen die gepubliceerd waren, niet zomaar in een paar obscure literaire blaadjes, maar in een heus boek dat in een boekwinkel verkrijgbaar was. Achteraf gezien is dat een beschamend conventionele definitie van het dichterschap, en hoewel Paul, ik en andere bekenden van ons prat gingen op onze grote literaire eruditie, koesterden we in die tijd ook nog volop ambitie, waardoor we in zekere zin verblind waren.

Daniel was drieëntwintig, een jaar jonger dan ik, en had ook nog geen bundel gepubliceerd, maar leek zijn tijd wel beter te hebben besteed, althans creatiever, of liever gezegd, hij voelde een drang om de deur uit te gaan, mensen te ontmoeten en ervaringen op te doen, een eigenschap waar ik anderen altijd om heb benijd. De afgelopen vier jaar had hij gereisd, in verschillende steden gewoond, op de grond geslapen in appartementen van mensen die hij onderweg was tegengekomen, en soms in een flatje van hemzelf als hij zijn moeder of misschien was het zijn grootmoeder zo gek kreeg om geld naar hem over te maken, maar nu ging hij terug naar zijn vaderland om zich te voegen bij de vrienden uit zijn jeugd, die voor vrijheid, revolutie of op zijn minst socialisme in Chili streden.

De aubergine was klaar en terwijl Daniel de tafel dekte, vroeg hij of ik de meubels alvast wilde bekijken. Het was een klein appartement, maar het had een groot raam op het zuiden, waardoor al het licht binnenkwam. Het opvallendst aan zijn huis was de bende – de vloer lag bezaaid met kranten, kartonnen bekertjes met koffievlekken, blocnotes, plastic zakken, goedkope rubberen schoenen, van elkaar gescheiden platen en hoezen. Een ander zou meteen verontschuldigend hebben geroepen: Let maar niet op de rommel! of een grap hebben gemaakt over een kudde wilde dieren die door het huis was getrokken, maar Daniel maakte er geen enkele opmerking over. Het enige min of meer lege oppervlak waren de muren, waar hij alleen een paar plattegronden had opgeprikt van steden waar hij had gewoond – Jeruzalem, Berlijn,

Londen, Barcelona – en bij sommige straten, hoeken en pleinen had hij iets geschreven dat ik niet goed kon lezen omdat het in het Spaans was en het zou onbeleefd overkomen om te proberen het van dichtbij te ontcijferen terwijl mijn gastheer en weldoener het bestek neerlegde. Dus richtte ik me op de meubels, of wat ik daarvan tussen de troep kon ontwaren – een zitbank, een groot houten bureau met heel veel laden, grote en kleine, twee boekenkastjes propvol met Spaanse, Franse en Engelse boeken, en het mooiste stuk, een soort dekenkist of hutkoffer met ijzeren handvatten dat eruitzag of het uit een gezonken schip was geborgen en nu als bijzettafel dienstdeed. Hij had alles vast tweedehands gekocht, niets zag er nieuw uit, maar al die spullen hadden iets sympathieks, en het feit dat ze bedolven waren onder papieren en boeken maakte ze extra aantrekkelijk. Opeens werd ik vervuld van dankbaarheid jegens hun eigenaar, alsof hij niet zomaar wat hout en stof aan me overdroeg, maar ook de kans op een nieuw leven, en dat hij het aan mij overliet of ik die aangreep. Tot mijn schande moet ik bekennen dat ik zelfs tranen in mijn ogen kreeg, Edelachtbare, maar zoals wel vaker het geval is, waren het tranen om een eerder, onbestemder verdriet, dat door het weggeven of het uitlenen van de meubels van de onbekende weer naar boven kwam.

We moeten minstens zeven à acht uur met elkaar gepraat hebben. Misschien nog wel langer. Het bleek dat we allebei van Rilke hielden. En van Auden, alleen ik iets meer. Yeats, daar vonden we alle twee weinig aan, al voelden we ons daar heimelijk schuldig over, omdat het misschien de suggestie wekte dat we het ware wezen van de poëzie niet begrepen. Er ontstond alleen wrijving toen ik over Neruda begon, de enige Chileense dichter die ik kende, waarop Daniel geërgerd uitriep: Hoe komt het toch dat een Chileen, waar ter wereld hij ook is, altijd moet constateren dat Neruda en zijn stomme rotschelpen hem voor blijken te zijn geweest? Hij keek me strak aan in afwachting van mijn tegenaanval, en ondertussen kreeg ik het gevoel dat het in zijn vaderland normaal was om zo met elkaar te praten, om zelfs over poëzie op het scherp van de snede te discussiëren, en heel even bekroop me een gevoel van eenzaamheid. Gelukkig ging dat snel voorbij en daarna putte ik me uit in verontschuldigingen, beloofde hem plechtig om de beknopte lijst met grote Chileense dichters te lezen die hij op de achterkant van een papieren zak had gekrabbeld (bovenaan, in hoofdletters waarbij de rest in het niet viel, stond Nicanor Parra) en om nooit meer de naam Neruda uit te spreken, in zijn bijzijn noch in dat van anderen.

Daarna hadden we het over Poolse poëzie, Russische poëzie, Turkse, Griekse en Argentijnse poëzie, over Sappho en de verdwenen notitieboekjes van Pasternak, over de dood van Ungaretti, de zelfmoord van Weldon Kees en de verdwijning van Arthur Cravan, die volgens Daniel nog leefde en door de hoeren van Mexico-Stad werd onderhouden. Af en toe, tijdens een stilte of een leemte tussen de ene wijdlopige zin en de andere, trok er een donkere wolk over zijn gezicht, die even aarzelde of hij zou blijven, maar dan weggleed, oploste in de hoeken van de kamer, en op die momenten had ik haast het gevoel dat ik maar beter de andere kant op kon kijken, omdat we wel veel over poëzie hadden zitten praten, maar eigenlijk nog niets over onszelf hadden verteld.

Op een gegeven moment sprong Daniel overeind en begon hij in het bureau met al die laden te rommelen, op zoek naar een gedichtencyclus die hij had geschreven, trok sommige laden open en deed andere weer dicht. De cyclus was getiteld *Vergeet alles wat ik ooit heb gezegd* of zoiets en hij had hem zelf vertaald. Hij schraapte zijn keel en begon voor te dragen met een stem die bij ieder ander aanstellerig of zelfs komisch zou hebben geklonken, vanwege het lichte vibrato, maar die bij Daniel juist goed paste. Hij verontschuldigde zich niet en verstopte zich ook niet achter de bladzijden. Integendeel. Hij stond kaarsrecht, alsof hij kracht aan het gedicht ontleende, en keek veelvuldig op, zo vaak dat ik begon te vermoeden dat hij zijn eigen werk uit zijn hoofd had geleerd. Tijdens een van die momenten, toen onze blikken elkaar boven een woord kruisten, besefte ik dat hij eigenlijk best knap was. Hij had een grote neus, een grote Chileens-joodse neus, grote handen met dunne vingers, en grote voeten, maar hij had ook iets breekbaars, wat waarschijnlijk met zijn lange wimpers of met zijn botten te maken had. Het was een erg goed gedicht, niet fantastisch maar erg goed, misschien was het zelfs beter dan erg goed, het viel lastig te zeggen omdat ik het niet op papier voor me zag. Volgens mij ging het over een meisje dat zijn hart had gebroken, maar voor hetzelfde geld ging het over een hond; halverwege raakte ik de draad kwijt en ik begon te denken aan R. die altijd zijn smalle voeten waste voordat hij in bed stapte, omdat de vloer van ons appartement vuil was, en die mij stilzwijgend vroeg hetzelfde te doen, zonder het ooit hardop te zeggen, want als ik het niet deed zouden de lakens vies worden en was zijn eigen geboen zinloos. Ik had er een hekel aan om op de rand van het bad te zitten of voor de wastafel te staan met één knie tegen mijn oor en te kijken hoe het zwarte vuil in het witte porselein rondkolkte, maar het was een van die ontelbare dingen in het leven die je doet om ruzie te vermijden, al moest ik nu bij de gedachte lachen of misschien zelfs stikken van woede.

Inmiddels was de sfeer in Daniel Varsky's appartement donker en onderwaterachtig geworden, want de zon was achter een gebouw gezakt, en de schaduwen, die zich eerst overal hadden schuilgehouden, begonnen geleidelijk te lengen. Ik weet nog dat er in zijn boekenkast erg grote boeken stonden, mooie boeken in linnen banden. De titels weet ik niet meer, misschien was het een reeks, maar ze schenen een complot met het schemeruur te smeden. Het leek net of de muren van zijn woning opeens waren gecapitonneerd, net als in een bioscoop, zodat het geluid niet kan ontsnappen en er geen lawaai van buiten kan binnendringen, en in dat aquarium, Edelachtbare, in het weinige licht, waren wij zowel publiek als film. Of dat wij samen als een eiland waren losgesneden en op drift geraakt in onbekende wateren, zwarte, peilloos diepe wateren. Destijds werd ik als aantrekkelijk beschouwd, sommigen noemden me zelfs mooi, al had ik een slechte huid en wanneer ik in de spiegel keek zag ik bovendien een ietwat verwarde uitdrukking, een lichte frons die ik onbewust in mijn voorhoofd maakte. Voordat ik iets met R. had, maar ook tijdens onze relatie, waren er genoeg mannen die te kennen gaven dat ze graag met me mee naar huis zouden gaan, voor een nachtje of langer, en toen Daniel en ik opstonden en naar de zitkamer gingen vroeg ik me af wat hij van me vond.

En op dat moment vertelde hij dat het bureau korte tijd in bezit van Lorca was geweest. Ik wist niet of hij een grapje maakte, het leek me hoogst onwaarschijnlijk dat deze reiziger uit Chili, jonger dan ik, zo'n kostbaar voorwerp had weten te verwerven, maar ik besloot hem serieus te nemen, om de man die tot nu toe alleen maar aardig voor me was geweest niet voor het hoofd te stoten. Toen ik vroeg hoe hij eraan was gekomen, zei hij schouderophalend dat hij het had gekocht, maar ging er niet verder op in. Ik dacht dat hij zou zeggen: En nu geef ik het aan jou, maar dat deed hij niet, hij gaf alleen een schopje tegen een van de poten, niet agressief maar zachtjes, vol respect, en liep verder.

Toen of later kusten we elkaar.

Ze spoot nog een dosis morfine in het infuus en maakte een losgeraakte elektrode weer op uw borst vast. Aan de andere kant van het raam breidde de ochtend zich over Jeruzalem uit. Even keken zij en ik naar de groene gloed van de pieken en dalen van uw ECG. Daarna trok ze het gordijn dicht en liet ons alleen.

Onze kus was een anticlimax. Niet dat het een slechte kus was, maar het was niet meer dan een leesteken in ons lange gesprek, een opmerking tussen haakjes om elkaar te verzekeren van een diepgevoelde instemming, een wederzijds voorstel tot kameraadschap, wat zoveel zeldzamer is dan seksuele hartstocht of zelfs liefde. Daniels lippen waren groter dan ik had verwacht, niet te groot voor zijn gezicht, maar groot als ik mijn ogen dichtdeed en ze de mijne raakten, en een fractie van een seconde had ik het gevoel dat ik erdoor werd gesmoord. Waarschijnlijk was ik te zeer gewend aan de dunne, niet-semitische lippen van R., die vaak blauw werden van de kou. Met zijn ene hand kneep Daniel Varsky zachtjes in mijn dij en ik streelde zijn haar, dat naar een vuile rivier rook. Ik denk dat we inmiddels waren aanbeland, of bijna, bij de beerput van de politiek, en dat Daniel Varsky aanvankelijk boos en later haast in tranen fulmineerde tegen Nixon en Kissinger, tegen hun sancties en meedogenloze machtsspelletjes die waren bedoeld, zei hij, om alles wat jong, nieuw en mooi was in Chili de nek om te draaien, de hoop die de arts Allende helemaal tot in het Palacio de La Moneda had gebracht. De arbeidslonen moeten verdubbeld worden, zei hij, en die schoften maken zich alleen maar druk om hun koper en hun multinationals! Alleen al bij de gedachte aan een democratisch gekozen marxistische president loopt het ze dun door de broek! Waarom laten ze ons niet rustig ons eigen leven leiden, zei hij, en even had zijn blik iets biddends of smekends, alsof ik op een of andere manier onder één hoedje speelde met de duistere figuren die de koers van het zwarte schip van mijn land bepaalden. Hij had een prominente adamsappel, die op- en neerging wanneer hij slikte, en nu leek hij voortdurend op en neer te gaan, als een appel die op de golven dobbert. Ik wist niet veel van de toestand in Chili, althans niet op dat moment. Anderhalf jaar later, toen ik van Paul Alpers had gehoord dat Daniel Varsky midden in de nacht door de geheime politie van Manuel Contreras was opgepakt, wist ik hoe het zat. Maar in de lente van 1972, zittend in zijn appartement op 99th Street in het late avondlicht, terwijl op dat moment generaal Augusto Pinochet Ugarte nog de bescheiden, kruiperige stafchef was die graag wilde dat de kinderen van zijn vrienden hem Tata noemden, wist ik nog niet veel.

Het gekke is dat ik me niet herinner hoe de nacht (het was inmiddels al een immense New Yorkse nacht geworden) afgelopen is. We moeten uiteraard afscheid hebben genomen, waarna ik ben vertrokken, of misschien zijn we samen weggegaan en heeft hij me naar de metro gebracht of een taxi aangehouden, want in die tijd was het in die buurt, of eigenlijk in heel New York, niet veilig. Er staat me gewoonweg niets meer van bij. Een paar weken later kwam een verhuiswagen voorrijden en werden de meubels door de mannen uitgeladen. Daniel Varsky was toen al terug naar Chili.

Er gingen twee jaar voorbij. In het begin kreeg ik nog ansichtkaarten. Eerst waren die hartelijk, zelfs joviaal: Het gaat allemaal prima. Ik overweeg lid te worden van het Chileens Speleologisch Genootschap, maar wees niet bang, het zal mijn dichterschap niet in de weg staan, de twee activiteiten vullen elkaar zelfs aan. De kans zit erin dat ik een wiskundecollege van Parra mag bijwonen. De politieke situatie loopt helemaal uit de hand, als ik me niet bij het Speleologisch Genootschap aansluit, dan word ik lid van de MIR. Zorg goed voor Lorca's bureau, ooit kom ik het weer ophalen. Besos, D.V. Na de coup werden ze somber, daarna cryptisch en uiteindelijk, een halfjaar voordat ik hoorde van zijn verdwijning, kwamen ze helemaal niet meer. Ik heb ze allemaal in een van de laden van zijn bureau bewaard. Ik heb niet teruggeschreven, omdat er geen adres bij stond. In die tijd schreef ik zelf nog poëzie en ik heb toen een paar gedichten gemaakt die gericht of opgedragen waren aan Daniel Varsky. Mijn grootmoeder ging dood en werd te ver buiten de stad begraven om haar te bezoeken, ik had een aantal vluchtige relaties, verhuisde twee keer en schreef mijn eerste roman, aan het bureau van Daniel Varsky. Soms dacht ik maanden achtereen niet aan hem. Ik weet niet of ik toen al van Villa Grimaldi wist, ik had in ieder geval nog niet gehoord van

Calle Londres 38, Cuatro Álamos of van La Discoteca, ook wel Venda Sexy genoemd vanwege de seksuele wreedheden die er werden begaan en de harde muziek waar de folteraars de voorkeur aan gaven, maar ik wist genoeg om geregeld nachtmerries te hebben over wat ze met hem deden, meestal als ik op Daniels bank in slaap was gevallen. Soms keek ik om me heen naar zijn meubels, de bank, het bureau, het bijzettafeltje, het boekenkastje en de stoelen, en dan werd ik overmand door een verpletterende wanhoop, en andere keren alleen door een vaag verdriet en het gebeurde ook wel dat ik naar zijn spullen keek en ervan overtuigd raakte dat ze een raadsel voorstelden, een raadsel dat hij had achtergelaten en dat ik moest oplossen.

Af en toe ontmoette ik mensen, voornamelijk Chilenen, die Daniel Varsky kenden of van hem hadden gehoord. Na zijn dood genoot hij kortstondige roem en had hij zich een plek verworven tussen de martelaar-dichters die door Pinochet het zwijgen waren opgelegd. Maar degenen die Daniel hadden gemarteld en vermoord, hadden natuurlijk niet zijn gedichten gelezen; misschien wisten ze niet eens dat hij gedichten schreef. Een paar jaar na zijn verdwijning heb ik met hulp van Paul Alpers een brief aan Daniels vrienden gestuurd met de vraag of ze nog gedichten van hem hadden en zo ja, of ze die wilden opsturen. Ik had het idee dat ik ze wel ergens uitgegeven kon krijgen, als een soort gedenkteken voor hem. Ik kreeg maar één brief terug, een korte reactie van een oude schoolvriend die zei dat hij niets had. Ik moet iets over het bureau in mijn brief hebben gezet, anders sloeg het postscriptum nergens op: Ik vraag me trouwens af, zo stond er, of dat bureau echt van Lorca is geweest. Dat was alles. Ik stopte de brief in de la bij Daniels ansichtkaarten. Ik heb nog een tijdje getwijfeld of ik ook zijn moeder moest schrijven, maar heb dat uiteindelijk niet gedaan.

Inmiddels zijn er vele jaren verstreken. Ik ben een tijdje getrouwd geweest, maar nu woon ik weer alleen en ben best gelukkig. Er zijn van die momenten dat je door een grote klaarheid wordt overvallen en dan kun je opeens dwars door muren kijken naar een andere dimensie die je was vergeten of expres hebt genegeerd om door te kunnen leven met de diverse illusies waarmee het leven, vooral het leven met anderen, mogelijk wordt. En op dat punt was ik aanbeland, Edelachtbare. Als alles wat ik aanstonds ga beschrijven niet was gebeurd, had ik waarschijnlijk nooit meer aan Daniel Varsky gedacht, of heel zelden, ook al heb ik nog steeds zijn boekenkastje, zijn bureau en de schatkist van een Spaans galjoen of iets uit het wrak van een vergaan schip, dat als curieuze bijzettafel dienstdoet. De bank was gaan schimmelen, ik weet niet precies wanneer, maar ik moest hem wegdoen. Soms had ik zin om ook de rest weg te doen. Als ik in een bepaalde bui was, deed al die rommel me denken aan dingen die ik liever vergat. Zo word ik af en toe door een journalist benaderd voor een interview over de reden waarom ik met dichten ben opgehouden. Dan antwoord ik dat ik mijn gedichten niet goed vond, misschien zelfs heel erg slecht, of ik zeg dat een gedicht het vermogen in zich heeft om volmaakt te worden en dat die mogelijkheid mij uiteindelijk tot zwijgen heeft gebracht, of soms zeg ik dat ik me gevangen voelde in de gedichten die ik probeerde te schrijven, wat zoiets is als zeggen dat je je gevangen voelt in het heelal, of gevangen door de onontkoombaarheid van de dood, maar de echte reden dat ik met dichten ben opgehouden is niet een van bovenstaande, in de verste verte niet, bepaald niet, de echte reden is dat ik, als ik kon verklaren waarom ik met dichten ben opgehouden, misschien weer met dichten zou beginnen. Wat ik bedoel is dat Daniel Varsky's bureau, dat ik ruim vijfentwintig jaar het mijne mocht noemen, me aan deze dingen herinnerde. Ik had mezelf altijd als tijdelijke bewaarder gezien en aangenomen dat er een dag zou komen waarop ik, weliswaar met gemengde gevoelens, ontslagen werd van de verantwoordelijkheid om tussen de meubels van mijn vriend, de dode dichter Daniel Varsky, te wonen en erover te waken. En dat ik dan vrij was om te gaan en staan waar ik wilde, zelfs naar een ander land kon verhuizen. Het waren niet uitsluitend de meubels die me aan New York bonden, maar als me het mes op de keel werd gezet zou ik moeten toegeven dat ik die jarenlang als smoes heb gebruikt om niet weg te hoeven gaan, ook al was het allang duidelijk dat de stad me niets meer te bieden had. Maar toen die dag eindelijk aanbrak, vloog mijn leven, dat eindelijk een en al rust en afzondering was, totaal uit de bocht.

Het was 1999, eind maart. Ik zat aan mijn bureau te werken toen de telefoon ging. Ik herkende de stem niet die naar mij vroeg. Koeltjes informeerde ik wie ik aan de lijn had. In de loop der jaren had ik geleerd mijn privéleven af te schermen, niet omdat zoveel mensen daar inbreuk op probeerden te maken (een paar dan), maar omdat schrijven vereist dat je je zo vaak beschermend en hard opstelt dat je je soms ook in situaties waar het niet nodig is al van tevoren indekt. De jonge vrouw zei dat we elkaar niet kenden. Ik vroeg waarom ze belde. Ik geloof dat u mijn vader hebt gekend, zei ze, Daniel Varsky.

Bij het horen van die naam liep er een rilling over mijn rug, niet alleen vanwege de schok dat Daniel een dochter bleek te hebben, of de plotse uitbreiding van de tragedie die mijn leven al zo lang beheerste, zelfs niet vanwege de vaststelling dat er dus een einde kwam aan mijn lange voogdijschap, maar vooral doordat ik diep vanbinnen al jarenlang op dit telefoontje had gewacht en dat het nu, zo laat op de avond, was gekomen.

Ik vroeg hoe ze me had gevonden. Ik besloot te gaan zoeken, zei ze. Maar hoe wist je dat je naar *míj* moest zoeken? Ik heb je vader maar één keer ontmoet en dat is heel lang geleden. Mijn moeder, zei ze. Ik had geen idee over wie ze het had. Ze zei: U hebt haar ooit een brief geschreven waarin u vroeg of ze gedichten van hem had. Ach, het is een lang verhaal. Ik kan het u vertellen als we elkaar ontmoeten. (Natuurlijk wist ze dat we elkaar zouden ontmoeten, ze wist donders goed dat wat ze aan me ging vragen niet geweigerd kon worden, maar toch bracht haar zelfverzekerdheid me van de wijs.) In de brief schreef u dat u zijn bureau had, zei ze. Hebt u dat nog?

Ik keek door de kamer naar het houten bureau waaraan ik zeven romans had geschreven en waar op het blad, in de lichtkegel van de lamp, de stapels vellen en aantekeningen lagen die de achtste moesten worden. Eén la stond een beetje open, een van de negentien laden, sommige klein, andere groot, waarvan het merkwaardige aantal en de vreemde rangschikking, zoals ik opeens besefte nu die laden op het punt stonden van me afgenomen te worden, een soort leidende maar raadselachtige ordening aan mijn leven hadden gegeven, een ordening die een welhaast mystiek karakter kreeg wanneer mijn werk wilde vlotten. Negentien laden van verschillend formaat, sommige onder het bureaublad en sommige erboven, maar achter hun alledaagse functie (hier postzegels bewaren, daar paperclips) ging een uiterst ingewikkeld ontwerp schuil, de blauwdruk van de geest die was gevormd door tienduizenden dagen van peinzend staren naar de laden, alsof daarin de oplossing voor een halsstarrige zin lag besloten, de superbe formulering, de radicale breuk met alles wat ik ooit had geschreven, die ten slotte zou uitmonden in het boek dat ik altijd had willen schrijven, maar wat me nog niet was gelukt. Die laden vertegenwoordigden een eigenaardige, diep ingebedde logica, een bewustzijnspatroon dat alleen maar met precies dit aantal en deze rangschikking tot uiting had kunnen komen. Of draaf ik nu een beetje door?

Mijn stoel stond enigszins gedraaid te wachten tot ik terugkwam en hem weer in de houding zwenkte. Op een avond als deze kwam het wel voor dat ik tot diep in de nacht zat te werken, schrijvend en turend naar de zwarte Hudson, zolang ik zin had en scherp bleef. Er was niemand die vroeg of ik naar bed kwam, niemand die eiste dat het ritme van mijn leven als een duet klonk, niemand naar wie ik me moest voegen. Als de belster een willekeurige ander was geweest, was ik na het gesprek gewoon naar het bureau gelopen waarmee mijn lichaam in de loop van tweeënhalf decennium was vergroeid, waarnaar mijn houding door al die jaren van voorovergebogen zitten schrijven was gevormd.

Even overwoog ik om te zeggen dat ik het had weggegeven of op straat gezet. Of om gewoon tegen de belster te zeggen dat ze zich vergiste: Ik had nooit het bureau van haar vader gekregen. Haar vraag was voorzichtig hoopvol geweest, ze had me een uitweg geboden: *Hebt u dat nog*? Ze zou teleurgesteld zijn, maar ik zou haar niets afnemen, althans, niets wat van haar was geweest. En dan had ik nog vijfentwintig of dertig jaar, of zolang als mijn geest scherp bleef en de schrijfbehoefte onverminderd aanhield, aan het bureau kunnen schrijven.

Maar wat ik zei, zonder stil te staan bij de consequenties, was: Ja, dat heb ik nog. Achteraf heb ik me afgevraagd waarom ik die woorden waardoor mijn hele leven meteen op zijn kop werd gezet er zo snel uitflapte. Het voor de hand liggende antwoord is natuurlijk dat het een aardig, zelfs het enige juiste gebaar was, Edelachtbare, maar ik wist dat ik het niet daarom had gezegd. Ik heb mensen die me dierbaar waren in naam van mijn werk veel erger gekwetst en degene die nu iets van me vroeg was een volslagen onbekende. Nee, ik bevestigde het om dezelfde reden als ik in een verhaal zou hebben opgevoerd: omdat ja zeggen onvermijdelijk voelde.

Dan wil ik het graag hebben, zei ze. Natuurlijk, antwoordde ik, en meteen erachteraan, zodat ik geen tijd had van gedachten te veranderen, vroeg ik haar wanneer ze het wilde komen halen. Ik ben nog maar één week in New York, zei ze. Schikt het zaterdag? Ik rekende uit dat ik dan nog vijf dagen met het bureau had. Prima, zei ik, al had er geen grotere discrepantie kunnen bestaan tussen mijn nonchalante toon en het paniekgevoel dat zich onder het praten van me meester maakte. Ik heb nog een paar andere meubels die van je vader zijn geweest. Je mag ze allemaal hebben.

Voordat ze ophing, vroeg ik hoe ze heette. Lea, zei ze. Lea Varsky? Nee, zei ze, Weisz. En daarna legde ze zakelijk uit dat haar moeder, een Israëlische, aan het begin van de jaren zeventig in Santiago had gewoond. Rond de tijd van de militaire coup had ze kort een relatie met Daniel gehad en daarna was ze vrij snel uit het land vertrokken. Toen haar moeder ontdekte dat ze zwanger was, had ze Daniel geschreven. Ze had nooit antwoord gekregen; hij was al opgepakt.

In de daaropvolgende stilte werd duidelijk dat onze luchtige ditjes en datjes opgesoupeerd waren en dat alleen de onderwerpen resteerden die te zwaar waren voor een telefoongesprek en daarom zei ik maar, ja, het bureau was al heel lang in mijn bezit. Ik had altijd gedacht dat iemand het op een goede dag zou komen halen, zei ik tegen haar, hoewel ik het natuurlijk eerder had teruggegeven als ik het had geweten.

Na ons telefoongesprek liep ik naar de keuken om een glas water te halen. Toen ik terug was in de woonkamer – een woonkamer die ik als werkkamer gebruik, omdat ik geen behoefte heb aan een woonkamer – ging ik aan het bureau zitten alsof er niets was veranderd. Maar er was natuurlijk wel iets veranderd, en toen ik op het computerscherm naar de zin keek die ik in de steek had gelaten om de telefoon op te nemen, wist ik dat er die avond niets meer van schrijven zou komen.

Ik stond op en liep naar mijn leesstoel. Ik pakte het boek van het bijzettafeltje, maar kon mijn gedachten er niet bij houden, wat me niet zo vaak gebeurt. Ik staarde door de kamer naar het bureau, zoals ik er al talloze avonden naar had gestaard als ik in een dip zat, maar er nog niet aan toe was de handdoek in de ring te gooien. Nee, ik houd er geen mystieke ideeën over schrijven op na, Edelachtbare, het is werk zoals elk ander ambacht; de kracht van literatuur ligt, mijns inziens, in hoe weloverwogen de literaire scheppingsdaad is. Wat dat betreft heb ik het idee dat de schrijver speciale rituelen nodig heeft om te kunnen schrijven altijd onzin gevonden. Ik kan als het moet overal schrijven, even gemakkelijk in een ashram als in een druk café, dat was tenminste mijn standaardantwoord op de vraag of ik met een pen schreef of op de computer, 's ochtends of 's avonds, alleen of met anderen om me heen, in een zadel zoals Goethe, staand zoals Hemingway, liggend zoals Twain, enzovoorts, alsof er een bepaald geheim is dat de kluis doet openspringen waarin de roman, die we kennelijk allemaal in ons hebben, kant-en-klaar voor publicatie ligt. Nee, mijn paniek ontstond bij het idee dat ik mijn vertrouwde werkomstandigheden kwijtraakte; het was pure sentimentaliteit, meer niet.

Het was een tegenvaller. Het had allemaal iets treurigs, een treurigheid die met het verhaal van Daniel Varsky was begonnen en die nu van mij was. Maar het was geen onoverkomelijk probleem. Morgenochtend, zo besloot ik, zou ik een nieuw bureau gaan kopen.

Pas na twaalven viel ik eindelijk in slaap, en zoals altijd als ik met kopzorgen naar bed ga, was mijn slaap onrustig en waren mijn dromen levendig. De volgende ochtend kon ik me nog maar een fragment ervan herinneren, ondanks het wegebbende gevoel dat ik een heel epos had beleefd: op de stoep voor mijn gebouw stond een man te vernikkelen in de ijskoude wind die helemaal vanaf de poolcirkel door Straat Hudson uit Canada kwam, en die man vroeg me in het voorbijgaan of ik aan een rode draad wilde trekken die uit zijn mond hing. Dat deed ik, gedwongen door de druk van naastenliefde, maar de draad hoopte zich steeds verder aan mijn voeten op. Toen mijn armen moe werden, brulde de man dat ik door moest gaan totdat we er allebei, na een lange tijdsspanne die zich had samengebald zoals dat alleen in dromen kan, van overtuigd raakten dat zich aan het eind van die draad iets cruciaals bevond; of misschien had alleen ik de luxe om dat te denken terwijl het voor de man zelf een kwestie van leven of dood was.

De volgende dag ging ik niet op zoek naar een nieuw bureau, en ook niet de dag erna. Toen ik aan het werk wilde, lukte het me niet de benodigde concentratie op te brengen; bovendien vond ik dat de bladzijden die ik al geschreven had vol stonden met overbodige woorden, levendigheid en originaliteit ontbeerden, geen dwingende achterliggende reden hadden. Dat wat in mijn hoofd de geraffineerde truc had geleken die in de beste fictie wordt aangewend, bleek een soort huis-tuin-en-keukentruc te zijn, eentje die werd gebruikt om de aandacht af te leiden van wat uiteindelijk triviaal is in plaats van de verpletterende diepten te onthullen die onder elk oppervlak schuilgaan. Wat in mijn gedachten een uiterst simpel, puur proza was, ontdaan van alle overbodige tierelantijntjes en daardoor des te pregnanter, was in werkelijkheid een saaie, stroperige massa geworden, gespeend van elke spanning of energie, dat zich tegen niets verzette, niets omverwierp, niets uitschreeuwde. Hoewel ik al een tijdje met het mechanisme achter het boek worstelde, niet in staat om van de losse stukjes een geheel te maken, had ik steeds geloofd dat er iets was, een blauwdruk die ik eerst moest zien los te weken van de rest, waarna zou blijken dat die alle subtiliteit en vormvastheid van een idee bezat dat alleen in een roman, geschreven in één bepaalde stijl, tot uitdrukking gebracht kan worden. Maar nu zag ik dat ik me had vergist.

Ik ging naar buiten en maakte een lange wandeling door Riverside Park en over Broadway om alles op een rijtje te zetten. Ik ging Zabar in om wat voor het avondeten te halen, zwaaide naar de man van de kaasafdeling die er al stond sinds de tijd dat ik bij mijn grootmoeder op bezoek ging, slalomde langs de kromme, zwaar bepoederde oudjes die een potje augurken in een winkelwagentje voortduwden, stond in de rij achter een vrouw die voortdurend, onwillekeurig met haar hoofd knikte – ja, ja, ja, ja –, het geestdriftige ja van het meisje dat ze was geweest, ook al bedoelde ze soms nee, nee, zo is het genoeg, nee.

Toen ik thuiskwam was er niets veranderd. De volgende dag

was nog erger. Mijn oordeel over wat ik het afgelopen jaar, of langer nog, had geschreven had een beangstigend vaste vorm aangenomen. De daaropvolgende dagen deed ik weinig meer aan het bureau dan het manuscript en de aantekeningen opbergen en de laden uitruimen. Er waren oude brieven, stukjes papier waarop ik inmiddels onbegrijpelijke dingen had gekrabbeld, prulletjes, restanten van spullen die al lang waren weggegooid, een paar transformators, postpapier waarop het adres stond gedrukt waar ik met mijn ex-man, S., had gewoond – een verzameling volkomen nutteloze voorwerpen en onder een paar oude blocnotes vond ik de ansichten van Daniel. Helemaal achter in een la lag een vergeelde paperback, ooit door Daniel daar vergeten, een verhalenbundel geschreven door ene Lotte Berg, waarin de auteur in 1970 een opdracht aan hem had gezet. Ik stopte alle dingen die weg konden in een grote tas; de rest deed ik in een doos, behalve de ansichtkaarten en de paperback. Die laatste stopte ik, zonder ze te lezen, in een grote, stevige envelop. Ik maakte de vele laden leeg, waarvan sommige heel klein waren, zoals ik al had gezegd, en sommige van gemiddelde afmetingen, met uitzondering van de la met het koperen slotje. Als je aan het bureau zat, bevond het slot zich vlak boven je rechterknie. De la was al zo lang ik me kon heugen op slot, en hoewel ik overal had gekeken, had ik de sleutel niet gevonden. Eén keer had ik in een vlaag van nieuwsgierigheid of misschien uit verveling het slot met een schroevendraaier proberen open te breken, maar daarbij had ik voornamelijk mijn knokkels geschaafd. Hoe vaak had ik gewenst dat het een andere la was geweest die op slot zat, want de rechterbovenla was de handigste, en telkens als ik iets in een van de vele laden moest zoeken, greep ik automatisch naar die la, waarbij ik even door droefenis werd overmand, een soort verweesd gevoel dat naar mijn weten geen verband hield met de la, maar zich daar op een of andere manier had genesteld. Ik had altijd aangenomen dat in de la brieven lagen van het meisje uit het gedicht dat Daniel Varsky me een keer had voorgelezen, of van een meisje dat op haar leek.

De daaropvolgende zaterdag belde Lea Weisz om twaalf uur aan. Toen ik opendeed en de figuur zag staan, stokte mijn adem: het was Daniel Varsky, ondanks de zevenentwintig tussenliggende jaren, precies zoals ik me hem herinnerde op die wintermiddag toen ik bij hem aanbelde en hij opendeed, alleen speelde alles zich nu in omgekeerde volgorde af, als in spiegelbeeld, of alsof de tijd was stilgezet en daarna achteruitsnelde, waarbij alles ongedaan werd gemaakt. Hetzelfde magere lichaam, dezelfde neus en de daarmee tegenstrijdige onderliggende broosheid. Dit evenbeeld van Daniel Varsky stak haar hand uit. Die was koud toen ik hem drukte, hoewel het buiten warm was. Ze had een blauw velours jasje aan met versleten ellebogen en om haar hals hing een rode linnen sjaal waarvan de punten over haar schouders waren geslagen, als een vlotte studente die gebukt gaat onder de last van haar eerste kennismaking met Kierkegaard of Sartre en zwoegend tegen de wind in naar college loopt. Zo jong zag ze eruit, achttien of negentien, maar toen ik een snelle berekening maakte, besefte ik dat Lea minsten vier- of vijfentwintig moest zijn, ongeveer dezelfde leeftijd als waarop Daniel en ik elkaar hadden ontmoet. Anders dan bij een frisse studente ging er iets dreigends uit van de manier waarop haar haar in haar ogen hing en van de ogen zelf, die donker, haast zwart waren.

Toen ze binnen was, zag ik dat ze niet haar vader was. Zo was ze bijvoorbeeld kleiner, gedrongener, meer als een boosaardige kabouter. Ze had kastanjebruin haar, niet zwart zoals dat van Daniel. Onder de plafondlamp in mijn gang viel de gelijkenis met Daniel in zoverre weg dat ik, als ik Lea toevallig op straat was tegengekomen, waarschijnlijk niets herkenbaars in haar had gezien.

Ze had het bureau meteen al gezien en liep er langzaam op af. Ze bleef bij het omvangrijke gevaarte staan, dat voor haar ongetwijfeld tastbaarder was dan haar vader ooit was geweest, hield haar hand tegen haar voorhoofd en liet zich in de stoel zakken. Even dacht ik dat ze zou gaan huilen. Maar nee, ze legde haar handen op het blad, schoof ze heen en weer en begon in de laden te rommelen. Ik verbeet mijn ergernis om deze vrijpostigheid, en om de daaropvolgende, want één la opendoen en inspecteren was haar niet genoeg, ze moest er wel drie of vier bekijken voordat ze ervan overtuigd was dat ze leeg waren. Even dacht ik dat ík zou gaan huilen.

Uit beleefdheid en om te voorkomen dat het meubelstuk binnenstebuiten werd gekeerd, bood ik haar een kopje thee aan. Ze stond op en keek om zich heen. Woont u hier alleen? vroeg ze. Haar intonatie en de blik waarmee ze de scheve boekenstapel naast mijn vlekkerige leunstoel en het rijtje vuile mokken in de vensterbank monsterde, deed me denken aan de meelevende gezichten van vrienden die langskwamen in de maanden voordat ik haar vader leerde kennen, toen ik alleen in het appartement woonde en alle spullen van R. weg waren. Ja, zei ik. Wil je suiker in je thee? Bent u nooit getrouwd? vroeg ze, en omdat ik nogal door deze botte vraag werd overvallen, antwoordde ik zonder na te denken, nee. Ik ben ook niet van plan te trouwen, zei ze. Nee? vroeg ik. Waarom niet? Kijk maar naar uzelf, zei ze. U kunt gaan en staan waar u wilt, uw eigen leven invullen. Ze streek haar haar achter haar oren en liet haar blik nog een keer door de kamer gaan, alsof niet zomaar een bureau maar de hele woning of misschien zelfs het hele leven straks op haar naam kwam te staan.

Het was nu niet het geschikte moment om alles te vragen wat ik wilde weten over de omstandigheden rond Daniels arrestatie: waar hij gevangen had gezeten en of er iets bekend was over hoe en wanneer hij aan zijn einde was gekomen. In de loop van het halfuur kwam ik wel te weten dat Lea twee jaar piano had gestudeerd aan het Juilliard-conservatorium in New York voordat ze besloot om het enorme instrument waaraan ze al sinds haar vijfde geketend zat vaarwel te zeggen. Een paar weken later was ze teruggegaan naar Jeruzalem. Daar had ze het afgelopen jaar gewoond om na te denken over wat ze nu wilde gaan doen. Ze was alleen naar New York gekomen om wat spullen op te halen die nog bij vrienden stonden, en ze was van plan om alles, ook het bureau, naar Jeruzalem te laten verschepen.

Misschien heb ik niet alle details onthouden, want terwijl ze aan het woord was merkte ik dat ik steeds meer moeite had met het idee dat ik aanstonds het enige betekenisvolle voorwerp in mijn leven als schrijver moest afstaan, het enige tastbare symbool van alles wat verder gewichtloos en ongrijpbaar was, aan dit zwerfkind dat er waarschijnlijk af en toe aan zou zitten, als aan een voorvaderlijk altaar. Maar ja, Edelachtbare, wat moest ik anders? We spraken af dat zij de volgende dag zou komen met een verhuiswagen waarmee het bureau rechtstreeks naar een scheepscontainer in Newark zou worden vervoerd. Ik kon het niet opbrengen om toe te kijken hoe het bureau werd weggetakeld, daarom zei ik maar dat ik er niet zou zijn, maar dat ik ervoor zou zorgen dat Vlad, de norse Roemeense conciërge, haar binnenliet.

’s Ochtends vroeg legde ik de grote envelop met Daniels ansichtkaarten op het lege bureau en ging met de auto naar Norfolk in Connecticut, waar S. en ik negen of tien zomers achtereen een huis hadden gehuurd, al was ik er sinds onze scheiding niet meer geweest. Pas toen ik mijn auto naast de bibliotheek had geparkeerd en was uitgestapt voor het stadsplantsoen om mijn benen te strekken, besefte ik dat ik van mijn bezoek hier maar beter geen uitje kon maken, bovendien wilde ik koste wat kost voorkomen dat ik een bekende tegen het lijf liep. Ik ging terug naar de auto en reed wel vier of vijf uur achtereen doelloos over de binnenwegen, door New Marlborough naar Great Barrington, verder door naar Lenox, dezelfde route die S. en ik talloze malen hadden genomen voordat we ons op een goede dag realiseerden dat ons huwelijk de hongerdood was gestorven.

Onder het rijden moest ik denken aan de keer, toen we vier of vijf jaar getrouwd waren, dat S. en ik voor een etentje waren uitgenodigd bij een Duitse danser die in New York woonde. Destijds werkte S. in een theater, inmiddels gesloten, waar de danser een solovoorstelling deed. Het was een klein appartement dat vol met curieuze spullen stond, voorwerpen die hij op straat had gevonden, op zijn eindeloze reizen had verzameld of die hij had gekregen, allemaal opgesteld met het gevoel voor ruimte, verhouding, timing en elegantie dat hem tot zo'n boeiende podiumpersoonlijkheid maakte. Het was zelfs raar en bijna ergerlijk om de danser in zijn gewone kloffie op bruine huisslippers uiterst efficiënt door het huis te zien lopen, zonder dat je eigenlijk merkte dat er een waanzinnig fysiek talent in hem huisde. Ik begon te snakken naar een barstje in deze pragmatische façade, een sprong of draai, een uitbarsting van zijn ware kracht. Maar toen ik er eenmaal aan gewend was en gefascineerd raakte door zijn vele collecties kleinigheden, kreeg ik het opgetogen, onaardse gevoel dat ik soms heb als ik het universum van andermans leven betreed, als het een ogenblik volstrekt denkbaar is om mijn banale gewoonten af te schudden en net zo'n leven te leiden, een gevoel dat de volgende ochtend altijd is verdwenen, wanneer ik wakker word met de bekende, onverplaatsbare vormen van mijn eigen leven. Op een gegeven moment stond ik op om naar de wc te gaan en in de gang kwam ik langs de openstaande slaapkamerdeur van de danser. Die was sober ingericht, met alleen een bed, een houten stoel en een altaartje met kaarsen in een hoek. Er was een groot raam op het zuiden waarachter in het donker Lower Manhattan zweefde. De andere muren waren kaal, op een verftekening na die met punaises was opgehangen, een levendige schildering met veel felgekleurde, opgewekte penseelstreken waaruit her en der gezichten opdoken, als uit een moeras, sommige bekroond met een hoed. De gezichten op de bovenste helft van het vel waren ondersteboven, alsof de kunstenaar het papier had omgedraaid of zich er al schilderend op zijn of haar knieën omheen had verplaatst om er beter bij te kunnen. Het was een merkwaardig werkje, dat detoneerde bij de rest van de spullen die de danser had verzameld, en ik bleef er even naar staan kijken voordat ik doorliep naar de wc.

Het vuur in de zitkamer was bijna gedoofd, het was al laat op de avond. Toen we onze jassen aantrokken, verraste ik mezelf door aan de danser te vragen wie toch dat schilderij had gemaakt. Hij vertelde dat het beste vriendje uit zijn kindertijd het op zijn negende had geschilderd. Samen met zijn oudere zusje, zei hij, al vermoed ik dat zij het meeste heeft gedaan. Toen het af was, hebben ze het aan mij gegeven. De danser hielp me in mijn jas. Weet je, aan dat schilderij zit een droevig verhaal vast, zei hij er even later achteraan, als een soort postscriptum.

Op een middag had de moeder slaappillen in hun thee gedaan. De jongen was negen en zijn zusje elf. Toen ze sliepen, tilde ze hen in de auto en reed naar het bos. Het was inmiddels donker. Ze goot benzine over de auto heen en streek een lucifer af. Ze zijn alle drie in de vlammen omgekomen. Het gekke is, zei de danser, dat ik altijd jaloers was op hoe het er thuis bij mijn vriendje aan toe ging. Dat jaar hadden ze de kerstboom tot april laten staan. Hij werd bruin en de naalden vielen uit, maar ik zeurde mijn moeder constant aan haar hoofd waarom wij onze kerstboom niet net zo lang mochten laten staan als bij Jörn.

In de stilte die op dit uiterst onverbloemd vertelde verhaal volgde, moest de danser even glimlachen. Misschien kwam het omdat ik mijn jas aanhad en het binnen warm was, maar opeens begon ik te gloeien en werd ik licht in mijn hoofd. Ik wilde nog zoveel andere dingen vragen over de kinderen en zijn vriendschap met hen, maar ik was bang dat ik ging flauwvallen, en nadat een andere gast een grapje had gemaakt over dit morbide einde van de avond, bedankten we de danser voor het eten en namen afscheid. In de lift naar beneden had ik moeite om mijn evenwicht te bewaren, maar S., die zachtjes neuriede, had niets in de gaten.

In die tijd overwogen S. en ik om kinderen te krijgen. We waren er eigenlijk steeds van uitgegaan dat dat er ooit van zou komen. Maar er waren altijd dingen in ons leven die eerst op orde gebracht moesten worden, samen of apart, en de tijd verstreek domweg zonder dat er een besluit viel, zonder een duidelijker idee over hoe we meer konden worden dan wat we nu probeerden te zijn. Toen ik nog jong was, dacht ik altijd dat ik een kind wilde, maar ik werd vijfendertig, veertig, en had nog steeds geen kind, zonder dat het me echt verbaasde. Misschien lijkt het ambivalent, Edelachtbare, en dat zal het ten dele ook wel geweest zijn, maar er was nog iets anders, een gevoel dat ik altijd heb gehad, ondanks het groeiende bewijs van het tegendeel, dat ik nog alle tijd heb – en dat dat altijd zo zal zijn. De jaren gingen voorbij, mijn gezicht in de spiegel veranderde, mijn lichaam was niet meer wat het geweest was, maar ik had er moeite mee om te geloven dat de houdbaarheidsdatum van mijn vruchtbaarheid zomaar opeens was verstreken zonder dat ik daar toestemming voor had gegeven.

Die avond, in de taxi naar huis, moest ik steeds aan die moeder en haar kinderen denken. De banden van de auto die over de dennennaalden op de bosgrond zoefden, de motor die op een open plek werd afgezet, de bleke gezichtjes van de jonge schilders die achterin lagen te slapen, het vuil onder hun nagels. Hoe heeft ze dat kunnen doen? zei ik hardop tegen S. Dit was niet precies de vraag die ik wilde stellen, maar op dat moment kon ik het niet scherper formuleren. Ze was gek geworden, zei hij eenvoudigweg, alsof daarmee de kous af was.

Niet lang daarna schreef ik een verhaal over het jeugdvriendje van de danser dat in zijn moeders auto in een Duits bos in zijn slaap was omgekomen. Ik veranderde niets aan de details, alleen verzon ik er een paar bij. Het huis waar de kinderen woonden, de opbeurende geur van lenteavonden die door de ramen naar binnen zweefde, de bomen in de tuin die ze zelf hadden geplant, alles verscheen moeiteloos voor mijn geestesoog. Dat de kinderen samen liedjes zongen die ze van hun moeder hadden geleerd, dat ze hun voorlas uit de Bijbel, dat ze hun verzameling vogeleitjes in de vensterbank bewaarden en dat de jongen 's nachts bij zijn zusje in bed kroop als het heel hard waaide. Het verhaal werd door een vooraanstaand tijdschrift geaccepteerd. Ik nam voorafgaand aan de publicatie geen contact op met de danser en stuurde hem evenmin een kopie van het verhaal. Hij had het beleefd en ik had het gebruikt en naar mijn hand gezet. In zeker opzicht is dat ook mijn werk, Edelachtbare. Toen ik een exemplaar van het tijdschrift ontving, vroeg ik me wel even af of de danser het onder ogen zou krijgen en hoe hij zou reageren. Maar ik bleef er niet al te lang bij stilstaan, ik laafde me vooral aan het trotse gevoel dat mijn werk in het vermaarde lettertype van het tijdschrift was verschenen. Daarna kwam ik de danser een hele tijd niet tegen en ik was ook niet bezig met wat ik tegen hem zou zeggen als ik hem toevallig tegen het lijf liep. Bovendien waren na publicatie van het verhaal ook de moeder en haar kinderen die in een brandende auto waren omgekomen uit mijn gedachten verdwenen, alsof ik ze door het schrijven had verdreven.

Ik bleef doorschrijven. Aan het bureau van Daniel Varsky schreef ik nog een roman, en daarna nog een, voor een groot deel gebaseerd op mijn vader, die het jaar daarvoor was overleden. Het was een roman die ik tijdens zijn leven niet had kunnen schrijven. Als hij hem had kunnen lezen, weet ik bijna zeker dat hij zich verraden zou hebben gevoeld. Tegen het einde van zijn leven had hij geen beheersing meer over zijn lichaam en daarmee verloor hij zijn waardigheid, iets waarvan hij zich tot op het laatst pijnlijk bewust was. Deze vernederingen had ik in mijn roman op levensechte wijze beschreven, ook de keer dat hij in zijn broek had gepoept en ik hem moest schoonmaken, een voorval dat hij zo gênant vond dat hij me daarna dagenlang niet aan durfde te kijken, en het spreekt voor zich dat hij mij zou hebben gesmeekt het tegen niemand te vertellen, als hij de moed had kunnen opbrengen erover te beginnen. Maar bij deze folterende, intieme scènes liet ik het niet, scènes die mijn vader, als hij zijn schaamtegevoel even had kunnen opschorten, waarschijnlijk ook had beschouwd als voorbeelden van de algemene last van het ouder worden en van de confrontatie met je eigen dood in plaats van een beschrijving van hem persoonlijk – ik liet het daar niet bij, maar ik gebruikte zijn ziekte en lijdensweg, met alle bijbehorende venijnige details, en uiteindelijk ook zijn dood om over zijn leven te schrijven, en dan vooral over zijn tekortkomingen, als mens en als vader, tekortkomingen die vanwege alle precieze, overvloedige details alleen aan hem toegeschreven konden worden. Ik mat zijn fouten en mijn twijfels, het psychologische drama van mijn jonge leven met hem, ternauwernood verhuld (voornamelijk door overdrijving) breed uit over de bladzijden van het boek. Ik gaf nietsontziende beschrijvingen van alles wat hij in mijn ogen had misdaan en daarna vergaf ik hem. Uiteindelijk stond dit alles in het teken van een moeizaam bevochten compassie en was er op de laatste bladzijden sprake van de zegevierende liefde en het verdriet om zijn dood, maar dat nam niet weg dat ik in de weken en maanden voorafgaand aan de publicatie soms een gevoel van weerzin ervoer dat me een tijdje zwaar terneerdrukte. In interviews benadrukte ik dat het boek fictie was en ventileerde ik mijn ergernis jegens journalisten en lezers die een roman steevast als de autobiografie van de auteur lazen, alsof er niet zoiets bestond als de verbeelding van de schrijver, alsof het de taak van de schrijver was om een droge opsomming van gebeurtenissen te geven in plaats van zijn krachtige verbeelding te laten spreken. Ik hield een pleidooi voor de vrijheid van de schrijver – om te scheppen, om te veranderen en te verbeteren, om te schrappen en uit te weiden, om betekenis te geven, te ontwerpen, te verbeelden, te imiteren, een leven te kiezen, te experimenteren, enzovoorts – en citeerde Henry James, die het over de 'onmetelijke toename' van die vrijheid had, een openbaring, zoals hij het noemde, waarvan iedereen die ooit serieus had geprobeerd een kunstwerk te scheppen zich vanzelf bewust werd. Ja, met de op mijn vader gebaseerde roman, die misschien niet als warme maar dan toch wel als lauwe broodjes overal in Amerika over de toonbank ging, vierde ik de ongeëvenaarde vrijheid van de schrijver, de vrijheid om haar eigen instinct en denkbeelden te volgen zonder verantwoording te hoeven afleggen aan wie of wat dan ook. Misschien zei ik het niet met zoveel woorden, maar ik bedoelde eigenlijk dat de schrijver een missie heeft, een roeping zoals dat alleen in de kunst en in het geloof heet, en zich niet hoeft te bekommeren om welke gevoelens ze losmaakt bij de mensen uit wier leven ze put.

Ja, ik vond – misschien nog steeds wel – dat de schrijver zich niet door de mogelijke gevolgen van haar werk moet laten belemmeren. Aardse precisie of aannemelijkheid is niet haar plicht. Ze is geen boekhouder en ook hoeft ze niet zoiets belachelijks en misleidends te zijn als een moreel kompas. In haar werk is de schrijver niet aan wetten gebonden. Maar in haar leven, Edelachtbare, is ze dat wel.

Enkele maanden nadat de roman over mijn vader was verschenen, kwam ik op een wandeling in de buurt van Washington Square Park langs een boekhandel. Bij de etalage hield ik uit gewoonte mijn pas in om te zien of mijn boek er lag. Op dat moment zag ik binnen de danser bij de kassa staan, hij zag mij, onze blikken kruisten elkaar. Heel even overwoog ik snel door te lopen, hoewel ik niet goed wist wat me zo onrustig maakte. Maar dat was al niet meer mogelijk; de danser stak groetend zijn hand op en het enige wat ik kon doen was wachten tot hij had afgerekend en naar buiten kwam.

Hij droeg een prachtige wollen jas en om zijn hals had hij een zijden sjaal geknoopt. In het zonlicht zag ik dat hij ouder was. Niet veel, maar genoeg om niet meer voor jong te kunnen doorgaan. Ik vroeg hoe het met hem ging en hij vertelde over een kennis die als zovelen in die tijd aan aids was overleden. Hij zei dat er onlangs een einde was gekomen aan zijn langdurige relatie met een man, die hij nog niet kende toen we elkaar voor het laatst hadden gezien, en hij vertelde dat er binnenkort een stuk in première ging waarvoor hij de choreografie had gemaakt. Hoewel er inmiddels vijf of zes jaar waren verstreken, waren S. en ik nog steeds getrouwd en woonden we in hetzelfde appartement in de West Side. Ogenschijnlijk was er weinig veranderd, en toen het mijn beurt was om met nieuwtjes te komen kon ik alleen maar zeggen dat alles goed ging en dat ik nog steeds aan het schrijven was. De danser knikte. Het kan zelfs zijn dat hij glimlachte, een oprechte glimlach, een oprechtheid die mij, met mijn eeuwige verlegenheid, telkens als ik ermee word geconfronteerd een licht nerveus en beschaamd gevoel bezorgt omdat ik weet dat ik zelf nooit zo vlot, zo open en spontaan kan zijn. Ik lees alles wat je schrijft. O ja? vroeg ik verbaasd en opeens verontrust. Maar hij glimlachte weer en ik dacht dat het gevaar geweken was, dat het verhaal onvermeld zou blijven.

We liepen een paar straten samen op in de richting van Union Square, totdat we ieder een andere kant op moesten. Toen we afscheid namen, boog de danser zich voorover en haalde een pluisje van de kraag van mijn jas. Het was een teder, haast intiem moment. Weet je, ik heb het van mijn muur gehaald, zei hij zachtjes. Wat? vroeg ik. Toen ik je verhaal had gelezen, heb ik het schilderij van mijn muur gehaald. Ik kon er niet langer naar kijken. Echt waar? zei ik overrompeld. Hoezo? Dat heb ik me in het begin ook afgevraagd, zei hij. Het was al ruim twintig jaar met me meegegaan, van woning naar woning, van stad naar stad. Maar na een tijdje begreep ik wat jouw verhaal me zo duidelijk had gemaakt. Wat dan? wilde ik vragen, maar dat durfde ik niet. Toen stak de danser, die wel ouder was geworden maar nog altijd even loom en elegant was, zijn hand uit en tikte met twee vingers tegen mijn wang, draaide zich om en liep weg.

Op de terugweg naar huis was ik aanvankelijk verbijsterd en vervolgens boos over het gebaar van de danser. Voor een buitenstaander had het er waarschijnlijk als een liefkozend gebaar uitgezien, maar hoe langer ik erover nadacht, hoe meer ik het iets minachtends vond hebben, misschien zelfs iets vernederends. De lach van de danser werd naar mijn gevoel steeds minder gemeend en ik kreeg het idee dat hij al jaren aan de choreografie van dat gebaartje had gewerkt, er heel lang op had zitten broeden en gewacht had tot hij mij toevallig tegen het lijf liep. En was het verdiend? Had hij die avond het verhaal niet in geuren en kleuren opgedist, niet alleen aan mij maar aan alle gasten? Als ik het op onoorbare wijze had ontdekt – door zijn dagboeken of brieven te lezen, iets wat ik onmogelijk gedaan kon hebben omdat ik hem nauwelijks kende – dan was het iets anders geweest. Of als hij me het verhaal in vertrouwen had verteld, nog vol van schrijnende emoties. Maar zo was het niet. Hij had het gepresenteerd met dezelfde lach en vrolijkheid als waarmee hij ons na het eten een glaasje grappa had gepresenteerd.

Onderweg kwam ik toevallig langs een kinderspeelplaats. Het was al laat in de middag, maar op het omheinde stukje grond waren de kinderen nog met veel gegil aan het spelen. Ik heb in de loop der jaren in verschillende huizen gewoond en een daarvan stond recht tegenover een speeltuin, en het viel me altijd op dat in het laatste halfuur voor de schemering inviel de kinderstemmen luider werden. Ik wist niet of dat kwam omdat de stad in de invallende duisternis een decibel stiller werd of dat de kinderen gewoon harder begonnen te schreeuwen omdat ze wisten dat ze zo naar huis moesten. Af en toe steeg er een uitroep of een lach boven de rest uit en als ik dat hoorde, kwam ik soms achter mijn bureau vandaan om naar de kinderen te kijken. Maar nu bleef ik niet staan. Ik werd nog zo in beslag genomen door de ontmoeting met de danser dat ik amper oog voor ze had, totdat er een angstig gegil opklonk, de schreeuw van een doodsbang kind die diep bij me naar binnen drong, alsof het een smeekbede aan mij alleen was. Ik verstijfde en draaide me met een ruk om, ervan overtuigd dat ik ergens een zwaargewond kind dat van een grote hoogte was gevallen zou ontdekken. Maar ik zag niets, alleen de kinderen die in en uit hun kringetjes en spelletjes renden, zonder aanwijzing waar die gil vandaan was gekomen. Mijn hart ging als een bezetene tekeer, de adrenaline stroomde door me heen, mijn hele wezen was klaar om toe te snellen, om het kind dat die ijzingwekkende schreeuw had geuit te redden. Maar de kinderen speelden rustig door. Ik liet mijn oog over de gebouwen erboven gaan, want misschien was de gil uit een open raam gekomen, ook al was het november en te koud om de warmte te laten ontsnappen. Ik moest even steun bij het hek zoeken.

Toen ik thuiskwam, bleek S. er nog niet te zijn. Ik zette het strijkkwartet van Beethoven in A-klein op, een van mijn lievelingsstukken sinds een vriendje uit mijn studententijd me het voor het eerst liet horen in zijn kamertje. Ik herinner me nog de knobbels van zijn ruggengraat toen hij zich over de pick-up boog om de naald langzaam te laten zakken. Het derde deel is een van de aangrijpendste passages die ooit zijn geschreven, en telkens als ik het hoor, heb ik het gevoel dat ik in mijn eentje op de schouders zit van een reusachtig wezen dat door het verschroeide landschap van de menselijke emotie stapt. Zoals met alle muziek die me diep raakt, luister ik er nooit naar als er anderen bij zijn, net zoals ik geen boek weggeef dat me heel erg dierbaar is. Ik schaam me voor deze bekentenis, want het toont aan dat ik een wezenlijke tekortkoming of een egoïstisch karakter heb, en ik besef dat zo'n instelling indruist tegen het instinct van de meeste mensen, die een bepaalde voorliefde graag met anderen willen delen, die dezelfde hartstocht hopen los te maken, en ik weet ook dat ik zonder andermans geestdrift verstoken zou zijn gebleven van veel boeken en muziekstukken die ik prachtig vind, niet in het minst het derde deel van Opus 132, dat mij op een lenteavond in 1967 steun en troost gaf. Maar in plaats van dat het mijn plezier verhoogt, heb ik altijd het gevoel gehad dat dat juist afneemt als ik een ander vraag om mee te luisteren, een inbreuk op de intimiteit die ik met het werk heb, een schending van privacy. Het ergste is nog als iemand een boek oppakt waarvan ik vol ben en dan onverschillig door de eerste pagina's begint te bladeren. Lezen in het bijzijn van een ander heb ik altijd lastig gevonden, eigenlijk ben ik er nooit aan gewend geraakt, ook al ben ik jaren getrouwd geweest. In die tijd werkte S. als boekingsagent bij het Lincoln Center en maakte hij langere uren dan daarvoor, en soms moest hij voor een paar dagen naar Berlijn, Londen of Tokio. Als hij weg was, kon ik me terugtrekken in een soort luwte, een plek die leek op het moeras dat die kinderen destijds hadden getekend, waar de gezichten uit de elementen oprijzen en het overal stil is, net als vlak voor de inval van een idee, een rust en stilte die ik alleen maar ervaar als ik alleen ben. En het stoorde me als S. dan thuiskwam. In de loop der tijd begreep hij dat beter en accepteerde hij het. Hij ging dan naar een kamer waar ik niet was – de keuken als ik in de woonkamer was, de woonkamer als ik in de slaapkamer was – en begon daar zijn zakken te legen of zijn buitenlandse munten in de zwarte filmkokertjes te stoppen, voordat hij geleidelijk aan versmolt met de plek waar ik me bevond, een kleine geste die mijn wrevel altijd in dankbaarheid deed overgaan.

Vlak voor het einde van het derde deel zette ik de stereo-installatie uit zonder naar de rest te luisteren. Ik ging naar de keuken om soep te maken. Ik was groenten aan het snijden toen het mes uit mijn hand gleed en een diepe jaap in mijn duim maakte, en op het moment dat ik het uitschreeuwde hoorde ik een echo van mijn gil, die van een kind. Hij leek van de andere kant van de muur te komen, bij de buren vandaan. Ik werd besprongen door een gevoel van verdriet, zo sterk dat het zelfs pijn deed in mijn maag en ik moest gaan zitten. Ik moet bekennen dat ik zelfs huilde, snikte totdat het bloed uit mijn vinger op mijn blouse begon te druppelen. Toen ik mezelf had vermand en de snee met een stukje keukenrol had verbonden, klopte ik op de deur van mijn buurvrouw, mevrouw Becker, een oude dame die alleen woonde. Ik hoorde haar voeten langzaam naar de deur sloffen en, nadat ik mijn naam had genoemd, het geduldige openmaken van verscheidene sloten. Ze tuurde me door een enorme zwarte zonnebril aan, een bril die haar op een of andere manier het uiterlijk gaf van een dier dat in holen leeft. Ja, kind, kom binnen, wat leuk je te zien. De lucht van eeuwenoud eten was overweldigend, jarenlange kookluchtjes die zich in de kleedjes en de bekleding hadden genesteld, duizenden pannen soep waarmee ze zichzelf net in leven had gehouden. Ik dacht dat ik zo-even bij u gegil hoorde. Gegil? vroeg mevrouw Becker. Het klonk als een kind, zei ik, langs haar heen turend naar de donkere hoeken van haar woning, die was volgestouwd met meubels op klauwenpoten die na haar dood alleen met de grootste krachtsinspanning weggesleept konden worden. Soms kijk ik tv, maar nee, ik geloof niet dat die aanstond, ik zat gewoon in een boek te kijken. Misschien kwam het van beneden. Het gaat goed, kind, lief dat je het vraagt.

Ik vertelde niemand wat ik had gehoord, zelfs mevrouw Lichtman niet, de psychotherapeute die ik al jaren had. En een tijdlang hoorde ik het kind niet meer. Maar het geschreeuw bleef me bij. Soms hoorde ik het opeens als ik aan het schrijven was, waardoor mijn gedachtegang werd onderbroken en ik van de wijs raakte. Ik begon er iets spottends in te horen, een ondertoon die me eerst niet was opgevallen. Andere keren hoorde ik het vlak voordat ik wakker werd, tijdens die overgang van slapen naar waken, en dan stond ik op met het gevoel dat er iets om mijn nek was gewonden. Aan simpele voorwerpen leek zich een verborgen gewicht te hechten, een theekopje, een deurknop, een glas, eerst nauwelijks merkbaar, alleen het gevoel dat elke beweging een iets grotere inspanning vergde, en als ik me eenmaal een weg langs deze voorwerpen had gebaand en bij mijn bureau was gekomen, was mijn reserve alweer voor een deel afgesleten of weggespoeld. De pauzes tussen de woorden werden langer, wanneer het me even niet meer lukte om mijn gedachten in taal om te zetten, en dan doemde er een donkere vlek van onverschilligheid op. Ik had daar natuurlijk al veel vaker mee geworsteld in mijn schrijversleven, een soort entropie van zorgvuldigheid of verslapping van wilskracht, zelfs zo consequent dat ik er amper nog acht op sloeg – een rukje om kopje onder te gaan in een onderstroom van woordeloosheid. Maar nu zat ik vaak vast in die momenten, ze werden langer en breder, en soms kon ik bijna de overkant niet meer zien. Maar als ik die eindelijk bereikte, wanneer een woord dan eindelijk als een reddingsboot voorbijkwam, en nog een en nog een, begroette ik die woorden met een zeker wantrouwen, een achterdocht die wortel schoot en zich niet alleen tot mijn werk beperkte. Het is onmogelijk om je eigen teksten te wantrouwen zonder dat je een dieper wantrouwen in jezelf losmaakt.

Rond die tijd begon een kamerplant die ik al heel lang had, een grote ficus die het in de zonnigste hoek van ons appartement altijd goed had gedaan, ziek te worden en zijn bladeren te verliezen. Ik verzamelde de bladeren in een zak, die ik meenam naar een plantenzaak om te vragen wat ik eraan kon doen, maar niemand wist precies wat het was. Ik wilde hem per se redden en legde S. voortdurend uit met welke verschillende methodes ik geprobeerd had hem beter te maken. Maar niets hielp en de ficus ging dood. Ik moest hem op straat zetten en voordat hij in de vuilniswagen verdween, kon ik hem een hele dag lang uit mijn raam zien staan, kaal en aangetast. Ook toen de vuilnismannen hem al hadden meegenomen, bleef ik in boeken over de verzorging van kamerplanten bladeren, bestudeerde foto's van schildluizen, van meeldauw en bladrups, totdat S. op een avond voor me kwam staan, het boek dichtdeed en met zijn handen hard op mijn schouders drukte terwijl hij me strak aankeek, alsof hij net lijm aan mijn voetzolen had gesmeerd en me met gelijkmatige druk op mijn plek moest houden.

Dat was het einde van de ficus, maar niet het einde van mijn onrust. Nee, ik geloof dat je wel kunt stellen dat mijn onrust nu pas begon. Op een middag was ik alleen thuis. S. was op zijn werk en ik was net terug van een schilderijententoonstelling van R.B. Kitaj. Ik maakte wat boterhammen klaar en ging zitten om ze op te eten toen ik de schelle lach van een kind hoorde. Door dat geluid, de nabijheid ervan en nog iets anders, iets melancholieks en verontrustends achter de kleine stijgende notenreeks, liet ik mijn boterham vallen en stond ik zo abrupt op dat mijn stoel omviel. Haastig liep ik naar de woonkamer en daarna naar de slaapkamer. Ik weet niet wat ik verwachtte aan te treffen; beide waren leeg. Maar het raam naast ons bed stond open en toen ik me voorover-boog, zag ik een jongetje, niet ouder dan zes of zeven, dat in zijn eentje over straat liep en een groen karretje achter zich aan trok.

Ik herinner me nu dat het diezelfde lente was dat Daniels bank begon te schimmelen. Op een middag was ik vergeten het raam dicht te doen voordat ik de deur uit ging en was er een regenbui losgebarsten die de bank had doorweekt. Een paar dagen later begon hij vreselijk te stinken, een schimmellucht vermengd met wat anders, een zure, rottende lucht alsof de regen iets smerigs had losgemaakt dat diep in de bank verborgen zat. De bank waarop Daniel Varsky en ik elkaar zoveel jaar geleden hadden gekust, werd weggehaald door de conciërge, die een vies gezicht trok vanwege de stank, en ook deze bank stond mismoedig op straat totdat hij door de vuilnismannen werd meegenomen.

Een paar nachten daarna werd ik wakker uit een holle droom die zich in een oude danszaal afspeelde. Even wist ik niet waar ik was, maar toen draaide ik me om en zag S. naast me liggen slapen. Ik was kortstondig gerustgesteld, totdat ik beter keek en zag dat hij geen mensenhuid had, maar een stug, grijs vel dat leek op dat van een neushoorn. Het beeld was zo haarscherp dat ik zelfs nu nog precies weet hoe die geschubde grijze huid eruitzag. In mijn halfslaap werd ik bang. Ik wilde hem aanraken om er zeker van te zijn dat ik het goed had gezien, maar ik was bang om het beest naast me wakker te maken. Dus deed ik mijn ogen dicht en viel uiteindelijk weer in slaap, en de angst voor de huid van S. ging over in een droom over een zoektocht naar het lichaam van mijn vader dat op het strand was aangespoeld als een dode walvis, alleen was het geen walvis maar een neushoorn in staat van ontbinding, en om die te verslepen moest ik mijn speer zo diep in hem stoten dat hij vast bleef zitten, zodat ik het lichaam achter me aan kon trekken. Maar hoe hard ik de speer ook in de flank van de neushoorn stak, hij ging er steeds niet diep genoeg in. Ten slotte wist het rottende lijk op eigen kracht naar de stoep voor het appartement te komen, waar ook de zieke ficus en de beschimmelde bank bij het grofvuil hadden gestaan, maar inmiddels had het lichaam weer een andere vorm aangenomen en toen ik er vanuit mijn raam op de vierde verdieping naar keek, besefte ik dat wat ik aanzag voor een neushoorn, in feite het lichaam van de verdwenen, ontbindende dichter Daniel Varsky was. De dag erop liep ik langs de conciërge in de hal en meende hem te horen zeggen: U maakt handig gebruik van de dood. Ik bleef staan en draaide me met een ruk om. Wat zei u? vroeg ik gebiedend. Hij keek me onverstoorbaar aan en ik meende een spottend trekje rond zijn mondhoeken te zien. Het dak op de negende wordt gerepareerd, zei hij. Een hoop herrie, voegde hij eraan toe, en hij knalde het hek van de dienstlift dicht.

Mijn werk vlotte nog steeds niet. Ik schreef trager dan ooit tevoren en wat ik had geschreven bekeek ik met een kritisch oog, waarbij me het gevoel bekroop dat alles wat ik vroeger had geschreven misplaatst en ondoordacht was, één grote vergissing. Ik begon te vermoeden dat ik in plaats van de verborgen diepten van dingen te onthullen, zoals ik altijd had gedacht te doen, misschien het tegendeel deed: me verbergen achter de dingen die ik schreef, om een geheime tekortkoming te verdoezelen, een gebrek dat ik mijn leven lang al voor anderen had achtergehouden, en dat ik door te schrijven ook voor mezelf had verborgen. Een gebrek dat met het vorderen van de jaren groter werd en lastiger te verbergen, zodat mijn werk steeds moeizamer ging. Wat voor gebrek dan? Ik geloof dat je het een soort gebrek aan bezieling zou kunnen noemen. Aan kracht, vitaliteit, mededogen, en als gevolg daarvan, eraan vastgesmeed, een gebrek aan effect. Zolang ik schreef, bleef de illusie van die zaken in stand. Het feit dat ik geen effect zag, wilde niet zeggen dat het er niet was. De vraag die ik geregeld van journalisten kreeg, Denkt u dat uw boeken iemands leven kunnen veranderen? (waarmee ze eigenlijk bedoelden: Denkt u echt dat wat u schrijft ook maar enige betekenis voor wie dan ook kan hebben?), pareerde ik altijd met een waterdicht gedachte-experimentje waarbij ik de interviewer vroeg om zich voor te stellen wat voor iemand hij zou zijn als alle literatuur die hij in zijn leven had gelezen op een of andere manier uit zijn geest werd weggesneden, uit zijn geest en uit zijn hart, en terwijl de journalist over deze nucleaire winter zat te peinzen leunde ik met een zelfgenoegzaam lachje achterover; opnieuw had ik een confrontatie met de waarheid weten te vermijden.

Ja, een gebrek aan effect dat voortkwam uit een gebrek aan bezieling. Beter kan ik het niet omschrijven, Edelachtbare. En hoewel ik het jarenlang had weten te verbergen en ik een zekere lusteloosheid in mijn leven steeds had gepareerd met het excuus van een andere, diepere bestaanslaag in mijn werk, merkte ik opeens dat het niet meer ging.

Ik vertelde het niet aan S. Ik besprak het niet eens met mevrouw Lichtman, die ik tijdens mijn huwelijk regelmatig bezocht. Ik was het wel van plan, maar elke keer dat ik in haar spreekkamer was, werd ik door stilzwijgen overmand, en was het gebrek dat onder honderdduizenden woorden en een miljoen kleine gebaartjes schuilging weer voor een week veiliggesteld. Want als ik het probleem op tafel had gelegd, als ik het hardop had uitgesproken, was de rots waarop al het andere rustte gaan wankelen en zou er een noodtoestand zijn ontstaan, met als gevolg eindeloze maanden, misschien wel jaren, van wat mevrouw Lichtman 'ons werk' noemde, maar wat in werkelijkheid een uiterst pijnlijke blootlegging van mezelf met een verzameling botte instrumenten was terwijl zij er in een versleten leren fauteuil bij zat, voeten op de poef, en af en toe iets op de wiebelende blocnote schreef dat op haar knieën klaarlag voor de momenten dat ik, met een zwart gezicht en geschaafde handen, uit het gat omhoogkroop met een klompje opgedolven zelfkennis.

Dus ging ik op de oude voet verder, alleen was het niet meer de oude voet, want ik voelde nu een steeds grotere schaamte en walging over mezelf. In het bijzijn van anderen – met name van S., met wie ik natuurlijk de intiemste band had – had ik het meest last van het gevoel, terwijl ik het in mijn eentje een beetje kon vergeten, althans kon negeren. 's Nachts ging ik zo ver mogelijk naar de rand van het bed liggen en als S. en ik elkaar in de gang passeerden, durfde ik hem niet in de ogen te kijken, en als hij me vanuit een andere kamer riep, moest ik me er echt met kracht toe zetten om hem te antwoorden. Toen hij me ernaar vroeg, zei ik achteloos dat het door mijn werk kwam, en daarna viel hij me niet meer lastig, zoals hij me op mijn verzoek altijd met rust liet, waardoor er een steeds grotere afstand tussen ons ontstond. Heimelijk begon ik juist kwaad op hem te worden, was ik geïrriteerd dat hij niet opmerkte hoe grimmig de toestand was, hoe ellendig ik me voelde, hoe boos ik was en eerlijk gezegd, ook bevangen door walging. Ja, walging, Edelachtbare, die behield ik niet alleen aan mezelf voor, omdat hij al die jaren niet besefte dat hij met iemand samenleefde die van dubbelhartigheid haar levenswerk had gemaakt. Alles aan hem begon me te ergeren. Hoe hij floot in de badkamer, hoe zijn mond bewoog als hij de krant las, hoe hij elk leuk moment kon verpesten door erop te wijzen dat het zo'n leuk moment was. Als ik me niet aan hem ergerde, dan was ik wel boos op mezelf, boos en verteerd door schuldgevoel dat ik zo onaardig was tegen deze man die zo gemakkelijk geluk, of in ieder geval vreugde, kon voelen en die onbekenden op hun gemak kon stellen en voor zich kon winnen zodat ze vanzelf hun uiterste best deden om het hem naar de zin te maken, maar wiens achilleshiel zijn gebrekkige mensenkennis was, wat wel bewezen was door het feit dat hij zich vrijwillig aan mij had verbonden: iemand die constant door de mand viel, die het tegenovergestelde effect op anderen had, die meteen weerstand opriep, alsof anderen onbewust voelden dat ze weleens een schop tegen hun schenen zouden kunnen krijgen.

En toen kwam hij op een avond heel laat thuis. Het regende en hij was kletsnat, zijn haar zat tegen zijn hoofd geplakt. Met zijn druipende jas en modderige schoenen van het park kwam hij de keuken in. Ik zat de krant te lezen, zoals ik altijd 's avonds doe, en hij stond naast me druppels op de pagina's te regenen. Hij had een angstaanjagende blik in zijn ogen, en eerst dacht ik dat hij iets vreselijks had meegemaakt, een bijna-dodelijk ongeluk, of dat hij iemand voor de metro had zien springen. Weet je die plant nog? zei hij. Ik begreep niet waar hij heen wilde, zoals hij daar druipnat en met glanzende ogen voor me stond. De ficus? vroeg ik. Ja, zei hij, de ficus. Je bekommerde je meer om de gezondheid van die plant dan je al die jaren om mij hebt gedaan, zei hij. Ik was stomverbaasd. Hij snoof en veegde het water van zijn gezicht. Ik kan me niet eens de laatste keer herinneren dat je me vroeg wat ik van iets vond, iets belangrijks. Instinctief stak ik mijn hand naar hem uit, maar hij deed schielijk een stap naar achteren. Je bent verdwaald in je eigen wereld, Nadia, in de gebeurtenissen die daar plaatsvinden, en je hebt alle deuren op slot gedaan. Soms kijk ik naar je als je slaapt. Ik word wakker en ik kijk naar je en terwijl je er zo weerloos bij ligt, voel ik me meer met je verbonden dan als je wakker bent. Als je wakker bent, is het net of je je ogen dicht hebt en naar een film kijkt die achter je oogleden wordt afgespeeld. Ik kan je niet meer bereiken. Ooit kon ik dat wel, maar nu niet meer, al heel lang niet meer. En ik geloof dat het je geen moer uitmaakt.

Ik voel me eenzamer bij jou dan bij een willekeurige vreemde, zelfs als ik gewoon in mijn eentje over straat loop. Kun je je voorstellen hoe dat voelt?

Zo ging hij nog een poosje door terwijl ik zwijgend zat te luisteren, omdat ik wist dat hij gelijk had, en zoals dat gaat bij twee mensen die van elkaar gehouden hebben, hoe gebrekkig ook, die samen hebben geprobeerd een leven op te bouwen, die dicht naast elkaar hebben geleefd en langzaam de kraaienpootjes hebben zien ontstaan, hebben gezien hoe het eerste wolkje grijs, als uit een kan geschonken, in de huid van de ander drupte en zich gelijkmatig verspreidde, die naar het gehoest en genies en de verzameling mompelgeluidjes hebben geluisterd, zoals dat gaat bij twee mensen die samen één gedachte hadden en moesten toezien hoe die ene gedachte geleidelijk aan voor twee aparte plaatsmaakte, minder hoopvolle, minder idealistische gedachten, hebben we tot diep in de nacht met elkaar zitten praten, ook de volgende dag en avond. Veertig dagen en veertig nachten lang, zou ik willen zeggen, maar de waarheid gebiedt te zeggen dat het er maar drie waren. Een van ons had op een minder gebrekkige manier van de ander gehouden, had meer oog voor de ander gehad, een van ons had geluisterd en de ander niet, en een van ons had dat bepaalde ideaal veel langer gekoesterd dan redelijk was, terwijl de ander het achteloos in een vuilnisbak op straat had gegooid.

Onder het praten ontstond er geleidelijk een beeld van mezelf, als reactie op het verdriet van S., zoals een polaroidfoto op warmte reageert, een portret dat ik aan de muur kon hangen naast het andere waarmee ik al maanden leefde – het beeld van iemand die de pijn van anderen voor haar eigen doeleinden gebruikte, die zichzelf veilig op de vlakte hield terwijl anderen honger en pijn leden, gekweld werden, en die er prat op ging dat ze de symmetrie die onder het oppervlak schuilging heel scherp opmerkte, iemand die er niet van overtuigd hoefde te worden dat haar zeer gewichtige project een hogere zaak diende, maar die in feite volkomen nutteloos was, totaal irrelevant, en erger nog, een bedriegster was die haar geestelijke armoede verborg achter een berg woorden. Ja, naast dat mooie plaatje hing ik er nu nog een: een plaatje van iemand die zo zelfzuchtig en egocentrisch was dat ze volkomen voorbijging aan de gevoelens van haar man en hem niet eens een fractie van de zorg en aandacht gaf die ze wel aan het denkbeeldige emotionele leven van haar papieren hoofdpersonen besteedde, aan wie ze een rijk innerlijk leven toebedeelde, voor wie haar geen moeite te veel was om hun gezicht goed uit te lichten, om een verdwaalde lok uit hun ogen te strijken. Doordat ik het daar zo druk mee had, al deze zaken waarbij ik niet gestoord wilde worden, had ik er amper bij stilgestaan wat S. ervan vond wanneer hij bijvoorbeeld thuiskwam en een zwijgende vrouw aantrof, met haar rug naar hem toe en haar schouders beschermend over haar kleine koninkrijkje gebogen, hoe hij zich voelde als hij zijn schoenen uittrok, de post bekeek, de buitenlandse munten in de kokertjes stopte en zich afvroeg hoe ijzig mijn bui zou zijn als hij eindelijk de oversteek over de gammele brug waagde. Ik had gewoonweg nauwelijks oog voor hem gehad.

Na drie nachten van lange gesprekken zoals we die in geen jaren hadden gevoerd, kwamen we bij het onontkoombare einde. Langzaam, als een grote heteluchtballon die naar beneden zweeft en met een bonk op het gras landt, liep ons tienjarig huwelijk af. Maar het duurde enige tijd voordat we daadwerkelijk uit elkaar gingen. Het appartement moest verkocht, de boeken moesten verdeeld, maar ach, Edelachtbare, het heeft weinig zin om daarover door te gaan, dat duurt te lang, en ik heb het gevoel dat ik niet veel tijd met u heb, dus ik zal niet uitweiden over de pijn van twee mensen die stukje bij beetje hun levens lospeuteren, de plotse kwetsbaarheid van de menselijke toestand, het verdriet, de spijt, de woede, het schuldgevoel en de afkeer van jezelf, de angst en de verstikkende eenzaamheid, maar ook de onmetelijke opluchting. Het enige wat ik nog kwijt wil, is dat toen alles achter de rug was, ik weer alleen was in een nieuw appartement, omringd door mijn bezittingen en wat er nog over was van Daniel Varsky's meubels, die me als een roedel schurftige honden volgden.

Ik neem aan dat u de rest wel kunt raden, Edelachtbare. In uw branche moet u dat wel vaker tegenkomen, mensen die hun eigen verhaal keer op keer overdoen, inclusief de oude fouten. Je zou denken dat iemand als ik, met voldoende psychologisch inzicht om het kleine subtiele raamwerk dat het gedrag van anderen stuurt zogenaamd bloot te leggen, lering zou trekken uit de pijnlijke lessen van zelfonderzoek, zichzelf zou kunnen corrigeren en een uitweg kon vinden uit het gékmakende cirkelspel waarbij we constant in onze eigen staart bijten. Helaas, Edelachtbare. De maanden gingen voorbij en al snel had ik die portretten van mezelf aan de muur omgedraaid en ging ik weer helemaal op in het schrijven van een nieuw boek.

Het was donker tegen de tijd dat ik terugkwam uit Norfolk. Ik zette de auto weg, liep een eind Broadway op en af en verzon allerlei boodschappen om de confrontatie met het afwezige bureau maar zo lang mogelijk uit te stellen. Toen ik eindelijk thuiskwam, lag er een briefje op het gangtafeltje. Bedankt, stond er in een opvallend klein handschrift. Ik hoop u nog een keertje te ontmoeten. En onder haar naam had Lea haar adres geschreven in de Ha-orenstraat in Jeruzalem.

Ik was nog maar vijftien of twintig minuten thuis – lang genoeg om een blik te werpen op de gapende leegte waar het bureau had gestaan, een boterham te smeren en vol doelgerichte vastberadenheid de doos te pakken met de verschillende uitgewerkte delen van het nieuwe boek – toen ik de eerste aanval kreeg. Het ging heel snel, bijna zonder enige waarschuwing. Ik kreeg het vreselijk benauwd. Alles om me heen leek op me af te komen, alsof ik in een smal gat in de grond was gevallen. Mijn hart klopte als een razende en ik was bang dat ik een hartstilstand zou krijgen. De paniek was overweldigend – zoiets als achterblijven op een donkere kust terwijl alles en iedereen uit je leven op een groot, verlicht schip wegvaart. Ik greep naar mijn hart en praatte hardop om mezelf tot rust te brengen, terwijl ik intussen op en neer liep door mijn voormalige woonkamer, die inmiddels ook voormalige werkkamer was. Pas toen ik de televisie aanzette en het gezicht van de nieuwslezer zag, begon het gevoel weg te ebben, al bleven mijn handen nog tien minuten natrillen.

In de week daarop had ik elke dag zo'n aanval, soms zelfs twee keer per dag. Bij de symptomen hoorden inmiddels ook verschrikkelijke buikpijn, extreme misselijkheid en een grotere verscheidenheid aan in de allerkleinste dingen verstopte verschrikkingen dan ik ooit voor mogelijk had gehouden. Hoewel de aanvallen in het begin opkwamen als ik toevallig even naar mijn werk keek of eraan herinnerd werd, verspreidden ze zich al snel alle kanten op en dreigden alles te besmetten. Alleen al het idee om naar buiten te gaan en een simpele, onbenullige boodschap te doen, iets waarvoor ik in mijn oneindige gezondheid mijn hand niet had omgedraaid, vervulde me nu met panische angst. Ik stond te trillen voor de deur en probeerde mezelf erdoorheen te denken, naar de andere kant. Twintig minuten later stond ik er nog, met het enige verschil dat ik kletsnat van het zweet was.

Ik snapte er niets van. Ik schreef al mijn halve leven lang en publiceerde ongeveer om de vier jaar een boek. De emotionele obstakels van het vak zijn legio en schrijven betekent eindeloos vallen en weer opstaan. De crises die met de danser en de schreeuw van het kind waren begonnen, waren wel de ergste geweest, maar ik had in het verleden genoeg andere meegemaakt. Soms een depressie, als gevolg van de zware wissel die schrijven op je zelfvertrouwen en je gevoel van eigenwaarde trekt, maar daardoor was ik niet verlamd geraakt. Het gebeurde veelal tussen twee boeken in, wanneer ik mijn werk niet als spiegel kon gebruiken en me moest behelpen met staren in een ondoorzichtige leegte. Maar hoe erg het af en toe ook was, ik was nog nooit mijn vermogen om te schrijven kwijtgeraakt, hoe aarzelend en moeizaam het soms ook ging. Ik heb altijd een vechtersmentaliteit gehad en wist steeds het tegendeel tot stand te brengen: de leegte omvormen tot iets waar ik uit alle macht tegenaan kon duwen totdat ik, nog steeds veerkrachtig, naar de andere kant doorbrak. Maar dit... dit was volkomen anders. Dit was langs al mijn verdedigingsmechanismen geglipt, was ongezien door de gangen van de rede geslopen, als een supervirus dat tegen alles resistent is, en toen het zich eenmaal in mijn kern had genesteld, verspreidde het zich met een angstaanjagende kracht.

Vijf dagen na de eerste aanval belde ik mevrouw Lichtman op. Na mijn scheiding had ik besloten met therapie te stoppen, want ik was afgestapt van het idee dat ik de fundering van mijn ik grondig moest vernieuwen om geschikter te worden voor het maatschappelijk leven. Ik had de consequenties van mijn aangeboren neigingen geaccepteerd en had mijn gewoontes met een zekere opluchting weer tot hun primitieve staat laten afglijden. Sindsdien had ik haar sporadisch bezocht, op momenten dat ik niet in staat was de uitgang uit een langdurige stemming te vinden; maar vaker kwam ik haar op straat tegen, want we woonden in dezelfde buurt, en net als twee mensen die vroeger goed bevriend waren, zwaaiden we naar elkaar, aarzelden of we een praatje moesten maken, maar liepen toch weer door.

Het kostte me een bovenmenselijke inspanning om mezelf van mijn huis naar haar praktijk, negen straten verderop, te slepen. Om de zoveel meter moest ik stoppen en een paal of leuning vastgrijpen, alsof ik daar een gevoel van bestendigheid aan wilde ontlenen. Toen ik eenmaal in de wachtkamer van mevrouw Lichtman zat, die vol stond met raadselachtige, beschimmelde boeken, was mijn blouse drijfnat onder de oksels. Eindelijk ging de deur open en kwam ze naar buiten, waarbij het licht door haar fijngesponnen, goudblonde haar viel, dat ze al twintig jaar in een bolletje boven op haar hoofd droeg – een stijl die ik nog nooit bij iemand anders had gezien, alsof ze snel iets had moeten verstoppen en het daarin had gedaan – waarop ik haar zowat om de hals viel. Toen ik veilig op de bekende grijswollen bank zat, omringd door de voorwerpen die ik vroeger zo vaak had bestudeerd dat het inmiddels bakens op de landkaart van mijn psyche waren geworden, begon ik verslag te doen van de afgelopen twee weken. In de loop van de anderhalf uur (ze had een dubbele sessie voor me weten vrij te maken) voelde ik, voor het eerst sinds tijden, langzaam en voorzichtig een kalmte over me neerdalen. En terwijl ik vertelde over de paniek die me had verlamd, over mijn ervaring dat ik in de klauwen van een monster zat dat vanuit het niets op me af was gesprongen en me van mezelf had vervreemd, begon zich op een ander bewustzijnsniveau, bevrijd van de zorgen die nu door Lichtman werden overgenomen, een idioot idee te vormen, Edelachtbare, maar wel een idee dat me een uitweg bood. Het leven dat ik had gekozen, een leven vrijwel zonder anderen, in ieder geval zonder de banden die de meeste mensen aan elkaar geketend houden, had alleen zin als ik daadwerkelijk de boeken schreef waarvoor ik mezelf in afzondering had teruggetrokken. Het zou niet juist zijn om te zeggen dat het een leven vol ontberingen was. Iets in mijn karakter deinsde terug voor de dagelijkse strijd, ik gaf de voorkeur aan de opzettelijke betekenis van fictie boven de onverwachte werkelijkheid; de voorkeur aan vormeloze vrijheid boven het zware werk van mijn gedachten aan andermans logica en associaties moeten onderwerpen. Ik had het in een langdurige situatie uitgeprobeerd, eerst in relaties, later in mijn huwelijk met S., maar dat was niet gelukt. Achteraf bezien is de reden dat ik met R. wél een tijdje gelukkig ben geweest, misschien gelegen in het feit dat hij net zo sterk of misschien nog meer afwezig was dan ik. We waren twee mensen die in onze ruimtepakken gevangenzaten en toevallig in dezelfde baan om de oude meubels van zijn moeder draaiden. En toen was hij weggezweefd, door een verdwijngat in ons appartement, naar een onbereikbaar deel van de kosmos. Daarna was er een reeks tot mislukken gedoemde relaties geweest, vervolgens mijn huwelijk, en toen S. en ik eenmaal uit elkaar waren, had ik met mezelf afgesproken dat dit mijn laatste poging was geweest. In de daaropvolgende vijf of zes jaar heb ik alleen nog vluchtige verhoudingen gehad, en als een man er iets meer van wilde maken, haakte ik snel af, om terug te keren naar een leven als alleenstaande.

Hoe zit het nu, Edelachtbare? Hoe zit het met mijn leven? Wat ik namelijk dacht, was: Je moet een offer brengen. Ik had de vrijheid gekozen van lange, uitgestrekte middagen waarin niets gebeurt, alleen de geringste gemoedsverandering die in een puntkomma is vervat. Ja, dat was werken voor mij, een niet-verantwoorde oefening in onvervalste vrijheid. En dat ik anderen verwaarloosde of zelfs negeerde, kwam omdat ik geloofde dat anderen stukjes van die vrijheid probeerden af te knabbelen, dat ze zich ermee wilden bemoeien en mij tot geschipper wilden dwingen. Zodra ik 's ochtends mijn mond opendeed om iets tegen S. te zeggen, begon de geforceerdheid al, de valse beleefdheid. Gewoonten worden gevormd. Vriendelijkheid, en dan vooral empathie, is een volhardend betoon van aandacht. Maar je moet ook proberen geestig en onderhoudend te zijn. Het is reuzevermoeiend gedoe, zoals het reuzevermoeiend is om drie of vier leugens tegelijk in stand te houden. Die morgen en overmorgen opnieuw verteld moeten worden. Je hoort een geluid en het is de waarheid die zich omdraait in haar graf. De verbeelding sterft een langzamere dood, de verstikkingsdood. Je probeert muren op te trekken, het kleine stukje grond waarop je werkt van de rest af te zonderen, met een apart klimaat en andere regels. Maar de gewoonten sijpelen er als vervuild grondwater toch in, en alles wat je daar probeerde op te kweken wordt verstikt en verwelkt. Wat ik wil zeggen is dat je niet alles tegelijk kunt hebben. Dus bracht ik een offer en liet het los.

Tijdens die eerste sessie bij mevrouw Lichtman vormde zich een idee dat steeds sterker werd, zodat ik haar na tien of elf sessies in ongeveer evenveel dagen, en met wat hulp van Xanax, waardoor de paniek van iets gruwelijks naar iets dreigends was teruggebracht, meedeelde dat ik besloten had over een week op reis te gaan. Ze was natuurlijk verbaasd en vroeg waar ik heen ging. Er ging een aantal mogelijke antwoorden door mijn hoofd. Steden waarvoor ik de afgelopen jaren een uitnodiging had ontvangen waar ik misschien alsnog op in kon gaan. Rome. Berlijn. Istanbul. Maar uiteindelijk zei ik wat ik al de hele tijd van plan was te zeggen: Jeruzalem. Ze trok haar wenkbrauwen op. Ik ga heus niet het bureau opeisen, hoor, als u dat soms denkt, zei ik. Waarom dan wel? vroeg ze. De gekuifde golf van haar haar was hoog boven haar schedel opgerezen en het licht dat door de ramen viel, spon haar kapsel tot iets bijna doorzichtigs – bijna maar niet helemaal, zodat je nog kon denken dat het geheim van een gezonde geest, hoe onwaarschijnlijk ook, daar verborgen zat. Maar mijn tijd zat erop en ik hoefde geen antwoord meer te geven. Bij de deur gaven we elkaar een hand, een gebaar dat ik altijd nogal misplaatst vond, alsof de chirurg op het moment dat jij nog met al je organen open en bloot op de tafel ligt maar de toegemeten tijd in de operatiekamer bijna verstreken is, elk orgaan keurig in cellofaan verpakt alvorens het terug te plaatsen en je dan haastig dichtnaait. De vrijdag erop nam ik de nachtvlucht, nadat ik eerst Vlad opdracht had gegeven om tijdens mijn afwezigheid op mijn appartement te letten en één Xanax had ingenomen om langs de beveiliging te komen en nog eentje terwijl we over de startbaan raasden, en toen was ik op weg naar luchthaven Ben Gurion.

Ware barmhartigheid

Ik zie geen heil in dat plan, zei ik tegen je. Waarom niet? wilde je weten, met nijdige oogjes. Wat ga je dan schrijven? vroeg ik. Je deed een ingewikkeld verhaal over vier, zes, misschien wel acht mensen die allemaal in kamers liggen en door middel van een systeem van elektroden en bedrading aan een grote mensenhaai vastzitten. De haai drijft de hele nacht roerloos in een verlicht bassin en droomt wat die mensen dromen. Nee, niet hun dromen, hun nachtmerries, alles wat te moeilijk is om te verdragen. Ze liggen dus te slapen en via de bedrading stromen al die angstaanjagende dingen uit hen weg naar de imposante vis met een huid vol littekens, die alle opeengehoopte ellende kan verdragen. Nadat je was uitgesproken, liet ik een voldoende lange stilte vallen voordat ik iets zei. Wat zijn dat voor mensen? vroeg ik. Mensen, zei je. Ik nam een handjevol nootjes en keek naar je gezicht. Er is van alles mis aan dat verhaaltje, zei ik tegen je, ik zou niet weten waar ik moest beginnen. Mis? vroeg je met harde, overslaande stem. In de diepten van je ogen zag je moeder het lijden van een kind dat is grootgebracht door een tiran, maar dat je uiteindelijk geen schrijver bent geworden, ligt heus niet aan mij.

Tja. Waar zal ik dan beginnen? Na alle gedoe, na de miljoenen woorden, de eeuwigdurende gesprekken, de eindeloze toestanden, alle telefoontjes, alle commentaar, alle gedram, alle gezanik, alle vaagheden, alle ophelderingen en daarna de stilte van al die jaren – waar?

Het is al bijna dag. Van hier aan de keukentafel zie ik het hekje van de voortuin. Nog even en je komt weer thuis van je nachtelijke omzwervingen. Dan zie ik je verschijnen in je oude blauwe windjack, het jack dat je uit je kast hebt opgediept, en je buigt je voorover om de roestige klink op te tillen en jezelf binnen te laten. Je doet de deur open, trekt je natte gympen uit, met harde modderrandjes aan de zijkant en vastgekleefde grassprietjes aan de zolen, en dan kom je de keuken in en ziet mij daar op je zitten wachten.

Toen jij en Joeri nog heel klein waren, was jullie moeder doodsbenauwd dat ze zou doodgaan en dat jullie alleen achter zouden blijven. Alleen bij mij, bracht ik naar voren. Ze keek wel drie of vier keer voordat ze de straat overstak. Elke keer dat ze veilig thuis was gekomen, had ze een kleine overwinning behaald op de dood. Ze sloot jou en je broer in haar armen, maar jij was altijd degene die zich het langst aan haar bleef vastklampen, die je snotterige neusje in haar hals begroef alsof je besefte wat er op het spel had gestaan. Ze heeft me eens in het holst van de nacht wakker gemaakt. Dat was kort na de Suez-oorlog, waarin ik heb meegevochten, net zoals ik in '48 meevocht, net zoals ieder ander meevocht die een geweer kon vasthouden of een handgranaat kon gooien. Ik wil dat we weggaan, zei ze. Wat krijgen we nou? vroeg ik. Ik ben niet van plan om ze een oorlog in te sturen, zei ze. Eva, zei ik, het is al laat. Nee, zei ze terwijl ze rechtop ging zitten, daar werk ik niet aan mee. Waar maak je je druk om, het zijn nog maar kleine kinderen, zei ik. Wanneer ze eenmaal oud genoeg zijn, wordt er niet meer gevochten. Ga nou maar slapen. Drie weken eerder liep een vent uit ons bataljon langs onze tent toen er een granaat insloeg die niets van hem overliet. Hij werd volkomen aan stukken gereten. Een hond die wij onze etensrestjes gaven, kwam de volgende dag met zijn hand aanzetten en ging er in de middagzon op liggen kluiven. Ik kreeg de taak het hongerige beest de losse hand te ontfutselen. Ik deed er een doek omheen en bewaarde hem onder mijn bed totdat hij naar zijn familie opgestuurd kon worden. Later kreeg ik te horen dat dergelijke kleine lichaamsdelen niet werden teruggezonden. Ik heb niet gevraagd wat ermee zou gebeuren. Ik heb de hand afgestaan en zij hebben hem naar eigen goeddunken opgeruimd. Heb ik daar na afloop nachtmerries van gehad? Heb ik daar 's nachts om liggen schreeuwen? Zet het van je af. Wat heeft het voor zin om bij dat soort dingen stil te staan? Daar hoef je nú niet over na te denken, zei ik tegen je moeder en ik ging op mijn andere zij liggen. Ik heb er al over nagedacht, zei ze. We gaan naar Londen verhuizen. En hoe moeten we daar leven? vroeg ik terwijl ik me weer omdraaide en haar bij haar polsen greep. Ze bleef even stil en slaakte een zucht. Daar verzin jij wel wat op, zei ze rustig.

Maar we zijn niet verhuisd, ik heb niets hoeven verzinnen. Ik ben op mijn vijfde in Israël aangekomen, bijna alles in mijn leven is hier gebeurd. Ik had geen zin om te vertrekken. Mijn zonen zouden in Israëlische zonneschijn groot worden, ze zouden Israëlisch fruit eten, onder Israëlische bomen spelen, met de aarde van hun voorvaderen onder hun nagels, ze zouden vechten als het nodig was. Je moeder wist dat allemaal best, al vanaf het begin. Toen het weer licht was, het licht van mijn koppigheid, ging ze de straat op met een sjaal om haar hoofd, bond de strijd aan met de dood en kwam zegevierend thuis.

Toen ze was overleden, belde ik het eerst Joeri. Vat dat maar op zoals je wilt. Al die jaren was het Joeri die kwam als de garagedeur klem zat, als die stomme dvd-speler kaduuk was, als die rottige TomTom – nergens voor nodig in een land zo groot als een postzegel – aan één stuk door bleef kwaken: Bij de volgende bocht naar links! Links, links, links! Val dood, takkewijf, ik ga naar rechts. Ja, dan kwam Joeri, die de juiste knop wist om haar stil te krijgen zodat ik weer in alle rust auto kon rijden. Toen je moeder ziek werd, was het Joeri die haar twee keer per week naar chemotherapie reed. En jij, zoon van me? Waar zat jij ondertussen? Dus zeg het maar, waarom zou ik jou verdomme als eerste bellen?

Rij even naar huis, zei ik tegen hem, en haal je moeders rode pakje. Pa, zei hij met een stem die zich afrolde als een lint dat van een dak wordt gegooid. Het rode pakje, Joeri, met die zwarte knopen. Niet die witte knopen, dat is heel belangrijk. Het moeten die zwarte zijn. Waarom moest dat dan? Omdat er veel troost in details schuilt. Het bleef even stil: Maar Pa, ze wordt niet met kleren aan begraven. Ik had dus niet goed nagedacht. Joeri en ik bleven de hele nacht bij haar lichaam. Terwijl jij op Heathrow zat te wachten op een vlucht, zaten wij bij het lijk van de vrouw die jou ter wereld heeft gebracht, die bang was om dood te gaan en jou bij mij achter te laten.

Leg het nog eens uit, vroeg ik aan je. Ik wil het namelijk begrijpen. Je schrijft en je wist weer uit. En dat noem je een beroep? En jij, in je oneindige wijsheid, jij zei: Nee, een broodwinning. Ik lachte je vierkant uit. Recht in je gezicht, jongen! Een broodwinning, en daarna bestierf de lach op mijn lippen. Wie denk je wel dat je bent? vroeg ik. De held van je eigen bestaan? Je zonk weg in jezelf. Je trok je hoofd in als een kleine schildpad. Vertel eens, zei ik, dat zou ik best willen weten. Hoe is het nou om jou te zijn?

Twee avonden voordat je moeder stierf, ging ik aan tafel zitten om haar een brief te schrijven. Ik die er de pest aan heb om brieven te schrijven, ik die liever de telefoon pak om te zeggen wat ik op mijn lever heb. Een brief heeft geen volume en ik ben een man die zich op volume verlaat om begrepen te worden. Maar goed, er was geen verbinding met je moeder tot stand te brengen of misschien was er wel verbinding, maar stond er aan de andere kant van de lijn geen toestel. Of alleen een eindeloos rinkelende telefoon die door niemand werd opgenomen – allemachtig, zo zijn het wel genoeg metaforen, jochie. Ik ging dus in de cafetaria van het ziekenhuis zitten om haar een brief te schrijven, omdat er dingen waren die ik haar nog wilde zeggen. Ik ben geen man die er romantische idealen op na houdt over het verlengde bestaan van de geest; wanneer het lichaam het begeeft, is het voorbij, afgelopen, einde verhaal, kapoeres. Maar desondanks nam ik me voor die brief samen met haar te laten begraven. Ik leende een pen van de zwaarlijvige verpleegster en zat daar onder de affiches van Machu Picchu, de Chinese Muur en de ruïnes van Efese alsof ik je moeder wilde uitzwaaien naar een verre bestemming in plaats van naar het niets. Er kwam een ratelende brancard voorbij met een bijna overleden iemand erop, kaal en verschrompeld, vel over been, die een oog opendeed, een oog waarin alle bewustzijn was samengebald en waarmee hij me tijdens het voorbijrijden strak aanstaarde. Ik keek weer op het papier dat voor me lag. *Lieve Eva.* Maar daar bleef het bij. Opeens werd het onmogelijk verder te schrijven. Ik weet niet wat erger was, de smeekbede in dat sneue oogje of het verwijt van het lege vel papier. Te bedenken dat jij ooit een bestaan hebt willen opbouwen met woorden! Goddank heb ik je daarvan gered. Je bent nu misschien een hele piet, maar dat heb je mooi aan mij te danken.

Lieve Eva, en dan niets meer. De woorden verdorden als bladeren en waaiden weg. Al die tijd dat ik naast haar zat terwijl zij buiten bewustzijn op bed lag, stonden ze me zo helder voor de geest, de vele dingen die ik haar nog had willen zeggen. Ik had georeerd, eindeloze verhalen opgehangen, allemaal in mijn hoofd. Maar nu had elk woord dat ik moeizaam wist op te diepen iets levenloos en vals. Net toen ik op het punt stond ermee te kappen en het velletje papier in elkaar te frommelen, schoot me iets te binnen wat Segal een keer gezegd had. Je kent hem nog wel, Avner Segal, mijn oude vriend, vertaald in een grote hoeveelheid obscure talen, maar nooit in het Engels, zodat hij altijd arm is gebleven. Een paar jaar geleden hebben we met elkaar geluncht in Rechavja. Ik stond ervan te kijken hoe oud hij was geworden in die paar jaar sinds ik hem voor het laatst had gezien. Ongetwijfeld dacht hij hetzelfde van mij. Ooit hadden we zij aan zij tussen de kippen gewerkt, vol idealen over solidariteit. De oudere kibboetsleden hadden besloten dat ze onze jeugdige talenten het best konden benutten door ons een troep kippen te laten inenten en daarna hun stront uit het hooi weg te ruimen. Nu zaten we tegenover elkaar, de gepensioneerde openbaar aanklager en de bejaarde schrijver, met oren waar het haar uit groeide. Zijn lichaam was krom. Hij vertrouwde me toe dat het verschrikkelijk slecht met hem ging, ondanks het feit dat zijn laatste boek was bekroond met een prijs (waarvan ik nog nooit had gehoord). Elke alinea die hij er tegenwoordig uit wist te persen, werd meteen naar de prullenmand verwezen. Wat doe je daar dan aan? vroeg ik. Wil je dat weten? zei hij. Ik vraag er toch naar, zei ik. Nou goed dan, zei hij, zolang het maar onder ons blijft, mag je het wel weten. Hij boog zich over tafel en fluisterde twee woorden: Mevrouw Kleindorf. Hè? zei ik. Precies zoals ik het zeg, mevrouw Kleindorf. Ik snap het niet, zei ik tegen hem. Ik doe net alsof ik aan mevrouw Kleindorf schrijf, zei hij. Mijn onderwijzeres uit de vijfde klas. Niemand anders krijgt het onder ogen, zeg ik tegen mezelf, alleen zij. Het maakt niet uit dat ze al vijfentwintig jaar dood is. Ik denk aan haar vriendelijke blik en de rode stempeltjes die ze altijd onder mijn werkstukken zette en ik kom vanzelf tot rust. En dan, zei hij, lukt het me om een stukje te schrijven.

Ik keek weer op het papier dat voor me lag. *Beste* – schreef ik, maar ik hield meteen op, want ik wist niet meer hoe mijn onderwijzeres uit de vijfde klas heette. En die uit de vierde, derde, tweede en eerste al evenmin. Wat ik me wel herinnerde, was de geur van boenwas vermengd met die van ongewassen huid, het droge gevoel van krijt in de lucht en de stank van plaksel en urine. Maar hoe mijn onderwijzeressen heetten was me ontschoten.

Beste mevrouw Kleindorf, schreef ik, *mijn vrouw ligt boven dood te gaan. Eenenvijftig jaar hebben we in één bed gelegen. Nu ligt ze al een maand in een ziekenhuisbed, en elke avond ga ik naar huis en slaap ik in mijn eentje in dat van ons. Ik heb de lakens niet meer gewassen sinds ze weg is. Ik ben bang dat ik anders niet in slaap val. Een dag of wat geleden kwam ik in de badkamer, waar de werkster bezig was Eva's haarborstel schoon te maken. Wat ben je daar aan het doen? vroeg ik. Ik haal het haar uit haar borstel, zei ze. Van die borstel blijf je voortaan af, zei ik. Begrijpt u wat ik wil zeggen, mevrouw Kleindorf? En nu we het toch over u hebben: Ik wil u iets vragen. Waarom was er wel altijd een lesblok over geschiedenis, rekenen, natuurkunde of God weet wat voor andere zinloze, totaal overbodige informatie die u de vijfdeklassers jaar in jaar uit hebt bijgebracht, maar nooit een lesblok over de dood? Geen opgaven, geen werkschriften, geen proefwerken over het enige onderwerp dat ertoe doet?*

Vind je dat niet mooi, jongen? Dat dacht ik wel. Lijden – echt een kolfje naar jouw hand.

Hoe dan ook, ik kwam niet verder. Ik stak de onvoltooide brief in mijn zak en liep terug naar de kamer waar je moeder lag, tussen de draden, slangetjes, piepjes en infusen. Er hing een landschapje aan de muur, een aquarel van een lieflijke vallei, een paar heuvels in de verte. Elke centimeter ervan was me vertrouwd. Het was een vlak en grof schilderijtje, verschrikkelijk eigenlijk; het leek wel iets uit een schilderpakket, het soort landschap per strekkende meter dat ze in de souvenirstalletjes verkopen, maar ik besloot al meteen dat ik het van de muur zou halen en mee zou nemen, met goedkope lijst en al, wanneer ik voor het laatst uit die kamer wegging. Ik zat al zoveel uren en dagen naar dat rottige schilderijtje te staren dat het voor mij iets was gaan vertegenwoordigen, op een manier die ik niet kan verklaren. Ik had ertegen gesmeekt, ermee gediscussieerd, ermee geruzied, ertegen gevloekt, ik was er naar binnen gegaan, ik was dat onbekwame valleitje binnengedrongen en na verloop van tijd was het iets voor me gaan betekenen. En terwijl je moeder zich vastklampte aan het laatste onmenselijke restantje leven dat haar werd vergund, besloot ik het van de muur te halen, onder mijn jasje te steken en ermee vandoor te gaan wanneer alles eenmaal achter de rug was. Ik deed mijn ogen dicht en dutte weg. Toen ik wakker werd, stond er een kluitje verpleegsters rond het bed. Een uitbarsting van activiteit en toen de verpleegsters opzijgingen, lag je moeder er roerloos bij. Uit deze wereld heengegaan, zoals ze zeggen, Dovvele, alsof er zoiets als een andere is. Het schilderijtje zat aan de muur vastgespijkerd. Zo is het leven, jongen: als je denkt dat je iets als eerste bedacht hebt, krijg je meteen de kous op de kop.

Ik reed met haar lichaam mee naar het mortuarium. Ik was degene die als laatste naar haar keek. Ik trok de wade over haar gezicht. Hoe is dit mogelijk, dacht ik steeds. Hoe doe ik dit, kijk mijn hand eens, hij gaat naar voren, pakt nu de doek vast, hoe? De allerlaatste keer dat ik ooit naar het gezicht kijk dat ik een heel leven lang met diepe aandacht heb aanschouwd. Zet het van je af. Ik stak mijn hand in mijn zak om er een tissue uit te halen. In plaats daarvan haalde ik de verfrommelde brief aan Avner Segals onderwijzeres uit de vijfde klas tevoorschijn. Zonder er verder bij na te denken streek ik hem glad, vouwde hem dubbel en stopte hem gauw bij haar lichaam. Ik stak hem naast haar elleboog. Ik vertrouw erop dat ze het zou hebben begrepen. Ze lieten haar in de grond zakken. Er ging iets mis met mijn knieën. Wie had het graf gegraven? Opeens móést ik het weten. De man had vast de hele nacht doorgegraven. Toen ik op het afgrijselijke gat afliep, schoot de absurde gedachte door mijn hoofd dat ik hem moest opzoeken om hem een fooi te geven.

Op een bepaald moment tijdens dit alles kwam jij opdagen. Wanneer weet ik niet. Ik draaide me om en daar stond je in een donkere regenjas. Je bent oud geworden. Maar slank ben je nog steeds, want je hebt altijd je moeders genen gehad. Daar stond je op de begraafplaats, als enige nog levende drager van die genen, want Joeri, zoals ik je niet hoef te vertellen, heeft altijd naar mij geaard. Daar stond je dan, die o zo belangrijke rechter uit Londen, die zijn hand uitstak, wachtend op zijn beurt met de schep. En weet je wat ik wilde doen, jongen? Ik wilde je een klap verkopen. Daar ter plekke wilde ik je een klap in je gezicht geven en zeggen dat je maar je eigen schep moest gaan zoeken. Maar omwille van je moeder, die niet van scènes hield, gaf ik hem toch. Het kostte me de grootst mogelijke moeite me in te houden, maar ik gaf hem door en keek toe terwijl je je vooroverboog, de schop in de hoop aarde stak en met een heel lichte trilling in je handen op het gat afliep.

Na afloop waren we met ons allen bij Joeri thuis. Ik had gedacht dat ik dat allemaal net kon hebben – alleen niet mijn huis, geen zeven dagen – en zelfs dat was te veel. De kinderen zaten weggeborgen in de zijkamer televisie te kijken. Ik keek naar de gasten om me heen en opeens hield ik het in hun gezelschap geen minuut meer uit. Hield ik het niet meer uit bij de oppervlakkigheid van hun verdriet of de diepte ervan – wie van hen had ook maar enig benul van wat er verloren was geraakt? Hield ik het niet meer uit bij de deugdzaamheid van hun troostende woorden, de idiote vergoelijkende praatjes van de godvruchtigen, en evenmin bij het begrip van Eva's oude vriendinnen of de dochters van die vriendinnen, de zorgvuldig op mijn schouder gelegde hand, de samengeknepen lippen en de voorhoofdsrimpels die zo vanzelfsprekend op hun gezicht verschenen na al die jaren waarin ze kinderen hadden opgevoed en in het leger hadden laten gaan, waarin ze hun echtgenoot door de donkere vallei van de middelbare leeftijd hadden geloodst. Zonder nog iets te zeggen zette ik het onaangeroerde, door iemand opgeschepte bord neer, een overvol bord waar geen hap meer bij had gekund en waarvan de onbeduidendheid, in de verhouding van eten tot verdriet, mijn afkeer wekte, en liep naar de badkamer. Ik deed de deur op slot en ging op de wc zitten.

Al gauw hoorde ik mijn naam geroepen worden. Na verloop van tijd gingen de anderen meezoeken. Ik zag je in de tuin lopen, vervormd door het glas, al roepend. Jij! Die om mij riep! Ik moest er bijna om lachen. Opeens zag ik je weer als tienjarige, op het paadje in de buurt van de Ramonkrater, waar je als een wilde heen en weer sjouwde, buiten adem, met je kleine mondje wijd open, terwijl het zweet over je gezicht droop en dat belachelijke zonnehoedje als een verlepte bloem over je hoofd hing. Je dacht dat je verdwaald was en liep me aan één stuk door te roepen. En wat denk je, jongen? Ik zat vlak in de buurt! Gehurkt achter een rots, een paar meter hoger op de helling. Dat klopt, terwijl jij riep, terwijl jij om me gilde, denkend dat je verdwaald was in de woestijn, hield ik me achter een rots verscholen en keek ik geduldig toe, als de ram die Isaaks redding vormde. Ik was Abraham én de ram. Hoeveel minuten er verstreken terwijl ik jou je broek liet volkakken, een tienjarig jochie dat zich geconfronteerd zag met zijn kleinheid en hulpeloosheid, de nachtmerrie van zijn volslagen alleenheid, weet ik niet meer. Pas toen ik eindelijk besloot dat je nu je lesje wel had geleerd, dat het je nu duidelijk was hoe hard je me nodig had, schoot ik achter de rots vandaan en liep op mijn gemak het pad af. Rustig maar, zei ik, wat sta je daar te krijsen, ik moest gewoon even pissen.

Ja, dat herinnerde ik me opeens terwijl ik zevenendertig jaar later door het badkamerraam naar je stond te kijken. Het is een misverstand te denken dat de krachtige emotie van de jeugd milder wordt met de tijd. Zo gaat dat niet. Je leert haar te onderdrukken en te verdringen. Maar die emotie neemt niet af. Ze verbergt zich eenvoudig en concentreert zich op discretere plekjes. Als je onverhoeds voor zo'n poel van ellende komt te staan, doet dat verbluffend veel pijn. Ik kom die poelen tegenwoordig overal tegen.

Jullie bleven me wel twintig minuten roepen. Ook de kinderen werden erin betrokken, weggelokt van de televisie door een onvervalst drama, als ze geluk hadden misschien wel met noodlottige afloop. Vanachter het raam zag ik de kleinste mijn trui over het gras voortslepen. Om mijn geurspoor achter te laten voor de honden, misschien. Ze zijn allemaal zo ontwikkeld, de achternichtjes en achterneefjes. Als je hun kennis zou bundelen, kon je er een klein, angstaanjagend land mee besturen. Ze spreken vol zelfvertrouwen, ze zijn heer en meester van de schepping. Ik was de afikoman waar ze naar op zoek waren. Nadat het spelletje een paar minuten had geduurd, hoorde ik de hele meute aan de deur krabbelen. We weten dat u hier zit, riepen ze. Doe open, zei er eentje met een schor stemmetje en daarna sloot de rest zich aan en regende het vuistjes op de deur. Ik beklopte een reusachtige blauwe plek op mijn knie, waarvan ik me niet kon herinneren hem te hebben opgelopen. Ik heb de leeftijd bereikt waarop blauwe plekken ontstaan uit tekortkomingen van binnenuit in plaats van ongelukken van buitenaf. Joeri arriveerde en riep de meute terug. Pa? vroeg hij door de deur heen. Wat doe je daar? Alles goed met je? Die vraag viel op heel veel manieren te beantwoorden, waarvan geen enkele toereikend. Hebt u soms geen wc-papier? deed er een een duit in het zakje. Korte stilte, voetstappen die zich verwijderden en weer terugkwamen. Het geluid van geworstel met de deurknop en voordat ik de tijd kreeg me voor te bereiden, ging er een siddering door de deur en schoot hij open. De hele massa gaapte me aan. Onder de kinderen gegiechel en een karig applausje. De jongste, mijn kleine Cordelia, kwam op me af en legde haar hand op mijn beurse knie. De anderen deden een stapje achteruit, en terecht. Op Joeri's gezicht zag ik een blik van angst die ik nooit eerder had gezien. Rustig maar, zoon, ik moest gewoon even pissen.

Nee, ik ben geen man die er romantische idealen op na houdt over het voortbestaan van de geest. Ik stel me graag voor dat ik mijn zonen ook iets dergelijks heb bijgebracht, deelnemen aan de fysieke wereld zolang die voor het grijpen ligt, want dat is een vorm van zingeving waar niemand iets tegen kan aanvoeren. Proeven, aanraken, inademen, eten en jezelf volproppen – de verdere rest, alles wat plaatsvindt in het hart en het gemoed, leeft in de schaduw van het ongewisse. Maar die les liet jij je niet makkelijk inprenten en uiteindelijk heb je hem ook nooit geaccepteerd. Je hebt je eigen glazen ingegooid en daarna heb je er jaren over gedaan de scherven bij elkaar te rapen. Joeri heeft mijn lessen over lichamelijke eetlust juist wel van ganser harte aangenomen. Je kunt op vrijwel ieder uur van de dag of de nacht bij Joeri aankloppen, en met een mond vol eten doet hij open.

Die avond, nadat de gasten waren vertrokken, met achterlating van de bakjes humus waarop zich al een korst vormde, de eiersalade, de stinkende witte vis, de pitabroodjes die onder onze neus oudbakken werden, zag ik jou en Joeri dicht bij elkaar in de keuken zitten. Jij had hem opgescheept met de last van je bejaarde ouders – om ons overal met de auto heen te brengen, samen met ons in wachtkamers te zitten, zich naar ons huis te sleuren om nu eens dit probleem te bekijken, dan weer die klacht onder de loep te nemen, de bril te zoeken die niemand kon vinden, deze of gene onduidelijkheid in de levensverzekeringsformulieren op te lossen, een dakdekker te regelen om een lek te repareren of zonder er één woord aan vuil te maken een traplift te laten installeren nadat hij erachter was gekomen dat ik al een maand beneden op de bank sliep omdat ik de trap niet meer op kon komen. Stel je eens voor, Dovvik, een tráplift, zodat ik op elk gewenst moment als een skiër de trap op en af kan zeilen. En of dat allemaal nog niet genoeg was, belde hij elke ochtend om te horen hoe het 's nachts was gegaan en elke avond hoe het overdag was gegaan. Dat deed hij allemaal zonder klacht, zonder wrok, ook al had hij het volste recht om razend op jou te zijn. Ik keek in de keuken en daar zaten jullie twee, met de koppen bij elkaar, twee volwassen mannen die op gedempte toon met elkaar spraken, net zoals jullie als kind hadden gedaan, druk pratend over de dingen die jullie samen altijd zaten te bepraten, meisjes waarschijnlijk, hun glanzende lange haar en hun kont en hun borsten. Alleen wist ik nu dat jullie over mij zaten te praten. Om uit te puzzelen wat jullie nu met me moesten aanvangen, jullie ouweheer, zonder daar enig benul van te hebben, net zoals jullie destijds geen benul hadden van wat je met een stel tieten moest aanvangen. Als het Joeri was geweest die de puzzel had moeten oplossen, had ik dat prima gevonden, daar was ik al aan gewend, hij had een manier van doen die mijn waardigheid intact liet. Als ik ooit het vermogen zou verliezen om bij het pissen mijn eigen lul vast te houden, wat God moge verhoeden, dan zal Joeri een manier bedenken om het zo voor me te doen dat ik er mijn waardigheid bij behoud, met precies de goede grap en een leuk verhaal over wat hem onlangs in de supermarkt is overkomen. Dat is Joeri. Maar het feit dat jij er nu opeens bij betrokken was, jij die daar al heel lang woonde zonder iets van je te laten horen, terwijl je moeder en ik maar aanrommelden en oud werden, die nu opeens grootmoedig besloot acte de présence te geven, net te doen alsof je erbij hoorde, met die walgelijke blik van bezorgdheid op je gezicht – dat was meer dan ik kon verdragen. Wat is hier verdomme aan de gang? vroeg ik. En je keek mijn kant op, en in je ogen, achter al die onechte grootmoedigheid, dacht ik een opflakkering van die oude woede te zien, de woede die jij op het kookpunt hield, die je op je zeventiende, achttiende, twintigste voortdurend voor mij liet opborrelen. En ik was blij, jongen. Ik was blij dat weer eens te zien, zoals je blij bent een familielid te zien waarvan je dacht dat hij of zij al lang was gestorven.

Niets, zei je. Vroeger kon je ook al niet liegen. We hebben het erover wat we met al dat eten moeten doen. Ik negeerde je. Ik wil nou wel naar huis, Joeri, zei ik. Pa, zei hij, zou je niet liever hier blijven? Roniet kan het logeerbed opmaken, het matras is spiksplinternieuw en het ligt heel lekker, ik heb het zelf al een paar keer moeten uitproberen, en daarna trok hij zijn brede grijns, want hij is iemand die grappen kan maken ten koste van zichzelf. Dat kost hem niets. Juist het tegenovergestelde: hoe meer grappen hij over zichzelf maakt, hoe meer hij de mensen om hem laat lachen, hoe gelukkiger hij is. Sta je daarvan te kijken, Dov? Dat een man zich niets aantrekt van het hoongelach van anderen, er zelfs om kan vrágen? Jij was altijd doodsbenauwd om voor aap te staan. Als iemand het waagde jou uit te lachen, werd je nijdig en noteerde je heimelijk een minpuntje in je kleine opschrijfboekje. Zo was je. En kijk eens wat je nu bent: lid van een rechterlijk college. Als alles naar wens verloopt, zullen ze je op een goede dag vragen zitting te nemen in het Engelse hooggerechtshof. Vonnis te vellen over ernstige misdaden, de ernstigste die er zijn. Maar dat heb jij je al lang geleden aangeleerd. Te beoordelen, veroordelen, hoog verheven boven de anderen – dat alles ging je gemakkelijk af.

Je wordt hartelijk bedankt, zei ik, maar ik wil naar huis, en Joeri haalde zijn schouders op, riep tegen Roniet dat ze wat eten mee moest geven en ging zelf op zoek naar de autosleuteltjes. Gilad, die ik voor het eerst in eeuwen zag zonder een enorme koptelefoon aan zijn hoofd vastgeplakt, kwam de kamer in met een vastberaden blik op zijn gezicht en stevende recht op me af. Ik keek over mijn schouder omdat ik dacht dat hij vlak achter me moest zijn en toen ik me weer omdraaide, kwamen we met elkaar in botsing. De jongen, amper een jongen nog, een vijftienjarig mankind, paste een bepaalde handeling op me toe, een pompende druk die een knuffel bleek te zijn. Een omhelzing, Dovvik, mijn kleinzoon die al jarenlang met een eenlettergrepig woord reageerde op alles wat ik hem vroeg, klampte zich nu aan me vast, zijn ogen dichtgeknepen en zijn tanden ontbloot. Kennelijk probeerde hij zijn tranen in te houden. Ik sloeg hem stevig op zijn rug. Toe maar, toe maar, zei ik tegen hem, oma was erg dol op je. Meer was er niet nodig: de jongen begon te snotteren, besproeide me met spuug en werd één hoopje narigheid. Want niemand had hem iets geleerd, zelfs niet in dit land waar de dood het leven overlapt, en nu maakt hij het zelf voor het eerst mee. En hij huilt niet om haar, niet om zijn oma, hij huilt om zichzelf: omdat ook hij ooit dood zal gaan. En daaraan voorafgaand zullen zijn vrienden doodgaan, en de vrienden van zijn vrienden, en na verloop van tijd de kinderen van zijn vrienden en als zijn lot echt bitter is, zijn eigen kinderen. Dus staat hij hier te huilen. En terwijl ik hem zonder woorden probeer te troosten (ik heb het gevoel dat zelfs in deze verzwakte, onverdoofde staat het man-kind doof is voor alle woorden, behalve de woorden die hem bereiken via de enorme, zacht beklede uitgangen van zijn koptelefoon), komt Joeri terug, rammelend met de sleuteltjes. En toen, vanuit het niets, stak jij je hand op om hem tegen te houden. Jij die voor zover het om mij ging van toeten noch blazen wist. Ik breng hem wel, zei je. Hem? schreeuwde ik bijna. Hém? Alsof ik een kind was dat stond te wachten tot hij naar dansles werd gebracht. Joeri keek me aan om mijn reactie te peilen. Joeri, die de afstandsbediening van mijn garagedeur met een klemmetje aan de zonneklep van zijn auto heeft vastzitten, vlak naast de afstandsbediening van zijn eigen garagedeur, zo vaak gebruikt hij hem namelijk. Maar ja, wat kon ik zeggen? Gilad stond nog steeds aan me vastgeklampt. Je zette me voor het blok. Hoe kon ik tegen je zeggen wat ik echt van je aanbod dacht, terwijl dat uit de kluiten gewassen kind zich nog aan me vasthield om steun en troost bij het verwerken van de schok dat dit alles, wij allemaal, alles wat hij ooit heeft gekend, tijdelijk is?

En dus zat ik vijf minuten later tegen mijn zin bij jou in je huurauto, met op mijn schoot een tasje van Roniet vol plastic bakjes eten. De auto was van binnen bekleed met zwart leer. Wat is dit er voor een? vroeg ik. Een BMW, zei je. Een Duitse auto? zei ik. Breng je me naar huis in een Duitse auto? Ben jij zo'n belangrijke pief dat je geen genoegen neemt met een Hyundai, net als ieder ander? Is een Hyundai soms niet goed genoeg? Moet jij speciaal extra betalen voor een auto die gemaakt is door de zonen van nazi's? Van vernietigingskampbewakers? Hebben we niet genoeg zwart leer gezien? Laat me hieruit, zei ik, ik ga nog liever lopen. Pa, zei je soebattend, en ik hoorde iets in je stem wat ik niet herkende. Iets wat zich in de bovenste registers verschool. Alsjeblieft, zei je. Laat me niet hoeven smeken. Het is een lange dag geweest. En daar had je geen ongelijk in, dus draaide ik mijn hoofd van je weg en keek met een giftige blik uit het raampje.

Toen je nog een jochie was, nam ik je op vrijdagochtend altijd mee naar de sjoek. Weet je nog, Dovvele? Ik kende alle kooplui en zij kenden mij. Ze hadden altijd wel iets waarvan ik moest proeven. Pak maar wat dadels, zei ik dan tegen je en intussen ging ik met Zagouri van het fruit in de clinch over de politiek. Vijf minuten later keek ik jouw kant op en stond jij met twee benauwde vingertjes dadels te pakken, die je een voor een met een bizarre afstandelijkheid bestudeerde. Dan greep ik naar de zak met het zielige hoopje dadels. Op die manier gaan we dood van de honger, zei ik. Ik pakte twee, drie flinke handenvol en liet ze in de zak vallen. Ik heb je er nooit eentje zien eten. Je beweerde dat ze op kakkerlakken leken. Op de sjoek stond ook een oude Arabier die silhouetten knipte uit zwart papier. Er nam iemand plaats op een krat en de Arabier keek hem aan en begon erop los te knippen. Jij griezelde altijd als je keek, bang dat de Arabier zich in de vingers zou snijden, wat nooit gebeurde. Hij knipte als een bezetene en presenteerde dan de papieren essentie van het gezicht van zijn sujet. Voor jou was hij een genie op het niveau van Picasso. In zijn aanwezigheid was je met stomheid geslagen. Als er niemand op de krat kwam zitten, sleep de Arabier de schaar op een steen onder het neuriën van een lange, ingewikkelde passage. Op een dag had ik jou en Joeri bij me en toen we bij de Arabier kwamen, vroeg ik in een trotse of royale bui: Wie wil er een portret, jongens? Joeri dook meteen op de krat af. Hij verzamelde al zijn jeugdige ernst en nam een houding aan. De Arabier bekeek hem vanonder geloken oogleden, knipte en daar kwam een prachtig profiel van mijn Joeri tevoorschijn. In de gebogen neus kondigde zich alle glorie van een krachtig leven aan. Hij sprong van zijn zitplaats en nam zijn beeltenis in ontvangst, diep opgetogen. Wat wist hij van teleurstelling en dood? Niets, zoals het portret van de Arabier duidelijk maakte. Zenuwachtig nam jij je plaats in op de krat waar al heel veel mensen door de geweldige kunstenaar waren gemonsterd en tot één enkele ononderbroken lijn herleid. De Arabier begon te knippen. Je zat heel stil. Toen zag ik dat je oogleden begonnen te trillen en je blik zich op de grond richtte, waar de opeengehoopte knipsels waren terechtgekomen, de losse stukjes zwart papier. Je keek weer in de ogen van de Arabier, deed je mond open en zette het op een schreeuwen. Je schreeuwde en snikte, en wilde niet van ophouden weten. Stel je niet zo aan, zei ik en schudde je door elkaar, maar je ging gewoon door. Je huilde de hele weg naar huis, op een meter achter ons aan sloffend. Bezorgd achteromkijkend bleef Joeri zijn silhouet stevig vasthouden. Later deed je moeder er voor hem een lijstje omheen. Ik weet niet wat er met dat van jou is gebeurd. Misschien heeft de Arabier het weggegooid. Of bewaard, voor het geval ik zou terugkomen om het alsnog op te halen aangezien ik al had betaald. Maar ik ben nooit teruggegaan. Daarna ben je niet meer mee naar de sjoek geweest. Begrijp je het nou, jongen? Begrijp je waar ik tegen op moest boksen?

Je bracht me terug naar ons huis, dat van je moeder en mij, alleen was het nu niet meer van haar. Ze lag haar eerste nacht onder de grond. Zelfs nu kan ik daar niet aan denken. Mevrouw Kleindorf, ik moet er bijna van kokhalzen, de gedachte dat het levenloze lichaam van mijn vrouw weggeborgen ligt onder twee meter aarde. Maar ik ga dat besef niet uit de weg. Ik troost mezelf niet door me voor te stellen dat ze in stofdeeltjes om me heen hangt of is teruggekomen als de kraai die een paar dagen na haar dood neerstreek in de tuin en daar vreemd genoeg zonder wijfje blijft bivakkeren. Ik maak haar dood niet goedkoop met allerlei verzinseltjes. De steentjes knerpten onder de wielen van je Duitse auto, we kwamen zachtjes tot stilstand en je zette de motor af. In de laatste gloed van de dag kleurde de lucht boven de heuvels diep indigoblauw, maar het huis werd al ingesloten door het donker. En luisterend naar de wegstervende tikkende geluidjes van de motor in de nieuwe stilte, herinnerde ik me opeens de dag dat we hiernaartoe waren verhuisd vanuit het huis in Bet Ha-kerem. Weet je nog? Je had je de hele ochtend opgesloten in je kamer, waar je de vissen uit je aquarium overhevelde naar plastic zakken met water – vol bezorgdheid maakte je die zakken telkens weer open en dicht. Terwijl de anderen haastig dozen dichtplakten en met meubels schoven, verdeelde jij je visjes en maakte je je geliefde schildpad klaar voor de reis. De zorg die je aan dat reptiel besteedde! Hij mocht van jou zijn poten strekken in de tuin; elke dag mocht hij even in de zon van je. Je staarde in zijn kleine kraaloogjes om het geheim van zijn ziel te doorgronden. Als je moeder de verkeerde soort kool had gekocht, werd je zo boos dat je huilde – schréééuwde en húílde, omdat ze zo onnadenkend was geweest om rode kool te kopen in plaats van groene. En ik schreeuwde terug dat je een ondankbaar mormel was. Razend van woede greep ik je kleine vriendje om hem boven het snorrende snijmes van de blender te laten bungelen. Wanhopig worstelend probeerde het dier zijn poot in zijn veilige schild terug te trekken, maar ik hield hem stevig tussen mijn vingers en verhoogde het toerental. Je slaakte een bloedstollende gil. Wat een gil! Alsof jij het was die ik zometeen aan het lemmet prijs zou geven. Er verspreidde zich een aangename tinteling door mijn zenuwtoppen. Naderhand, toen je naar je kamer was gevlucht met dat zielige beest in je armen, keek je moeder me aan met een gezicht dat volkomen was versteend. We maakten ruzie, zoals we altijd deden als het om jou ging, en ik zei dat ze niet goed bij haar hoofd was als ze dacht dat ik van plan was aan dergelijk gedrag toe te geven. En zij, die sinds jouw kleutertijd elk nieuwste boek over kinderpsychologie had verslonden, elke theorie in zijn geheel had geslikt, probeerde me ervan te overtuigen dat die schildpad voor jou een symbool van jezelf was en dat wanneer wij heel luchtig deden over de noden en behoeften van het dier, jij dat opvatte als onverschilligheid ten opzichte van die van jou. Een symbool van jezelf, god betere het! Op last van die belachelijke boeken wist ze zich in jouw kleine schedeltje naar binnen te kronkelen en had ze niet alleen begrip voor jouw overtuiging dat de aankoop van rode in plaats van groene kool een vorm van emotionele mishandeling inhield, maar ging ze daar ook nog eens in mee. Ik liet haar uitpraten. Ik liet haar zich uitputten, zich in haar eigen theorieën verstrikken. Toen zei ik dat ze gek geworden was. Als jij jezelf zag als een stinkend, weerzinwekkend, hersenloos reptiel, werd het tijd je ook als zodanig te behandelen. Ze stormde het huis uit. Maar een halfuur later was ze weer terug, met een treurig groen kooltje in haar hand en smeekte ze je, fluisterend en soebattend door de kier van je deur, om binnen te mogen komen. Een paar maanden daarna kochten we het huis in Bet Zajit en zat jij de hele nacht te prakkiseren over de beste manier om de schildpad te vervoeren. De hele ochtend was je bezig de vissen over zakken te verdelen en de schildpad psychologisch te begeleiden. Je hield de bak op schoot terwijl we naar het nieuwe huis reden en bij elke bocht die ik nam, gleed de schildpad weg en botste hij tegen een hoek op. Je ogen schoten vol tranen omdat je meende dat ik expres wreed deed, maar je had me overschat: zelfs ik was niet tot zo'n opzettelijke marteling in staat. Uiteindelijk was het niet door mijn hand dat je troeteldier aan een tragisch eind kwam. Op een dag vergat je hem buiten in de zon en toen je terugkwam, lag hij op zijn rug dood te gaan, met opengebarsten schild, nadat hij was aangevallen door een echt monster.

Al gauw na onze verhuizing begon je 's nachts te zwerven. Je dacht dat niemand het wist, maar ik wist ervan. Je vertrouwde me nergens mee, maar ik heb je geheimpje bewaard. In die tijd kwam het vaak voor dat ik in het holst van de nacht rammelend van de honger wakker werd. Dan ging ik naar de keuken en stond ik voor de koelkast het vlees van de gebraden kip te scheuren, te hongerig om een bord te pakken, te gaan zitten of zelfs maar het licht aan te doen. Op een nacht stond ik daar in het donker te eten en zag ik een gedaante door de voortuin lopen, een soort poppetje dat kinetische energie had gekregen en zich nu over het gras voortbewoog. Het bleef een minuutje staan alsof het iets had gezien of gehoord waardoor zijn interesse werd gewekt. Er was een beetje maanlicht, en van wat ik kon zien leek het poppetje niet op een man of een vrouw en ook niet op een kind. Een dier, misschien. Een wolf of een wilde hond. Pas toen de gedaante opzij van het huis liep en ik even later zachtjes de deur open hoorde gaan, met daarna de snelle, stevige bewegingen van iemand die precies wist waar hij was – pas toen besefte ik dat jij het was.

Ik bleef roerloos in de keuken staan tot ik je boven in je slaapkamer hoorde verdwijnen. Daarna bekeek ik je modderige gympen, die uitgeput op hun zij naast de deur lagen, om er zo achter te komen waar je heimelijke uitstapje toe had gediend, wat voor streken je had uitgehaald, en met wie – alhoewel, als er iemand bij betrokken was, dan kon dat alleen Sjlomo zijn geweest. Wat is er eigenlijk met hem gebeurd? Sjlomo, aan wie je vastzat alsof jullie een Siamese tweeling waren, met wie je onder de radar van anderen communiceerde in een geheel eigen, ingewortelde taal van grimassen, rollende ogen en zenuwtrekjes. Ja, ik was er bijna zeker van dat je middernachtelijke uitstapje te maken had met een mallotig plan dat jullie getweeën zwijgend hadden bekokstoofd en op een of andere manier met het nodige getrekkebek in de klas aan elkaar hadden doorgeseind, terwijl de mevrouwen Kleindorf jullie intussen met een gekwelde blik op het gezicht de tweeduizend jaar, altijd de tweeduizend jaar, in het hoofd probeerden te hameren en jullie elk in een ander bankje neerzetten, zo ver mogelijk uit elkaar. Ik was van plan je de volgende ochtend aan je vest te trekken, maar toen je bij het ontbijt verscheen, verried je gezicht niet het minste spoor van je avontuur en begon ik me af te vragen of je misschien aan het slaapwandelen was geweest. Maar vier of vijf nachten later zat ik om twee uur het laatste restje schnitzel te verslinden toen ik je weer over het tuinpaadje zag aankomen. Er stond een heldere maan en ik ving een glimp op van je gezicht, dat getooid was met een heel vredige uitdrukking.

Nu liep je met me over hetzelfde tuinpaadje en bleef je wachten terwijl ik met de sleutels stond te klungelen, en eigenlijk was ik blij dat ik vergeten had een lamp aan te laten, zodat je niet kon zien dat mijn handen opeens trilden. Na een hele tijd kreeg ik het slot open en deed ik het licht aan. Zo is het wel goed, zei ik. Ga nou maar weer. En pas toen keek ik naar beneden en zag ik dat je een kleine koffer in je hand had. Ik keek naar die koffer en toen keek ik weer naar jou. Naar je gezicht, waar ik al heel lang niet naar had gekeken, écht naar had gekeken. Je bent oud geworden, dat klopt, maar er was nog iets anders, iets aan je ogen of de stand van je mond, een soort pijn – niet gewoon pijn, meer dan dat, een blik alsof de wereld je eronder had gekregen, alsof je eindelijk was verslagen. En er gebeurde iets in me. Ik werd overvallen door een gevoel van kaalslag. Alsof nu je moeder weg was, nu zij er niet meer was om jouw pijn in zich op te nemen, zich erom te bekommeren, hem als haar eigen pijn te voelen, alles aan mij werd overgelaten. Probeer het eens te begrijpen. Je hele leven lang heeft jouw pijn me woedend gemaakt. Jouw koppigheid, jouw vasthoudendheid, jouw ingekeerdheid, maar het meest jouw pijn, die altijd heeft gemaakt dat ze je te hulp snelde. En op dat moment, toen ik naar je keek in het licht van de ganglamp, zag ik iets in je ogen. Ze was verdwenen, ze had ons ten slotte toch in de steek gelaten, had ons alleen gelaten met elkaar, en ik zag iets in je gezicht en ik werd erdoor overmand.

Ik keek van je koffer naar je gezicht en weer naar je koffer. En ik wachtte op een verklaring.

Toen je nog een jochie was, zei je moeder een keer dat ze zou doden om je te redden. Je zou dus een ander doodmaken zodat híj bleef leven, reageerde ik. Ja, zei ze. En zou je er vijf laten sterven zodat hij bleef leven? vroeg ik. Ja, zei ze. Honderd? vroeg ik. Ze gaf geen antwoord, maar haar ogen werden koud en hard. Duizend? Ze liep weg.

Nee, dat je niet de schrijver bent geworden die je graag had willen zijn, is niet mijn schuld. Je wilde schrijven over een haai die de zware last van menselijke emoties te verduren krijgt. Lijden, zei ik tegen je. Hè? vroeg je, terwijl er een trilling door je lippen trok. Luister goed, Dov, je moet het de baas zien te worden. Je moet het bij de horens grijpen en tegen de grond werken. Je moet het de keel dichtdrukken, want anders drukt het jou de keel dicht. Je keek me aan alsof ik mijn hele leven lang nergens iets van had begrepen. Maar jij was degene die het niet begreep. Daar stond je in je legeruniform, met je plunjezak over je schouder geslingerd. In uniform kan een man zichzelf loslaten, kan hij opgaan in de flank van een groot beest waar hij nooit de kop van heeft gezien. Maar niet jij, jongen. In burgerkloffie leed je, en in uniform was het al niet anders. Je was voor het eerst in drie maanden thuisgekomen met verlof. Weet je nog wel? Je was nog steeds verliefd op Dafna. Voor haar was je thuisgekomen. Misschien voelde ze zich in het begin tot jouw lijden aangetrokken, maar zelfs ik kon zien dat ze zich er al bij begon te vervelen. Ze kwam langs en jullie twee sloten jezelf op in je kamer, maar niet zoals jullie je vroeger van de wereld afsloten, op heroïsche schaal; nu kwam ze na een uurtje weer naar buiten, alleen gekleed in jouw T-shirt van het leger, om de koelkast te inspecteren of de radio aan te zetten. Doe alsof je thuis bent, zei ik, terwijl ze kieskeurig de kommen met kipsalade en koude pasta monsterde. Ik zat tegenover haar en keek hoe ze at. Wat een klein meisje en wat een grote eetlust. Ze was heel zeker van haar schoonheid; dat bleek uit haar kleinste gebaren. Haar armen en benen slingerden met onbestudeerde zorgeloosheid aan haar lijf, maar rondden hun bewegingen altijd sierlijk af. Er was een innerlijke logica die haar degelijk op orde hield. Vertel eens, zei ik. Ze keek me aan, al kauwend. Er hing een muskusachtige geur om haar heen. Wat? vroeg ze. Daar zat ik dan, met haar dat uit mijn oren groeide. Laat maar zitten, zei ik en liet de reuzenhaai van me wegzwemmen. Zwijgend maakte ze haar bord leeg en kwam overeind om het af te wassen. Bij de deur bleef ze even staan. Het antwoord op uw vraag is nee, zei ze. Welke vraag? vroeg ik. De vraag die u niet hebt gesteld, zei ze. O? Welke moet dat dan zijn? Over Dov, zei ze. Ik wachtte tot ze verder zou gaan, maar ze zweeg. Er zat veel in dat moment wat me ontging. Ik hoorde de voordeur achter haar dichtvallen.

Tijdens je hele diensttijd, vóór die ene gebeurtenis, stuurde je pakketjes naar huis, geadresseerd aan jezelf. In opdracht van jou liet je moeder weten dat die pakjes niet mochten worden aangeraakt, behalve om ze in een la van je bureau te leggen. Je had er met gulle hand plakband omheen gedaan, zodat je het zou weten als er iemand aan had gezeten. Nou, wat denk je? Die iemand was ik. Ik maakte ze open en las de inhoud en maakte ze weer precies zo dicht als jij had gedaan, met nog meer plakband, en als je er ooit naar zou hebben gevraagd, had ik de legercensuur als boosdoener aangewezen. Maar je hebt er nooit naar gevraagd. Voor zover ik kon opmaken, heb je nooit omgekeken naar wat je had geschreven. Soms was ik er zelfs van overtuigd dat je wist dat ik die pakjes openbrak en las wat je geschreven had; dat het je bedoeling was dat ik alles zou lezen. En zo, in mijn vrije tijd, als je moeder weg was en er verder niemand thuis was, stoomde ik enveloppen open en las ik over de haai en de onderling verbonden nachtmerries van velen. Over de conciërge die elke nacht het bassin schoonmaakte, de glazen wanden lapte en de buizen en de pomp controleerde waarmee vers water werd aangevoerd – die tijdens zijn werk telkens even stilhield om een controlerende blik te werpen op de koortsige, trillende, rillende lichamen, slapend op hun bed, die geleund op zijn zwabber stond te staren in de ogen van het gekwelde witte beest dat was overdekt met elektroden, was vastgemaakt aan slangetjes, dat elke dag steeds zieker werd door het absorberen van de pijn van zovelen.

Dat meisje, Dafna, ging uiteraard bij je weg. Niet meteen, maar na een tijdje. Je kwam erachter dat ze het met een andere man had gedaan. Neem het haar eens kwalijk. Misschien nam die andere man haar mee uit dansen. Wang aan wang, onderlijf aan onderlijf, in zo'n lawaaiige discotheek met een primitieve trommeldreun, en raakte zij daar beneveld door de nabijheid van een man wiens lichaam voor hemzelf niet een ver land was, een ver en soms vijandig land. Nee, zo'n verhaal laat zich makkelijk bedenken. Al op je twaalfde of dertiende begon je naar binnen te groeien. Je borst deukte in, je schouders werden rond, je armen en benen lieten zich op ongemakkelijke houdingen betrappen, alsof ze zich los hadden gemaakt van het geheel. Je sloot je urenlang op in de badkamer. God weet wat je daar uithaalde. Proberen de zin van het leven te bedenken. Wanneer Joeri de badkamer had gebruikt, kwam hij altijd met roze wangen en luidkeels zingend naar buiten vliegen, terwijl het water nog in de wc nagorgelde. Hij had het zelfs in aanwezigheid van publiek kunnen doen. Maar wanneer jij eindelijk tevoorschijn kwam, zag je er bleek uit, zweterig, gekweld. Wat deed je al die tijd, jongen? Wachten tot de stank was opgetrokken?

Ze ging bij je weg en jij dreigde zelfmoord te plegen, kwam thuis met verlof en zat als een kasplantje in de tuin, met een deken om je schouders geslagen. Niemand kwam je opzoeken, zelfs Sjlomo niet, want een paar maanden daarvoor had je hem, die al tien jaar je beste vriend was, jou even na – méér nog – als je eigen ledematen, in de ban gedaan vanwege God weet wat voor belediging, door jou als onvergeeflijk beoordeeld. Hoe is het, wilde ik een keer van je weten, om iemand te zijn met zulke hoogstaande principes dat niemand anders eraan kan voldoen? Maar je keerde me alleen de rug toe, net zoals je alle mensen de rug toekeerde die met hun tekortkomingen verraad aan je pleegden. En dus zat je jezelf uit te hongeren in de tuin, in elkaar gedoken als een oude man, omdat de wereld je opnieuw had teleurgesteld. Toen ik je wilde aanspreken, verstijfde je en zei je geen stom woord. Misschien bespeurde je mijn afkeer. Ik liet je aan je moeder over. Jullie zaten getweeën te fluisteren en zwegen als ik een keer de kamer in kwam.

Daarna was er een ander meisje. Het meisje dat je had ontmoet in het leger, toen jullie samen gelegerd waren in Nachal Tsofar. Je kwam niet meer thuis in het weekend; je wilde dicht bij haar blijven. Later werd ze toch naar het noorden gestuurd, hè? Maar jullie vonden alsnog een manier om elkaar te kunnen zien. Toen ze haar dienstplicht had vervuld, schreef ze zich in bij de Hebreeuwse Universiteit. Je moeder vertelde me dat jij dat ook van plan was. Het leger wilde dat je officier werd, maar je bedankte. Je had wel iets beters te doen. Je had je voorgenomen filosofie te gaan studeren. Wat is daar het praktische nut van? vroeg ik. Je staarde me aan met een duistere blik. Ik ben niet achterlijk; ik zie best in dat de verbreding van het menselijke plaatje ook iets waard is. Maar jou, mijn jongen, had ik een leven van tastbare dingen toegewenst. De tegenovergestelde richting inslaan, naar een steeds grotere abstractie, leek me voor jou rampzalig. Er zijn mensen die daar de vereiste constitutie voor hebben, maar jij niet. Van jongs af aan, onvermoeibaar, grossierde je in het lijden. Natuurlijk ligt het niet zo simpel. Een mens kiest niet tussen het uiterlijke en het innerlijke leven; ze bestaan naast elkaar, hoe gebrekkig ook. De vraag is: Waar leg je de nadruk? En op dat punt probeerde ik je te sturen, hoe lomp ook. Met een sjaal om je heen, herstellend van je expedities door de buitenwereld, zat je in de tuin boeken over de vervreemding van de moderne mens te lezen. Wat heeft de moderne mens voor op de Joden? vroeg ik, langskomend met de tuinslang. De Joden leven al duizenden jaren in een toestand van vervreemding. Voor de moderne mens is dat een liefhebberij. Wat kun jij uit die boeken leren wat je al niet bij je geboorte hebt geweten? En daarna, bij het besproeien van de groenten, liet ik wat nevel jouw kant op waaien, zodat je boek nat werd. Maar ik was niet degene die jou in de weg stond. Dat zou ik niet hebben gekund, zelfs al had ik het gewild.

We stonden in de gang van het huis dat ooit helemaal óns huis was geweest, een huis dat een en al leven was geweest, tot de nok gevuld met gelach, geruzie, etensgeurtjes, tranen, stof, pijn, verlangen, woede en ook zwijgen, het strakgespannen zwijgen van mensen die dicht op elkaar leven binnen wat een gezin heet. En toen ging Joeri het leger in en drie jaar later jij en na wat er gebeurde, vertrok je uit Israël, en toen woonden alleen je moeder en ik er, en wij konden nooit meer dan één of hooguit twee kamers in beslag nemen, zodat de rest leegstond. En nu was het van mij alleen. Hoewel, daar stond jij, als een ongelegen gast, een vermoeide logé, met je koffer stevig vastgehouden. Ik keek ernaar en toen keek ik naar jou. Je verplaatste de koffer van je ene hand naar de andere. Ik had gedacht – zo begon je te zeggen, maar toen zweeg je, terwijl je met je blik iets onzichtbaars in de gang volgde. Ik wachtte af.

Ik had gedacht, begon je weer, als u het niet erg vindt, wil ik hier graag een poosje logeren.

Ik moet er geschokt hebben uitgezien, want je slikte en wendde je blik af. En dat was ik ook, Dov. Ik was geschokt. En ik wilde zeggen: Ja. Natuurlijk. Blijf maar hier bij mij logeren. Ik zal je oude bed opmaken. Maar dat zei ik niet. Wat ik zei was: Omdat het beter is voor jou of voor mij? Er kwam een zwakke, maar onmiskenbare grimas op je gezicht te liggen, die bij het wegtrekken iets vlaks en levenloos achterliet. En heel even dacht ik dat ik je kwijt was, dat je je van me zou afkeren, zoals je je altijd hebt afgekeerd. Maar dat deed je niet. Je bleef staan, keek langs me de woonkamer in, alsof je daar iets zag, een herinnering misschien, de geest van het kind dat je ooit bent geweest.

Voor mij, zei je domweg.

Ik keek strak naar je gezicht, probeerde te begrijpen.

En je werk dan? Hoef je dan niet terug? vroeg ik, want dat was steeds je excuus al die jaren dat je vrijwel nooit kwam, altijd het werk dat je niet kon achterlaten, het werk waardoor je wegbleef.

Je kromp ineen. De lijnen tussen je ogen werden dieper en je ging met je ene hand naar je slaap, vlak boven het kleine blauwe adertje dat altijd zichtbaar trilde wanneer je als kind boos was.

Ik heb ontslag genomen, zei je.

Ik dacht dat ik het verkeerd had verstaan. Jij voor wie er niets anders was dan je werk. Dus vroeg ik je nog eens: Ze hebben je daar toch weer nodig? Maar ik zag dat je niet echt bij me was, hier in de gang. Je was bij een herinnering, bij iets wat je achter mij door de woonkamer zag lopen.

Een vreemde jongen, die vanaf het begin steeds meer in zichzelf gekeerd raakte. Als we je een vraag stelden, moesten we soms een halve dag op antwoord wachten. God verhoede dat je zou reageren zonder eerst na te denken, zonder absoluut zeker van de waarheid te zijn. Wanneer het antwoord eenmaal kwam, wist geen mens meer waar je het over had. Toen je vier was, begon je kuren te vertonen. Je liet jezelf op de grond vallen, beukte met je vuisten en bonkte met je hoofd en smeet alles in je kamer overhoop. Vaak gebeurde dat als je je zin niet kon doordrijven, maar op andere momenten kreeg je het op je heupen door iets kleins en volkomen onverwachts, een viltstift waar niemand de dop van kon vinden, je dubbele boterham overdwars doorgesneden in plaats van diagonaal. Je kleuterjuf belde om te laten weten dat ze zich zorgen maakte. Je weigerde hardnekkig aan de klassenactiviteiten deel te nemen. Je hield je afzijdig, bleef op een afstand van de anderen alsof ze melaats waren, en deed alsof je niet begreep wat ze zeiden wanneer ze je aanspraken. Je lachte nooit, zei ze, en als je huilde, was het geen kort gesnik en wat gejammer zoals bij de andere kinderen, een gehuil dat zich liet aanpakken, wegsussen. Jij was ontroostbaar. Bij jou was het iets existentieels. Dat was haar woord. Het kwam zó vaak voor dat je moeder je eerder moest ophalen, je moest komen redden en mee naar huis nemen, dat ze het al gauw voor mij begon te verbergen om maar te vermijden dat ik boos zou worden. Er werd een afspraak geregeld met de schoolpsycholoog, Shatzner. Hij nodigde zichzelf op huisbezoek uit. Het was een kalende man die met een zakdoek zijn overvloedige zweet depte. Zijn voeten stonden naar binnen gedraaid. Ik moest speciaal een tijd plannen dat ik van kantoor weg kon. Je moeder zette hem koffie en koekjes voor, gaf jou een glas melk en daarna lieten we jullie achter in de woonkamer. Een uur lang haalde de psycholoog spullen uit zijn tas en liet hij je verhaaltjes verzinnen over de speeltjes en actiepoppetjes. We konden jullie door de dubbele huiskamerdeur zien als we er stilletjes door de gang langsliepen. Na afloop mocht je weer in de tuin gaan spelen terwijl hij ons aan de tand voelde over onze 'thuissituatie'. Voordat hij vertrok, liet hij zich door het huis rondleiden. Hij leek verrast dat het er zo zonnig en warm was, vol planten, houten speelgoed en een heleboel van jouw kleurkrijttekeningen, met plakband aan de muur bevestigd. Schijn bedriegt, zag ik hem denken terwijl hij flink zijn best deed om de verwaarlozing en wreedheid onder het oppervlak aan het licht te brengen. Zijn blik bleef rusten op de wollen deken op je bed. Je moeder kreeg een bezorgde blik op haar gezicht en ik zag dat ze op haar lip beet en zichzelf wel kon schoppen dat... wat? Dat die deken niet zacht genoeg was? Dat ze er een had moeten kopen met auto's en vrachtwagens erop, net als die van Joni van hiernaast? Het kostte me al mijn zelfbeheersing om hem niet bij zijn lurven te pakken en hem eruit te smijten. Jij zat buiten te spelen. Ik zag je rode blouse opflitsen achter de kweepeerstruik, waar je twee dagen geleden een mierenkolonie had gevonden. Mag ik vragen, zei Shatzner, of er thuis problemen bestaan waarvan ik eigenlijk op de hoogte zou moeten zijn? Binnen het huwelijk, bijvoorbeeld? Meer kon ik niet verdragen. Ik griste de houten Pinocchio-marionet van de plank en schreeuwde dat je moest komen. Je kwam binnen, sjokte de trap op met aarde aan je knieën en bleef staan kijken terwijl ik de Pinocchio liet dansen en zingen en daarna al struikelend tegen de vlakte liet gaan. Telkens als ik hem in elkaar liet zijgen, huilde je van het lachen. Genoeg, zei je moeder, terwijl ze haar hand op mijn arm legde, meneer Shatzner beseft vast wel dat onze kleine Dovvi niet altijd zo ernstig is. Maar ik ging door en maakte je zo hard aan het lachen dat je in je broek plaste, en daarna verbrijzelde ik de hand van de kalende psycholoog in de mijne, zei tegen hem dat hij net zo lang mocht blijven rondsnuffelen als hij wilde, maar dat ik zelf belangrijker dingen te doen had. Ik verliet het huis en trok de deur met een klap achter me dicht.

Je moeder kon de zaak minder makkelijk van zich af zetten. Al bij de minste suggestie dat ze als moeder op een of andere manier iets verkeerd deed, ging ze gebukt onder schuldgevoelens. Ze maakte zich verschrikkelijk druk en probeerde te bedenken wat ze fout had gedaan. Ze liet zich door de psycholoog begeleiden en hoorde hem eens per week aan, terwijl hij haar uitlegde wat hij had opgemaakt uit de gesprekken die hij met jou op school bleef voeren en haar instrueerde over de manier waarop ze bepaalde 'problemen' van jou kon afzwakken. Hij zette een strategie uit en stelde een aantal regels op over de manier waarop we ons tegenover jou moesten gedragen, regels waaraan je moeder krampachtig vasthield. Hij gaf haar zelfs zijn thuisnummer en wanneer ze niet precies wist hoe ze een van zijn regels moest toepassen of wat de juiste reactie was op aanstellerij van jou, belde ze hem op, ongeacht het uur van de ochtend of avond, en legde het probleem met zachte, ernstige stem aan hem voor en luisterde zwijgend, met een droevig hoofdgeknik, naar zijn antwoord. Meneer Shatzner zei dat we dat niet moeten doen, zei ze dan tegen me zodra jij de kamer uitliep, meneer Shatzner zei dat we hem zijn gang moeten laten gaan, meneer Shatzner zei dat we op onze kop moeten gaan staan, onze tong moeten afbijten, in kringetjes moeten lopen, meneer Shatzner, meneer Shatzner, meneer Shatzner, tot ik op het laatst tegen haar uitviel en zei dat ik die naam nooit meer in ons huis wilde horen, dat ik best wist hoe ik mijn eigen kind moest opvoeden, wat denkt hij dat het is, een spelletje scrabble of monopoly, was ze nou zo blind dat ze niet inzag dat die intellectuele lilliputter tot nu toe maar één ding had gepresteerd, namelijk haar in een zenuwpatiënt veranderen, vol twijfels over iets wat haar vanaf het begin heel makkelijk was afgegaan, iets wat iedere idioot kon zien, namelijk dat ze een geweldige moeder was, een en al liefde en geduld? In godsnaam, riep ik uit, hij is nog maar vijf, als je hem als speciaal geval behandelt, zal hij nooit iets anders worden. Heb je soms verbetering gezien sinds je met die malloot in zee bent gegaan? Nee. Wat is dat voor iemand die zich opwerpt als bron van wijsheid over menselijk gedrag? Denk jij soms dat dat lulletje het beter weet dan wij, dan jij en ik? Er viel een stilte. Maar hij is ook een speciaal geval, zei ze zachtjes. Dat is hij altijd geweest.

Uiteindelijk zwichtte ze. De gesprekken werden gestaakt en jij wriemelde je onder Shatzners toezicht uit als een vrijgelaten diertje dat zich onmiddellijk in het struikgewas verbergt. Maar de hele belevenis zette een bepaalde toon. Je moeder bleef weifelen en piekeren, nam zorgvuldig al jouw stemmingen, ervaringen en buien onder het ontleedmes, op zoek naar een aanwijzing voor jouw pijn en onze rol erin. Ik werd helemaal gek van zo'n zelfverminkende opstelling, bijna net zo gek als van jouw gehuil en aanstellerij. Op een avond, toen je weer eens een driftbui kreeg omdat het badwater niet precies het door jou gewenste peil had, greep ik je onder je armen en hield je naakt en druipend boven de vloer. Toen ik net zo oud was als jij, schreeuwde ik terwijl ik je zó hard door elkaar schudde dat je hoofd op een enge manier heen en weer ging op je nek, was er nooit iets te eten, en nooit geld voor speelgoed, was het altijd koud in huis, maar gingen we naar buiten en speelden we onze spelletjes, met van alles en nog wat, en leefden we, want wij hadden het leven; in de tijd dat anderen bij een pogrom werden vermoord, konden wij gewoon de deur uit, de zonneschijn in, rondhollen en tegen een bal trappen! En kijk jou eens! Je hebt alles wat je hartje begeert en het enige wat je doet, is krijsen als een gek en iedereen het leven zuur maken! Zo is het genoeg! Hoor je me? Ik heb er genoeg van! Je keek me met enorme ogen aan, en weerspiegeld in de pupillen, klein en ver weg, zag ik een beeld van mezelf.

Zeventig jaar geleden was ik ook een kind. Zeventig jaar? Zéventig? Hoe kan dat nou? Zet het van je af.

Nu stond je daar je koffer vast te houden. Er viel niets te zeggen. Je leek mijn hulp niet meer nodig te hebben. Misschien in het verleden wel, maar nu niet meer. Ik heb ontzettende hoofdpijn, zei je ten slotte. Het licht doet pijn aan mijn ogen. Ik denk dat ik wat ga liggen, als u het niet erg vindt. Straks kunnen we verder praten.

En met die woorden liep je weer naar binnen, het huis in waaruit je zo lang geleden was vertrokken. Ik hoorde je voetstappen langzaam omhoog gaan over de trap.

Waren zij soms melaats, Dov, die andere kinderen? Is dat de reden waarom je je zo afzijdig hield? Of was jij het? En wij tweeën, samen opgesloten in dit huis – zijn wij gered of zijn we verdoemd?

Een lange stilte, waarin je op de drempel van je oude kamer moet hebben gestaan. Dan het gekraak van de vloerplanken en het geluid waarmee je deur na vijfentwintig jaar weer dichtging.

Zwemvijvers

Die avond zaten we allebei te lezen, zoals altijd. Het was een van die Engelse winteravonden waarop het duister dat om drie uur invalt je rond een uur of negen het gevoel geeft dat het middernacht is, iets waardoor je eens te meer beseft hoe ver de grenzen van je leven naar het noorden zijn opgeschoven. De deurbel ging. We keken elkaar aan. Het kwam zelden voor dat we onaangekondigd bezoek kregen. Lotte legde haar boek neer op haar schoot. Ik liep naar de voordeur. Er stond een jonge man, met een aktetas bij zich. Het is mogelijk dat hij net zijn sigaret had uitgemaakt, want bij het opendoen dacht ik een rooksliertje uit zijn mondhoek te zien glippen. Overigens kon het in die kou ook zijn adem zijn geweest. Heel even dacht ik dat het een van mijn studenten was; die hadden namelijk ook allemaal een bepaalde wetende blik over zich, alsof ze van plan waren iets een naamloos land in of uit te smokkelen. Langs de stoeprand stond een auto te wachten, met nog draaiende motor, en de jonge man keek even achterom. Er zat iemand over het stuur gebogen – man of vrouw, dat kon ik niet uitmaken.

Is Lotte Berg thuis? vroeg hij. Hij had een sterk accent, maar ik kon het niet onmiddellijk plaatsen. Mag ik vragen wie haar wil spreken? De jongeman dacht na, eigenlijk heel kort, maar voor mij lang genoeg om te merken dat zijn mondhoeken licht verkrampten. Mijn naam is Daniel, zei hij. Ik nam aan dat hij een van haar lezers was. Ze had geen grote bekendheid; het was al erg genereus om te stellen dát ze bekend was. Natuurlijk vond ze het altijd fijn een brief te krijgen van iemand die haar werk graag las, maar een brief was tot daaraan toe – een vreemde aan de deur, op dat uur, ging nogal ver. Het is een beetje laat, misschien als u eerst even had gebeld of geschreven, zei ik, maar kreeg onmiddellijk spijt van het gebrek aan hartelijkheid dat deze Daniel in mijn woorden moet hebben gehoord. Maar toen duwde hij iets wat hij in zijn mond had van de ene wang naar de andere en hij slikte. Ik zag dat hij een vrij grote adamsappel had. Misschien was het helemaal niet een van Lottes lezers, schoot het door mijn hoofd. Ik keek naar het donker dat zich rond zijn heupen had opgehoopt in de plooien van het leren jack. Ik weet niet wat ik daar verscholen dacht te zien zitten. Maar natuurlijk was er niets. Hij bleef daar staan alsof hij me niet had gehoord. Het is al laat, zei ik, en mevrouw Berg – ik weet niet waarom ik haar zo noemde, het klonk totaal belachelijk, alsof ik de butler was, maar zo kwam het nou eenmaal mijn mond uit –, mevrouw Berg verwacht momenteel geen bezoek. Nu betrok zijn gezicht, maar eigenlijk niet meer dan een fractie van een seconde; de vorige uitdrukking kwam zo snel terug dat het iemand anders misschien volkomen was ontgaan. Maar mij viel het op, en terwijl zijn gezicht betrok, kon ik erdoorheen kijken naar een ander gezicht, het gezicht dat je opzet als je alleen bent, of zelfs niet eens als je alleen bent, wanneer je slaapt of bewusteloos op een brancard ligt, en ik herkende er iets in. Het klinkt vast idioot, maar hoewel ik met Lotte samenwoonde en deze Daniel haar, voor zover me bekend was, nog nooit had ontmoet, voelde ik op dat moment dat hij en ik op één lijn met elkaar stonden, in vrijwel dezelfde hoek ten opzichte van haar, en slechts door een paar graden van elkaar werden gescheiden. Dat was natuurlijk idioot. Ik was immers degene die hem weghield van wat hij van haar verlangde. Het was louter een projectie van mezelf op deze jonge man die met zijn aktetas tegen zich aan gedrukt vlak bij het skelet van mijn hortensia's stond. Maar hoe moeten we anders beslissingen over anderen nemen? Bovendien was het buiten om te vernikkelen.

Ik liet hem binnen. In de gang, waar hij gelaarsd en al onder onze kleine verzameling strohoeden stond, vielen alle schaduwen weg en zag ik hem pas goed. Arthur? riep Lotte vanuit de woonkamer. Daniel en ik keken elkaar in de ogen. Ik stelde een vraag en hij gaf antwoord. Er werd niets gezegd. Maar op dat moment kwamen we tot een vergelijk: wat er ook gebeurde, hij zou ons leven niet ontregelen. Hij zou niets bedreigen of ondermijnen van wat wij met erg veel moeite hadden opgebouwd. Ja, schat, riep ik terug. Wie is daar? vroeg ze. Ik keek nog eens goed of ik een spoortje van tegenstand op Daniels gezicht zag staan. Maar dat was er niet. Er was alleen maar ernst op te zien, of begrip over de ernst van de afspraak, en nog iets anders, iets wat ik als dankbaarheid opvatte. Op dat moment hoorde ik Lottes voetstappen achter me. Het is voor jou, zei ik.

Het is namelijk zo, bij ons in huis ging alles op de klok. Elke ochtend wandelden we op de Heath. We namen hetzelfde pad het park in en hetzelfde pad eruit. Ik liep met Lotte mee naar het zwemwater, zoals we het noemden, wat ze nooit een dag oversloeg. Er zijn drie zwemvijvers, een voor mannen, een voor vrouwen en een gemengd, en daar, in de laatste, zwom ze als ik erbij was zodat ik ergens in de buurt op een bankje kon gaan zitten. 's Winters kwamen er mannen een gat in het ijs hakken. Ze moeten hun werk in het donker hebben gedaan, want als wij aankwamen, was het ijs al kapot. Lotte ontdeed zich laag voor laag van haar kleren, eerst haar jas en dan haar trui, haar laarzen en broek, de dikke wollen broek die ze het liefst droeg, en daarna werd eindelijk haar lichaam zichtbaar, bleek en doorlijnd met blauwe aderen. Ik kende er elke centimeter van, maar de aanblik van haar lichaam, 's morgens, afgetekend tegen de vochtige, zwarte bomen, wond me vrijwel altijd op. Ze liep naar de waterkant. Even bleef ze roerloos staan. God mag weten waar ze aan dacht. Tot op het laatst was ze een raadsel voor me. Soms viel er sneeuw om haar neer. Sneeuw of bladeren, maar meestal was het regen. Soms wilde ik het uitschreeuwen, om die verstilling te verstoren die secondelang alleen van haar leek te zijn. En dan, in een flits, verdween ze het donker in. Er klonk een lichte plons of een plonsachtig geluid, gevolgd door stilte. Wat waren dat vreselijke seconden en wat leken ze eeuwig lang te duren! Alsof Lotte nooit meer boven zou komen. Hoe diep is het daar? vroeg ik haar een keer, maar ze beweerde het niet te weten. Talloze malen sprong ik zelfs overeind van mijn bankje, bereid haar achterna te duiken, ondanks mijn angst voor het water. Maar precies op zo'n moment brak dan haar hoofd als de gladde kop van een zeehond of een otter door het wateroppervlak heen en zwom ze naar het trapje, waar ik al klaarstond om de handdoek om haar heen te slaan.

Elke dinsdagochtend nam ik de trein van halfnegen naar Oxford en donderdagavond om negen uur keerde ik weer naar Londen terug. Als we een keer met collega's van me uitgingen, legde Lotte steevast uit waarom ze niet in Oxford kon wonen. Het aanhoudende klokgelui stoorde haar in haar werk, zei ze. Bovendien word je er altijd wel omvergelopen, opzijgeduwd of frontaal belaagd door een jakkerende student of een fietser die in zijn eigen denkwereld verdiept is. Bij elk van dergelijke etentjes hoorde ik Lotte minstens één keer vertellen hoe ze op St. Giles' Street een vrouw aangereden zag worden door een bus. Het ene moment stak ze de straat over, vertelde ze met steeds schrillere stem, en het volgende moment lag ze onder de wielen van een bus. Het is gewoon misdadig, ging Lotte dan verder, dat ze die kinderen op de wereld loslaten met hun hoofd vol Plato en Wittgenstein, maar zonder hun er enig benul van bij te brengen hoe ze zich zonder kleerscheuren door de gevaren van het dagelijks leven heen moeten slaan. Het was een vreemd argument voor iemand die het grootste deel van de dag veilig in haar werkkamer verhalen zat te bedenken en voortdurend op zoek was naar een manier om ze aannemelijk te maken. Maar uit beleefdheid werd dat nooit door iemand naar voren gebracht.

De waarheid zat natuurlijk ingewikkelder in elkaar. Lotte hield van haar leven in Londen – hield van de anonimiteit die ze had als ze bij Covent Garden of King's Cross uit de ondergrondse kwam, en die in Oxford onmogelijk zou zijn geweest. Ze hield van de zwemvijver en van ons huis in Highgate. En ik geloof ook dat ze ervan hield alleen te zijn terwijl ik elders lesgaf aan de langharige jeugd die afkomstig was uit de beschaafde leslokalen van de kostscholen Winchester en Eton. Op donderdagavond zat ze in de auto op me te wachten bij Paddington Station, met beslagen raampjes en stationair draaiende motor. In die eerste minuten van de rit naar huis door de donkere straten, wanneer ze in mijn ogen nog steeds de helderheid had van iets wat losstond van haarzelf, bespeurde ik soms een hernieuwd geduld bij haar – met ons gezamenlijke leven misschien, of met iets anders.

Ja, Lotte was een raadsel voor me, maar ik vond troost bij de kleine eilandjes die ik in haar ontdekte, eilandjes die ik altijd wist te vinden, hoe slecht de situatie ook was, en daarna als oriëntatiepunt kon gebruiken. Centraal in haar wezen stond haar afgrijselijke verlies. Op haar zeventiende was ze gedwongen haar woonplaats Neurenberg te verlaten. Ze had samen met haar ouders een jaar in een doorgangskamp gewoond in de Poolse plaats Zbąszyń, onder wat ik me alleen maar kan voorstellen als erbarmelijke omstandigheden; over die tijd sprak ze nooit, net zoals ze maar zelden over haar jeugd of haar ouders sprak. In de zomer van 1939 kreeg ze door tussenkomst van een jonge Joodse arts die ook in het kamp zat, een visum als begeleidster van zesentachtig kinderen op een kindertransport naar Engeland. Dat detail, zesentachtig, heeft me altijd getroffen, enerzijds omdat het verhaal zoals zij het vertelde verder heel weinig details bevatte, anderzijds omdat het zo'n enorm aantal leek. Hoe kon ze voor zoveel kinderen zorgen, wetend dat alles wat zijzelf ooit gekend had, wat die kinderen ooit gekend hadden, nog maar net voorgoed verloren was gegaan? De boot vertrok uit Gdańsk aan de Oostzee. De overtocht, die drie dagen had moeten duren, duurde er vijf, omdat Stalin halverwege de reis het verdrag met Hitler ondertekende en de boot moest uitwijken om niet in Hamburg te hoeven aanleggen. Drie dagen voordat de oorlog uitbrak, kwamen ze in Harwich aan. De kinderen werden verspreid over pleeggezinnen in het hele land. Lotte wachtte tot het allerlaatste kind met de trein was afgereisd. En toen waren ze weg, van haar weggevoerd, en verdween Lotte haar eigen leven in.

Nee, ik kon onmogelijk weten wat ze diep in zich meetorste. Maar langzaam kreeg ik hier en daar wat houvast. Als ze hardop schreeuwde in haar slaap, had ze vrijwel altijd van haar vader gedroomd. Als ze zich gekwetst voelde door iets wat ik had gedaan of gezegd of, wat vaker voorkwam, juist niet had gedaan of gezegd, begon ze opeens vriendelijk te doen, al was het vriendelijkheid met een vernisje, de vriendelijkheid van twee mensen die toevallig in de bus naast elkaar zitten tijdens een lange rit waarvoor maar een van hen zo slim is geweest eten mee te nemen. Een paar dagen later hoefde er maar iets kleins te gebeuren – ik vergat het theeblikje op de plank terug te zetten of liet mijn sokken op de grond slingeren – en ik kreeg de volle laag. De kracht en het volume van haar woede waren om van te schrikken, en de enig mogelijke reactie was geen vin verroeren en vasthouden aan een koers van zwijgen, tot de scherpste kantjes eraf waren en ze in zichzelf begon te keren. Op dat moment was er een bres, een mogelijkheid tot toenadering. Een tel eerder en het verzoeningsgebaar dat bedoeld was om de rust te herstellen, wakkerde haar woede alleen maar aan. Een tel later en ze was al helemaal in zichzelf gekropen en had de deur dichtgedaan, haar intrek genomen in die duistere kamer waar ze het dagen of zelfs weken kon uithouden zonder me maar met één woord te verwaardigen. Het kostte me jaren dat moment in de peiling te krijgen, het te leren zien aankomen en te benutten wanneer het zich voordeed, om ons allebei dat slopende zwijgen te besparen.

Ze worstelde met haar verdriet, maar probeerde het te verbergen, in steeds kleinere stukjes op te splitsen en die stukjes te verstrooien op plaatsen waar ze dacht dat niemand ze zou vinden. Maar vaak vond ik ze wel – na verloop van tijd kreeg ik door waar ik moest zoeken – en probeerde ze in elkaar te passen. Het deed me pijn dat ze er niet mee bij mij wilde komen, maar ik besefte dat het haar erger zou kwetsen als ze wist dat ik iets had blootgelegd wat zij onvindbaar voor me had willen houden. Volgens mij had ze er fundamenteel bezwaar tegen om gekend te worden. Of verfoeide ze het, terwijl ze er tegelijkertijd ook naar verlangde. Het botste met haar idee van vrijheid. Maar het is onmogelijk in alle rust te blijven kijken naar iemand van wie je houdt, er genoegen mee te nemen haar verbijsterd te aanschouwen. Tenzij je er tevreden mee bent iemand te aanbidden, en dat is nooit iets voor mij geweest. In essentie bestaat het werk van een wetenschapper uit het zoeken naar patronen. U zult misschien vinden dat het iets kils heeft om te stellen dat ik ten opzichte van mijn vrouw een wetenschappelijke houding aannam, maar dan begrijpt u volgens mij niet goed wat de drijfveren van een echte wetenschapper zijn. Hoe meer ik in mijn leven te weten kom, hoe sterker ik mijn honger en blindheid ervaar, en hoe dichter ik tegelijkertijd ben bij het eind van die honger, het eind van die blindheid. Af en toe voel ik hoe ik me vastklamp aan de rand – waarvan kan ik eigenlijk niet zeggen, zonder het risico belachelijk te klinken – maar glijd ik toch weg en raak ik dieper in het gat verzeild dan ooit. En daar, in het donker, vind ik in mezelf opnieuw een vorm van lof voor alles wat mijn zekerheid kapot blijft slaan.

Het is voor jou, zei ik tegen Lotte, maar ik draaide me niet om. Ik hield mijn ogen op Daniel gevestigd en miste dus de uitdrukking op haar gezicht toen ze hem die eerste keer zag. Later vroeg ik me af of die blik wel iets zou hebben onthuld. Daniel deed een paar passen naar voren. Even leek hij om woorden verlegen. Ik zag iets in zijn gezicht wat ik niet eerder had gezien. Daarna stelde hij zich voor als een van haar lezers, zoals ik al had verwacht. Lotte vroeg hem binnen te komen, of liever, vérder te komen. Hij liet me zijn jack aannemen, maar hield de aktetas stevig vast – ik vermoedde dat er een manuscript in zat dat hij aan Lotte wilde laten zien. Het jack rook op een weemakende manier naar aftershave, maar voor zover ik kon opmaken rook Daniel zelf, er eenmaal van bevrijd, nergens naar. Lotte ging hem voor naar de keuken en terwijl hij achter haar aan liep, bekeek hij alles om zich heen, de foto's aan de wand, de enveloppen die op het tafeltje lagen te wachten om gepost te worden, en toen zijn ogen in de spiegel op zijn eigen spiegelbeeld stuitten, dacht ik een zweem van een glimlach te bespeuren. Lotte gebaarde naar de keukentafel. Hij ging zitten en zette de aktetas voorzichtig tussen zijn voeten neer, alsof er een klein, levend dier in zat. Uit de manier waarop hij keek hoe Lotte de gedeukte fluitketel met water vulde en op het fornuis zette, maakte ik op dat hij nooit had verwacht zo ver te zullen komen. Hij zal op zijn hoogst hebben verwacht er een gesigneerd boek uit te kunnen slepen. En nu zat hij bij de grote schrijfster thuis! Om thee te drinken uit een van haar kopjes! Ik herinner me te hebben gedacht dat dit misschien de stimulans was waar Lotte behoefte aan had: ze sprak weinig over haar werk als ze er erg mee in de knoop zat, maar aan haar stemming kon ik precies aflezen hoe het ermee ging, en ze had nu al een paar weken iets lusteloos en gedeprimeerds. Ik verontschuldigde me beleefd, zei dat ik nog wat werk te doen had en ging naar boven. Toen ik nog even over mijn schouder keek, voelde ik een steek van verdriet om het kind dat we nooit hadden gehad, de zoon die nu bijna van Daniels leeftijd zou zijn geweest, die misschien net als hij de warmte van het ouderlijk huis zou hebben opgezocht, vol nieuwtjes die hij ons wilde vertellen.

Ik sta er eigenlijk pas nu bij stil, maar toen Daniel in de winter van 1970 's avonds bij ons aanbelde, was het eind november, dezelfde tijd van het jaar dat Lotte overleed, zevenentwintig jaar later. Ik weet niet wat je daar uit zou moeten opmaken; niets, alleen dat we troost putten uit de symmetrieën die we in het leven tegenkomen, omdat ze een groter bestel suggereren terwijl dat er niet is. De avond dat ze voor het laatst het bewustzijn verloor, ligt nu voor mij verder weg dan de junimiddag in 1949 dat ik haar voor het eerst zag. Het was op een tuinfeest ter gelegenheid van de verloving van Max Klein, een goede studievriend van me. Niets kon fraaier en beschaafder zijn geweest dan de kristallen kom met punch en de vazen met verse irissen. Maar vrijwel meteen toen ik naar binnen liep, voelde ik dat er iets vreemds aan de kamer was, iets wat inbreuk maakte op het eenvormige licht, de eenvormige stemming. Probleemloos vond ik de bron. Het was een kleine vrouw, bijna een mus, met kort zwart, recht over haar voorhoofd afgeknipt haar, die bij de tuindeur stond. Ze viel uit de toon bij alles om haar heen. Ten eerste was het zomer en had zij een paarse fluwelen jurk aan, bijna een jak. Haar kapsel leek in niets op dat van de andere aanwezige vrouwen, een kort jarentwintigkapsel, hoewel eerder zo geknipt om het gemak dan om de stijl. Ze droeg een heel grote zilveren ring die te zwaar leek te zijn voor haar knokige vingers (veel later, toen ze hem afdeed en op mijn nachtkastje legde, zag ik dat hij een groen spoor van corrosie op haar huid achterliet). Maar eigenlijk was het haar gezicht dat me als heel ongewoon trof, of liever de uitdrukking op haar gezicht. Ik moest erbij denken aan Alfred J. Prufrock – *Er is nog tijd/ Een gezicht op te zetten ter begroeting van gezichten die jou begroeten gaan* – omdat alleen zij in die kamer daar geen tijd voor leek te hebben gehad of genomen. Het was niet zo dat haar gezicht op enigerlei wijze open of veelzeggend was. Het leek gewoon in rust te verkeren, zich volledig onbewust van zichzelf te zijn, terwijl de ogen alles in zich opnamen wat er vlak voor hen gebeurde. Wat ik aanvankelijk opvatte als onbehagen dat ze uitstraalde, leek nu, terwijl ik vanaf de andere kant van de kamer toekeek, juist het tegenovergestelde te zijn: het onbehagen van anderen, dat aan het licht trad wanneer ze tegenover haar stonden. Ik vroeg Max wie ze was en hij vertelde me dat ze min of meer familie was, een verre nicht van zijn verloofde. Ze bleef de hele receptie op dezelfde plek staan, als vastgenageld, met een leeg glas in haar hand. Op een gegeven moment liep ik naar haar toe en bood aan het bij te vullen.

In die tijd woonde ze ergens op kamers, niet ver van Russell Square. De overkant van de straat was platgebombardeerd; uit haar raam zag je de bergen puin waar de kinderen soms diefje-met-verlos kwamen spelen (nog lang nadat het donker was ingevallen, bleef je hun stemmen horen), met hier en daar het staketsel van een huis waarvan de lege vensters de hemel omlijstten. In een ervan rees alleen nog de trap met zijn rijk bewerkte leuningen uit het puin op, en ergens anders zag je nog altijd het bloemetjesbehang, dat langzaam werd uitgegomd door de zon en de regen. Hoewel het iets naargeestigs had, was het op een vreemde manier ook prikkelend de binnenkant buitenkant te zien worden. Het kwam vaak voor dat ik Lotte naar die ruïnes met hun eenzame schoorstenen zag staren. De eerste keer dat ik op haar kamer kwam, keek ik ervan op hoe weinig erin stond. Ze was toen al bijna tien jaar in Engeland, maar afgezien van haar bureau stonden er maar een paar simpele meubeltjes en pas veel later ging ik begrijpen dat de muren en het plafond van haar eigen kamer voor haar op een bepaalde manier al evenmin bestonden als die aan de overkant van de straat.

Haar bureau was echter van een heel andere orde. In dat eenvoudige kleine kamertje overschaduwde het al het andere als een grotesk, dreigend monster dat zich aan het grootste deel van een muur vastklauwde en de andere zielige stukjes meubilair naar de verste uithoek verjoeg, waar ze dicht tegen elkaar aan bleven staan alsof er een sinistere magnetische kracht op werd uitgeoefend. Het was gemaakt van donker hout en boven het schrijfblad zat een wand van laden, laden van volslagen onpraktische omvang, als bij het bureau van een middeleeuwse tovenaar. Alleen waren die laden leeg, van de eerste tot de laatste, iets waar ik 's avonds een keer achter kwam toen ik zat te wachten op Lotte, die de gang op was gegaan om de wc te gebruiken; het bureau, dat kolossale spookbeeld van een bureau, eigenlijk eerder een schip dan een bureau, een schip dat in het holst van een maanloze nacht over een pikzwarte zee gleed, zonder enige hoop op land, in welke richting dan ook, kreeg er op een of andere manier een extra afschrikwekkend karakter door. Het was, zo heb ik altijd gevonden, een heel mannelijk bureau. Af en toe, ook weleens als ik haar kwam ophalen, voelde ik me zelfs overmand door een vreemde, onverklaarbare jaloezie wanneer ze de deur opendeed en achter haar dat enorme meubelstuk opdoemde en haar dreigde te verzwelgen.

Op een dag trok ik de stoute schoenen aan en vroeg ik haar hoe ze eraan was gekomen. Ze was zo arm als een kerkrat; het was ondenkbaar dat ze ooit genoeg geld bijeen had kunnen sparen om een dergelijk bureau aan te schaffen. Haar antwoord nam mijn angsten niet weg, maar dompelde me juist in diepe wanhoop: het was een geschenk, zei ze. En toen ik haar vroeg van wie dan wel, terwijl ik intussen mijn best deed nonchalant te klinken maar al voelde dat mijn lippen begonnen te trillen, zoals altijd wanneer mijn emoties me de baas worden, wierp ze me een blik toe, een blik die ik nooit zal vergeten omdat ik zo voor het eerst kennismaakte met de complexe wetten waardoor het leven met Lotte werd bestuurd, ofschoon het nog jaren zou duren voordat ik die wetten ging begrijpen, als ik ze al ooit begrepen heb, een blik die gelijkstond aan het optrekken van een muur. Ik hoef er niet bij te vermelden dat het onderwerp verder onbesproken bleef.

Overdag werkte ze in het souterrain van de British Library, waar ze uitgeleende boeken terugzette, en 's avonds schreef ze. Vreemde en vaak verontrustende verhalen die ze open en bloot liet liggen zodat ik ze kon lezen – althans, dat nam ik maar aan. Twee kinderen die een derde kind van het leven beroven omdat ze hun zinnen op zijn schoenen hebben gezet en pas na zijn dood in de gaten krijgen dat de schoenen niet passen en die de buit versjacheren aan een ander kind, dat ze wél aankan en met veel plezier draagt. Een gezin dat in de rouw is, een autoritje maakt door een naamloos, in staat van oorlog verkerend land, per ongeluk over de vijandige linies rijdt en een leeg huis ontdekt, om dat vervolgens te betrekken, zich volkomen onbewust van de wandaden van de voormalige eigenaar.

Ze schreef uiteraard in het Engels. In al die jaren van ons gezamenlijke bestaan heb ik haar maar een paar keer iets in het Duits horen zeggen. Zelfs toen haar alzheimer in een gevorderd stadium verkeerde en de taal bij haar ontvlochten raakte, viel ze nooit terug op de woordjes uit haar kindertijd, zoals bij veel anderen gebeurt. Als we een kind zouden hebben gehad, zo heb ik weleens gedacht, had dat haar een reden gegeven om haar moedertaal weer eens te gebruiken. Maar we hebben nooit een kind gehad. Vanaf het begin liet Lotte duidelijk weten dat daar geen sprake van kon zijn. Ik had me altijd voorgesteld dat ik op een dag kinderen zou hebben, misschien alleen omdat zoiets je vanzelf overkomt, leek me; ik geloof niet dat ik mezelf ooit echt als vader heb gezien. De enkele keer dat ik probeerde het onderwerp bij Lotte aan te kaarten, trok ze meteen een muur tussen ons op die me dagen kostte om weer af te breken. Ze hoefde zich niet te verantwoorden of haar standpunt te verdedigen: ik had het meteen moeten begrijpen. (Niet dat ze verwachtte dat ik het begreep. Lotte had er vrede mee in een permanente staat van onbegrepenheid te leven, meer dan ieder ander die ik gekend heb. Het is iets heel unieks, als je erover nadenkt, een eigenschap waarvan je je kunt voorstellen dat hij thuishoort in de psyche van een hoger ontwikkelde soort dan wij.) Uiteindelijk wist ik me neer te leggen bij het idee van een leven zonder kinderen, en het valt niet te ontkennen dat ik daar gedeeltelijk ook een beetje opgelucht over was. Ofschoon later, toen de jaren verstreken zonder veel om over te vertellen, toen er vrijwel niets in ons leven groeide en veranderde, betreurde ik het soms dat ik er niet sterker voor had gepleit – voetstappen op de trap, een onbekend element, een afgezant.

Maar nee: ons gezamenlijke leven was ingericht om het alledaagse te beschutten; daar een kind in te brengen zou alles tenietdoen. Lotte raakte van haar stuk door afwijkingen van onze vaste regelmaat. Ik probeerde haar af te schermen van het onverwachte; al bij de geringste verandering in de plannen raakte ze volkomen in de war. De hele dag ging verloren aan het herstellen van de rust. Het duurde meer dan een jaar voordat ik haar zover had dat ze wegging uit die armoedige kamer met uitzicht op dat puin en bij mij in Oxford kwam wonen. Natuurlijk vroeg ik haar eerst met me te trouwen. Ik verhuisde zelfs naar grotere kamers in een universitair gebouw, uiterst comfortabele vertrekken met een open haard in de woonkamer en de slaapkamer, en een groot raam dat uitkeek op de tuin. Toen de dag van de verhuizing eindelijk aanbrak, ging ik haar ophalen in haar kamer. Afgezien van haar bureau en haar karige meubeltjes pasten al haar bezittingen in een stel versleten koffers, die al bij de deur stonden. Licht in het hoofd bij het vooruitzicht van ons leven samen, vol hoop dat we voorgoed van dat ellendige bureau af waren, kuste ik haar gezicht, het gezicht dat ik altijd zo dolblij was te zien. Ze glimlachte me toe. Ik heb geregeld dat het bureau met een vrachtauto naar Oxford wordt gebracht, zei ze.

Als door een wonder, een wonder of een nachtmerrie, afhankelijk van hoe je ernaar kijkt, lukte het de verhuizers de smalle gangen en trappen van het huis te nemen, kreunend van pijn en onder het slaken van vloeken die op het frisse herfstwindje naar binnen waaiden door het open raam van de kamer waar ik vol afgrijzen zat te wachten, totdat ik eindelijk een hard gebons op de deur hoorde, en daar stond het dan, stevig op de overloop, met donker, bijna ebbenzwart hout dat vervaarlijk glansde.

Nauwelijks had ik Lotte naar Oxford gehaald, of ik besefte dat het een foute beslissing was geweest. Die eerste middag stond ze er met haar hoed in haar handen, zonder dat ze leek te weten hoe het nu verder moest. Wat moest ze aan met een open haard of fauteuils? Soms merkte ik midden in de nacht dat ze weg was en als ik dan uit bed kwam, zag ik dat ze in de woonkamer stond, met haar jas in haar handen. Wanneer ik dan vroeg waar ze naartoe ging, keek ze verbaasd naar de jas en gaf hem aan mij. Daarna nam ik haar weer mee naar bed en lag ik haar haren te strelen tot ze in slaap viel, net zoals ik veertig jaar later zou doen toen ze alles vergat, en daarna lag ik wakker op de kussens, starend in de schaduwen van de kamer naar de plek waar het bureau stond te wachten als het paard van Troje.

Op een zaterdag niet lang daarna lunchten we bij mijn tante in Londen. Na afloop gingen we met ons tweeën wandelen op de Heath. Het was een heldere herfstdag; het licht leende zich overal voor. Onder het lopen vertelde ik Lotte dat ik een idee had voor een boek over Coleridge. We staken de Heath over en onderbraken onze wandeling om thee te drinken in Kenwood House, waar ik Lotte naderhand het late zelfportret van Rembrandt liet zien, het portret dat ik als jongen voor het eerst was gaan bekijken en dat ik ben gaan associëren met de uitdrukking 'een geruïneerd man', een omschrijving die postvatte in mijn kindergeest en die mijn eigen persoonlijke, verheerlijkte ambitie werd. We kwamen de Heath uit en sloegen de eerste zijstraat in, die toevallig naar Fitzroy Park liep. Onderweg naar Highgate Village passeerden we een te koop staand huis. Het verkeerde in slechte, verwaarloosde staat en werd van alle kanten bestookt door braamstruiken. Op het puntdakje boven de deur zat een vreemde kleine waterspuwer met een verschrikkelijke grimas. Lotte bleef ernaar staan kijken en wreef zich intussen in haar handen zoals ze soms deed als ze ergens over nadacht, alsof de gedachte zelf in haar handen lag en ze hem alleen maar hoefde op te poetsen. Ik zag dat ze het huis grondig in zich opnam. Ik dacht dat het haar misschien ergens aan herinnerde, misschien wel aan haar ouderlijk huis in Neurenberg. Toen ik haar eenmaal wat beter kende, begreep ik dat dat onmogelijk zou zijn geweest: ze vermeed alles wat herinneringen opriep. Nee, het was weer iets anders. Misschien werd ze gewoon aangesproken door hoe het eruitzag. Wat het ook was, ik merkte meteen dat ze volkomen verkocht was. We liepen het korte, door struiken overwoekerde tuinpaadje op. Na enige aarzeling werden we binnengelaten door een streng ogende vrouw – ze bleek de dochter te zijn van de oude vrouw, een pottenbakster, die het huis al jaren bewoonde, maar niet gezond genoeg meer was om er alleen te blijven wonen. Er hing een benauwde, medicinale geur en het gangplafond had forse waterschade opgelopen, alsof iemand per ongeluk de loop van een rivier naar de bovenverdieping had verlegd. In een van de zijkamers die aan de gang grensden zag ik de rug van een witharige vrouw die in een rolstoel zat.

Ik had een erfenisje van mijn moeder, waarmee het net mogelijk was het huis te kopen. Een van de eerste dingen die ik deed was het schilderen van de zolderkamer die Lottes werkkamer werd. Zij had hem zelf uitgekozen, maar ik geef toe dat ik het een verademing vond dat het bureau naar de zolderverdieping zou worden verbannen, ver weg van de rest van het huis. Ze koos hetzelfde duifgrijs voor de wanden en de vloer, en vanaf de dag dat ik klaar was met schilderen tot aan de dag dat ze te ziek werd om zonder hulp de steile trap op te gaan, vermeed ik de zolder. Niet vanwege het bureau, natuurlijk, maar uit respect voor haar werk en haar privacy, die voor haar een levensvoorwaarde waren. Ze had behoefte aan een vluchtplaats, ook om aan mij te ontsnappen. Als ik haar nodig had, ging ik onder aan de trap staan en riep naar boven. Wanneer ik een kopje thee voor haar had gemaakt, zette ik dat bij de onderste treden voor haar neer.

Een jaar of zo na onze verhuizing wist Lotte haar eerste verhalenbundel, *Kapotte ramen*, onder te brengen bij een kleine uitgeverij in Manchester die zich in experimenteel werk specialiseerde (een etiket waar ze bezwaar tegen had, maar niet zo erg dat ze het aanbod om gepubliceerd te worden van de hand wees). Er werd in het boek niet één keer naar Duitsland verwezen. Het enige wat ze toestond was de vermelding van haar geboorteplaats en geboortejaar – Neurenberg, 1921 – in de korte biografie op de laatste bladzijde. Maar ergens aan het eind zat een verhaal weggestopt dat dicht bij het gruwelijke kwam. Het handelde over een landschapsarchitect uit een ongenoemd land, een egoïst die zo ingenomen is met zijn eigen talent dat hij zich bereid verklaart mee te werken met de ambtenaren van het wrede landsbestuur om maar gedaan te krijgen dat het grote park dat hij heeft ontworpen vlak bij het centrum van de stad wordt aangelegd. Hij bestelt toepasselijk fascistisch ogende bronzen borstbeelden van alle machthebbers en laat ze verspreid tussen de zeldzame en tropische planten neerzetten. Hij noemt een palmenlaantje naar de dictator. Wanneer de geheime politie in het holst van de nacht lichamen van vermoorde kinderen begraaft onder de bouwplaats van het park, houdt hij zich van den domme. Vanuit het hele land stromen mensen toe om naar de kolossale bloemen te kijken en de unieke schoonheid van het geheel te bewonderen. De titel van het verhaal was 'Kinderen zijn een ramp voor een tuin' – een zinnetje dat de landschapsarchitect zich vele jaren daarvoor tussen neus en lippen had laten ontvallen tegenover een jonge journaliste die duidelijk verliefd op haar onderwerp was – en nog lang nadat ik het had gelezen, betrapte ik me erop dat ik enigszins bevreesd naar mijn vrouw zat te staren.

Die avond dat Daniel voor het eerst kwam opdagen, hoorde ik de voordeur pas ver na middernacht weer open- en dichtgaan. Er verstreek nog een kwartier voordat Lotte naar boven kwam. Ik lag al in bed. Ik keek toe terwijl ze zich in het donker uitkleedde. De onthulling van haar lichaam, twee keer per dag, vormde een van de grote genoegens van mijn leven. Ze kroop tussen de lakens. Ik stak mijn hand uit en legde hem op haar dij. Ik wachtte tot ze iets zou zeggen, maar in plaats van te spreken ging ze op me liggen. Alles gebeurde in stilte, maar er lag een bijzondere tederheid in de manier waarop ze haar hoofd boog om dat van mij aan te raken. Even later gingen we slapen. De volgende ochtend hing er een geur van sigarettenrook in de keuken, maar verder was alles precies zoals anders. Ik vertrok naar Oxford en er werd verder niets meer over Daniel gezegd.

Maar toen ik donderdagavond thuiskwam en mijn overjas wilde ophangen, drong zich een krachtige aftershavestank aan me op. Het duurde even voordat ik de verbinding met Daniels jack had gelegd en toen ik dat had gedaan, verwachtte ik het ook te zien hangen, vergeten. Maar het was nergens te bekennen. Ik zou er verder niet aan hebben gedacht als ik niet een metalen aansteker naast een van de kussens op de bank had zien liggen toen ik me daar na het eten installeerde om te lezen. Terwijl ik hem in mijn hand hield, bedacht ik hoe ik mijn vraag aan Lotte moest voorleggen. Maar wat was de vraag precies? Is die jongen weer bij je geweest? En zo ja, wat dan nog? Mocht ze niet ontvangen wie ze wilde? Ze had me vanaf het begin duidelijk gemaakt dat ik geen rechten op haar vrijheid mocht doen gelden, en dat wilde ik ook helemaal niet. Er was veel wat ze me niet vertelde, en waar ik ook niet naar vroeg. Mijn zus heeft een keer gezegd, tijdens een verbitterde ruzie om de aangelegenheden van onze overleden moeder, dat ik het volgens haar fijn vond met een mysterie getrouwd te zijn omdat ik er opgewonden van raakte. Ze had geen gelijk – ze heeft nooit een zier van Lotte begrepen – maar misschien had ze ook niet helemaal ongelijk. Soms had ik verdorie weleens het gevoel dat mijn vrouw was geconstrueerd rond een Bermudadriehoek! Jaag er iets naar binnen en de kans is groot dat je er nooit meer iets van verneemt. Toch wilde ik het weten – was die jongen weer geweest, en wat had hij dat haar aanleiding gaf hem onmiddellijk binnen te laten? Ze was niet bepaald een gezellig iemand, om het zachtjes uit te drukken. En toch, nauwelijks stond er een vreemde voor de deur die zich aan haar voorstelde of ze liep meteen naar de keuken om thee voor hem te zetten.

We zoeken namelijk naar patronen, maar het enige wat we vinden is de plaats waar het patroon wordt doorbroken. En daar, in die breuk, slaan we onze tent op en wachten af.

Lotte zat te lezen in de stoel tegenover me. Ik had nog willen vragen, zei ik, waar komt Daniel vandaan? Ze keek op van haar boek. Altijd dezelfde verwarde uitdrukking wanneer ik haar stoorde bij het lezen. Wie? Daniel, zei ik. Die jongen die hier laatst aan de deur was. Ik hoorde wel een accent, maar ik kon het niet helemaal thuisbrengen. Lotte zweeg even. Daniel, herhaalde ze, alsof ze de slijtvastheid van die naam voor een van haar verhalen uitprobeerde. Ja, waar komt hij vandaan? herhaalde ik. Chili, zei ze. Helemaal uit Chili! riep ik uit. Is dat niet bijzonder! Dat je boeken daar al zijn terechtgekomen. Misschien heeft hij er gewoon een bij Foyles op de kop getikt, zei Lotte. We hebben het er niet over gehad. Hij heeft veel gelezen, en hij wilde graag met iemand over boeken praten, meer niet. Je bent vast veel te bescheiden, zei ik. Hij leek er steil van achterover te slaan dat hij zich in jouw aanwezigheid bevond. Hij kon waarschijnlijk hele alinea's uit je werk citeren. Er streek een gepijnigde blik over Lottes gezicht, maar ze bleef zwijgen. Hij is hier in zijn eentje, dat is alles, zei ze.

De volgende dag was de aansteker verdwenen van de salontafel, waar ik hem had neergelegd. Maar ook de volgende paar weken bleef ik stuiten op sporen van de jongen: sigaretten in de vuilnisbak, een lange zwarte haar op de witte antimakassar, en toen ik

Lotte uit Oxford belde, dacht ik een of twee keer in haar stem het besef van andermans aanwezigheid te bespeuren. Vervolgens, toen ik op een donderdagavond iets weglegde op mijn bureau, vond ik een leren agenda, een klein zwart boekje, kromgetrokken en verfomfaaid. Erin stonden op elke bladzijde de dagen van de week, maandag, dinsdag en woensdag links, donderdag, vrijdag en zaterdag/zondag rechts, en elk vakje was tot aan de rand toe volgeschreven in een heel klein handschrift.

Pas toen ik Daniels handschrift zag, kwam de toch al broeiende jaloezie met volle kracht in me naar boven. Ik herinnerde me de manier waarop hij door de gang achter Lotte aan liep, en nu, gezien het lachje dat hij met zichzelf in de spiegel had uitgewisseld, dacht ik me ook een bepaalde branie te herinneren. Hier in zijn eentje! Hier in zijn eentje met een leren jack, een zilverkleurige aansteker, een zelfgenoegzame grijns en iets wat tegen de rits van zijn strakke spijkerbroek aan drukte. Ik vind het nu gênant om het toe te geven, maar zo kwam dat bij me op. Hij was bijna dertig jaar jonger dan zij. Het is niet dat ik vermoedde dat Lotte met hem naar bed was gegaan; die gedachte zelf week gewoon te veel af van de wetten waarmee ons kleine universum werd bestuurd. Ze mocht dan misschien zijn avances hebben afgewimpeld, de deur gewezen had ze hem ook niet: ze had die avances welwillend ontvangen, ze had hém ontvangen, er was een mate van intimiteit toegestaan, en ik zag of dacht te zien dat deze jongeman in een leren jack die het zich gemakkelijk had gemaakt aan mijn bureau me schaamteloos voor gek had gezet.

Ik wist dat alles wat ik op dat moment tegen Lotte zei tot grote woede zou leiden – het idee dat ik argwaan koesterde en haar doen en laten volgde, zou in haar ogen een ontoelaatbare inbreuk op haar privacy betekenen. Welk recht had ik daartoe? Ik kon dus geen enkele kant op. En toch wist ik zeker dat er iets achter mijn rug aan de gang was, al waren het alleen maar lichamelijke verlangens.

Ik begon een plan te bedenken, een plan dat misschien tegen alle intuïtie indruiste, maar destijds iets volkomen logisch had. Ik zou vier dagen weggaan, ik zou hen op de proef stellen door ze samen alleen te laten. Ik zou mezelf, die lastige hinderpaal, tijdelijk uit de weg ruimen en Lotte alle gelegenheid geven me te bedriegen met deze snoevende jongeling met zijn leer en zijn strakke spijkerbroek en zijn dichtregels van Neruda, die hij er ongetwijfeld in één adem uit wist te gooien, zijn gezicht een paar centimeter van dat van haar. Nu ik dit opschrijf, al die jaren later, in de lange schaduw van het tragische lot van die jongen, klinkt het belachelijk, maar destijds was het voor mij geen inbeelding. In mijn wanhoop, vol gekrenkte trots, wilde ik haar dwingen, of dacht ik haar te willen dwingen, om te doen wat ze naar mijn vaste overtuiging vurig wenste, namelijk toegeven aan haar verlangens in plaats van ze heimelijk te koesteren, en ons allebei uitleveren aan de verschrikkelijke consequenties die er zouden volgen. Terwijl ik eigenlijk enkel op zoek was naar bewijs dat ze alleen mij wilde. Vraag me niet met welk bewijsmateriaal ik een en ander in beide gevallen wilde aantonen. Als ik terugkom, zei ik tegen mezelf, zal alles duidelijk zijn.

Ik deelde Lotte mee dat ik van plan was een congres in Frankfurt bij te wonen. Ze knikte en op haar gezicht stond niets bijzonders te lezen, hoewel ik me later, toen ik in mijn ellendige hotelkamer op bed lag zonder dat er iets gebeurde en alles alleen maar steeds erger werd, een lichte glinstering in haar ogen dacht te herinneren. Eens of tweemaal per jaar bezocht ik op het Europese vasteland congressen over de Engelse romantiek, korte bijeenkomsten die de deelnemers misschien hetzelfde gevoel bezorgen als waarmee Joden in Israël uit het vliegtuig stappen: het gevoel van opluchting om eindelijk aan alle kanten omgeven te worden door je eigen soort – van opluchting en van afgrijzen. Lotte ging zelden mee op dit soort reisjes omdat ze haar werk liever niet onderbrak, en om die reden bedankte ik altijd voor de uitnodigingen die ik kreeg voor congressen op andere continenten, in Sydney, Tokio of Johannesburg, waar de plaatselijke Wordsworth- of Coleridge-deskundigen als gastheer optraden voor hun vrienden en collega's. Ja, voor die uitnodigingen bedankte ik omdat ze me te lang bij Lotte zouden weghouden.

Ik kan me niet herinneren waarom ik Frankfurt uitkoos. Misschien had er onlangs een congres plaatsgevonden of was er een gepland voor de nabije toekomst, zodat het geen vreemde blikken zou opleveren mocht een van mijn collega's Lotte tegen het lijf lopen en het onderwerp van een congres in Frankfurt zou ter sprake komen. Of misschien had ik, die nooit zo goed kon liegen, Frankfurt gekozen omdat die naam zoveel gezag uitstraalde, en het tegelijkertijd een voldoende oninteressante stad was om geen argwaan te wekken, zoals Parijs of bijvoorbeeld Milaan wél zouden doen, hoewel het idee van een argwanende Lotte op zich al absurd was. Misschien koos ik Frankfurt wel omdat ik wist dat Lotte nooit, onder geen enkel beding, naar Duitsland terug zou gaan, en ik er dus zeker van kon zijn dat ze niet zou voorstellen om mee te gaan.

De ochtend van mijn vertrek stond ik heel vroeg op, trok het pak aan dat ik altijd droeg als ik vloog, en dronk mijn koffie op terwijl Lotte nog lag te slapen. Toen keek ik voor het laatst rond in ons huis, alsof ik het misschien nooit meer zou zien: de houten vloer met de brede, glad gesleten planken, Lottes lichtgele leesstoel met de theevlekken op de linkerleuning, de doorzakkende boekenplanken met hun eindeloze, zich nergens herhalende patroon van ruggen, de openslaande deuren naar de tuin, de bomen als berijpte skeletten. Ik zag het allemaal en onderging het als een pijl die in me stak, niet in mijn hart, maar in mijn maag. Toen trok ik de deur dicht en stapte in de taxi die aan de stoep stond te wachten.

Vrijwel meteen nadat ik in Frankfurt was aangekomen, had ik spijt van die keuze. We hadden onderweg veel last van turbulentie en tijdens de hobbelige afdaling door het noodweer heerste er een onheilspellende stilte onder de weinige, in hun jas weggedoken passagiers, of misschien diende hun zwijgen alleen maar als onheilspellende achtergrond bij het luide gekerm van een Indiase vrouw in een paarse sari, die een klein, doodsbenauwd kind tegen haar borst aan gedrukt hield. Buiten, boven de bagagehal, was de lucht donker en roerloos. Ik nam de trein naar het centraal station en vandaar liep ik naar het hotel waar ik had gereserveerd, in een zijstraatje van de Theaterplatz, dat een naargeestige en anoniem ogende gelegenheid bleek te zijn waarvan het enige streven naar gezelligheid bestond uit roodgestreepte markiezen boven de ramen van de lobby en het restaurant, een streven dat kennelijk dateerde van lang geleden, in een sindsdien verloren of vergeten elan, aangezien de markiezen nu groezelig waren en vol vogelpoep zaten. Een zich vervelende, puisterige piccolo bracht me naar mijn kamer en gaf me de sleutel, die vastzat aan een groot sleutelplaatje, waardoor hij lastig mee te nemen was en dus de garantie bood dat de bewoners van dat ellendige etablissement hun sleutel bij de receptie inleverden wanneer ze het pand verlieten. Nadat hij de verwarming had aangezet en de gordijnen had opengetrokken zodat het betonnen gebouw aan de overkant van de straat zichtbaar werd, bleef de piccolo nog even wachten en ging hij zelfs zover om te controleren of de minibar wel was gevuld met de juiste combinatie kleine flesjes en blikjes, voordat ik er eindelijk aan dacht hem een fooi te geven en hij me een goede morgen toewenste en weer vertrok.

Zodra de deur achter hem dichtviel, voelde ik me overweldigd door eenzaamheid, een donkere, holle eenzaamheid die ik al vele jaren niet had meegemaakt, misschien wel niet sinds mijn studententijd. Om tot rust te komen pakte ik de paar spullen uit die ik in mijn koffer bij me had. Onderin lag de zwarte agenda van Daniel. Ik haalde hem tevoorschijn en ging ermee op bed zitten. Tot dan toe had ik er alleen doorheen gebladerd zonder het geminiaturiseerde Spaans te willen ontcijferen, maar nu ik toch niets anders te doen had, probeerde ik er wijs uit te worden. Voor zover ik kon opmaken, was het een tamelijk saai verslag van zijn leven: wat hij at, welke boeken hij las, wie hij ontmoette, enzovoorts, een lange opsomming waarin elke vorm van reflectie over deze activiteiten ontbrak, een banale veldtocht tegen de vergetelheid, even ondoeltreffend als elke andere. Uiteraard zocht ik naar Lottes naam. Ik vond hem zes keer: op de dag dat hij voor het eerst had aangebeld, en daarna nog vijf keer, altijd op dagen dat ik in Oxford zat. Ik begon te zweten, verkillend zweet aangezien de verwarming nog op temperatuur moest komen, en bediende mezelf van een flesje Johnnie Walker. Daarna zette ik de televisie aan en al snel viel ik in slaap. In mijn dromen zag ik Lotte op handen en voeten van achteren door de Chileen genomen worden. Toen ik wakker werd, was er maar een halfuur voorbij, maar het leek veel langer. Ik waste mijn gezicht en ging naar beneden, stond mijn sleutel af aan de receptioniste, die bezig was met het tellen van dikke pakken Duitse marken, en liep de grijze straat op, waar net de eerste regendruppels vielen. Een paar straten verderop kwam ik langs een vrouw die snikkend tegen het deurbelpaneel van een beige appartementengebouw aan stond. Ik dacht erover even te blijven staan, te vragen wat eraan scheelde en misschien ergens iets met haar te gaan drinken. Ik hield mijn pas in toen ik dicht bij haar was, dicht genoeg om de ladder in haar kousen te kunnen zien, maar uiteindelijk strookte het hele idee te weinig met de aard van de persoon die ik al mijn hele leven ben, of ik dat nu leuk vind of niet, en liep ik gewoon door.

Die dagen in Frankfurt verstreken tergend langzaam, als het neerdalen van een levenloos wezen door de vadems van de oceaan, steeds donkerder, steeds killer, steeds hopelozer. Mijn voornaamste tijdsbesteding was wandelen over de kaden van de Main, want voor zover ik kon opmaken was de hele stad grauw, lelijk en vol treurige mensen en had het geen enkele zin me verder te wagen dan die oevers waar de Franken voor het eerst met hun speren aan wal waren gestapt, en ook omdat in heel die stad alleen de bomen aan de rivier, statig en fraai, een kalmerende uitwerking op me hadden. Zonder die bomen om me heen haalde ik me van alles in mijn hoofd. Te onrustig om te lezen, op bed in mijn hotelkamer waar dat enorme sleutelplaatje aan het slot hing, zag ik Varsky met ontbloot bovenlijf door de keuken paraderen of in mijn klerenkast rommelen om een schoon overhemd te pakken en alles wat niet naar zijn zin was op de grond te laten vallen, of naast een naakte Lotte in bed kruipen, het bed dat we al bijna twintig jaar deelden. Als ik het niet meer uithield, dwong ik mezelf de naargeestige, kleurloze straten op te gaan.

Op de derde dag begon het te gieten, en ik dook een restaurant in, een cafetaria eigenlijk, bevolkt door zombies, althans, daar leek het in dat gedempte licht op. Toen ik er zat, met een bord vettige spaghetti voor mijn neus waar ik absoluut geen trek in had, drong er opeens iets tot me door. Voor het eerst kwam het bij me op dat ik Lotte misschien verkeerd had begrepen. Totaal verkeerd begrepen, op een schandalige manier. In al die jaren dat ik ervan uitging dat ze behoefte had aan orde en regelmaat, een leven zonder afwijkingen van het vaste patroon, was misschien wel het tegenovergestelde waar geweest. Misschien had ze al die tijd verlangd naar iets nieuws waarmee ze die hele, zorgvuldig in stand gehouden orde aan stukken kon slaan, een trein door de muur van de slaapkamer, een uit de lucht vallende piano, en hoe meer ik deed om haar tegen het onverwachte te beschermen, hoe verstikkender dat voor haar aanvoelde, hoe onstuimiger haar verlangen werd, net zo lang tot het niet meer uit te houden was.

Dat was denkbaar. Of tenminste, in die vagevuurachtige cafetaria, niet ondenkbaar, ongeveer even waarschijnlijk als dat andere scenario, waarin ik al die tijd had geloofd toen ik er nog prat op ging dat ik mijn vrouw zo goed begreep. Plotseling kon ik wel huilen. Van frustratie en uitputting en het wanhopige gevoel dat ik nooit echt dicht bij de kern kwam, de zich voortdurend verplaatsende kern van de vrouw die ik liefhad. Ik zat aan mijn tafeltje naar dat vettige eten te turen en wachtte tot de tranen zouden vloeien, wilde zelfs graag dat ze zouden vloeien, zodat ik een soort last van me af kon wentelen, want zoals het er nu voor stond, voelde ik me zo neerslachtig en moe dat ik niet meer wist waar ik het zoeken moest. Maar er kwamen geen tranen en zo bleef ik uren achtereen zitten kijken hoe de gestaag vallende regen tegen de ruiten roffelde en dacht ik aan ons leven samen, dat van Lotte en van mij, aan de manier waarop alles erin bestemd was om een gevoel van permanentheid te geven, de stoel die tegen de muur stond wanneer we gingen slapen en die er ook stond wanneer we wakker werden, de kleine gewoonten die een citaat van de dag van gisteren en een voorspelling van de dag van morgen inhielden, hoewel alles in wezen slechts een illusie was, net zoals vaste materie een illusie is, net zoals onze lichamen een illusie zijn omdat ze zogenaamd een geheel vormen terwijl ze eigenlijk bestaan uit vele miljoenen atomen die komen en gaan, atomen waarvan sommige arriveren terwijl andere ons voorgoed verlaten, alsof wij allemaal slechts een groot treinstation zouden zijn, alleen zelfs dat niet, want in een treinstation komen in elk geval de stenen, de rails en de glazen overkapping niet van hun plaats terwijl al het andere erdoorheen raast, nee, nog erger, eerder als een reusachtig, leeg terrein waar een circus zichzelf elke dag opbouwt en afbreekt, van onder tot boven, maar nooit hetzelfde circus, dus hoe moeten we ooit verwachten dat we wijs kunnen worden uit onszelf, laat staan uit een ander?

Ten slotte kwam mijn serveerster op me af. Ik had niet gemerkt dat de cafetaria was leeggestroomd en ook niet dat de bediening de tafels had afgeruimd, die nu met witte tafellakens werden gedekt voor de avond, als de zaak zich kennelijk in iets eerbiedwaardigs omtoverde. De lunchdienst eindigt om vier uur, zei ze. We zijn gesloten tot zes uur, wanneer het diner begint. Ze had haar zwart-witte uniform verruild voor haar daagse kleren, een blauw minirokje en een gele trui. Ik verontschuldigde me, gaf bij het afrekenen een grote fooi en stond op. Misschien zag de serveerster, die niet veel ouder was dan twintig, een grimas op mijn gezicht toen ik overeind kwam, de grimas van een man die een ontzaglijk zwaar gewicht optilt, want ze vroeg me of ik nog ver moest. Ik geloof van niet, zei ik, want ik wist niet precies waar ik was. Ik ga naar de Theaterplatz. Ze zei dat ze ook die kant op moest, en tot mijn verbazing vroeg ze me even te wachten terwijl zij intussen haar tas haalde. Ik heb geen paraplu bij me, verklaarde ze en wees naar die van mij. Terwijl ik op haar wachtte, zag ik me gedwongen mijn oordeel over de cafetaria te herzien, want nu stonden er op elke tafel kaarsen, een voor een neergezet door een kelner, en werkte er een heel knappe en vriendelijke serveerster, zoals ik alleen maar kon erkennen toen het meisje glimlachend terugkwam.

We kropen onder mijn paraplu en stapten de bui tegemoet. Haar nabijheid had meteen een rustgevende uitwerking op mijn stemming. Het was maar een wandelingetje van tien minuten en voor het grootste deel hadden we het over haar studie aan de kunstacademie en over haar moeder, die in het ziekenhuis lag met een cyste. Voor iedereen die we tegenkwamen hadden we vader en dochter kunnen zijn. Toen we bij de Theaterplatz waren, zei ik tegen haar dat ze de paraplu mocht houden. Ze wilde eerst weigeren, maar ik drong aan. Mag ik u een persoonlijke vraag stellen, vroeg ze vlak voordat onze wegen zich scheidden. Ja hoor, zei ik. Waar zat u al die tijd in het restaurant aan te denken? U had een heel trieste uitdrukking op uw gezicht, en net toen ik dacht dat het niet triester kon, werd het nog erger. Aan treinstations, zei ik. Treinstations en circussen, en ik legde even mijn hand tegen de wang van het meisje, heel zachtjes, zoals ik dacht dat haar vader dat zou doen, de vader die ze zou moeten hebben als we in een rechtvaardige wereld leefden, en liep terug naar het hotel, waar ik mijn tas inpakte, de rekening betaalde en op het eerstvolgende vliegtuig naar Londen stapte.

Toen de taxi in Highgate stilhield, was het al laat, maar wat ik van ons huis kon zien bezorgde me een diep gevoel van vreugde: het vertrouwde silhouet, de straatverlichting die door de bladeren viel, de lampen die geel achter de ramen brandden, geel zoals ze er alleen maar van buiten af uitzien, geel als de ramen op dat schilderij van Magritte. Ter plekke besloot ik dat ik Lotte alles zou vergeven. Zolang het leven maar op dezelfde voet kon doorgaan. Zolang de stoel die er stond wanneer we gingen slapen er 's morgens ook weer stond, kon het me niet schelen wat ermee gebeurde wanneer we naast elkaar lagen te slapen, kon het me niet schelen of het dezelfde stoel was of duizend andere stoelen, of dat die stoel tijdens de lange nacht ophield te bestaan, zo lang als hij elke ochtend mijn gewicht maar hield wanneer ik ging zitten om mijn schoenen aan te trekken. Ik hoefde niet alles te weten. Ik hoefde alleen maar te weten dat ons gezamenlijke leven verder zou gaan zoals het altijd had gedaan. Met trillende handen betaalde ik de chauffeur en zocht ik mijn sleutels.

Ik riep Lottes naam. Even hoorde ik niets, en toen klonken haar voetstappen op de trap. Ze was alleen. Zodra ik haar gezicht zag, begreep ik dat de jongen voorgoed was vertrokken. Ik weet niet hoe ik het wist, maar ik wist het. Er werd iets woordeloos tussen ons uitgewisseld. We omhelsden elkaar. Toen ze me vroeg hoe het congres was verlopen en waarom ik een dag eerder thuis was gekomen, vertelde ik dat het prima was gegaan, niets interessants, en zei ik dat ik haar had gemist. Samen bereidden we een late maaltijd, en terwijl we zaten te eten, zocht ik op Lottes gezicht en in haar stem naar een aanwijzing over de afloop van de kwestie-Varsky, maar de weg was afgesloten; in de dagen daarna was Lotte nogal stilletjes, als in gedachten verzonken, en liet ik haar met rust, zoals ik altijd heb gedaan.

Het duurde maanden voordat ik besefte dat ze hem haar bureau had gegeven. Ik kwam er alleen achter doordat de tafel die we in de kelder hadden opgeslagen opeens was verdwenen. Ik vroeg haar of ze hem had gezien en ze zei dat ze hem tegenwoordig als bureau gebruikte. Maar je hebt toch een bureau, merkte ik onnozel op. Ik heb het weggegeven, zei ze. Weggegeven? vroeg ik ongelovig. Aan Daniel, zei ze. Hij vond het mooi en dus heb ik het aan hem gegeven.

Ja, Lotte was een mysterie voor me, maar een mysterie waarin ik op een of andere manier de weg wist te vinden. Ze woonde als enige kind uit het gezin nog bij haar ouders toen de SS op die oktobernacht in 1938 bij hen aanbelde en hen samen met de andere Poolse Joden oppakte. Haar broers en zusters waren allemaal ouder dan zij; een van haar zusters studeerde rechten in Warschau, een van haar broers gaf een communistische krant uit in Parijs, een andere was muziekleraar in Minsk. Een jaar lang wist ze zich aan haar bejaarde ouders vast te klampen en klampten zij zich in het verzegelde compartiment van die snel voortschrijdende nachtmerrie aan haar vast. Toen haar begeleidstersvisum loskwam, moet dat een wonder hebben geleken. Natuurlijk zou het ondenkbaar zijn geweest het visum te weigeren en te blijven. Maar het moet al even ondenkbaar zijn geweest bij haar ouders weg te gaan. Ik denk niet dat Lotte zichzelf dat ooit heeft vergeven. Ik heb altijd geloofd dat dat het enige in haar leven was waar ze berouw van had, maar dan een berouw van zo'n kolossale omvang dat het niet rechtstreeks kon worden verwerkt. Het deed zich gelden op de meest onwaarschijnlijke plaatsen. Toen bijvoorbeeld die vrouw op St. Giles' Street door een bus werd aangereden, leek Lotte het meest in haar maag te zitten met haar eigen reactie. Ze had het zien gebeuren – de vrouw die de straat op liep, de gierende remmen, de verschrikkelijke, levenloze plof – en terwijl zich een menigte rond de gevallen vrouw verzamelde, had ze zich omgedraaid en was ze doorgelopen. Pas 's avonds, toen we zaten te lezen, bracht ze het ter sprake. Ze vertelde wat ze had meegemaakt en uiteraard had ik gevraagd wat iedereen zou hebben gevraagd, namelijk hoe het met die vrouw was afgelopen. Er kwam een bepaalde blik op Lottes gezicht te liggen, een blik die ik al heel vaak eerder had gezien en die ik alleen maar kan beschrijven als een soort verstildheid, alsof alles wat normaal gesproken vlak onder het oppervlak bestond zich in de diepte had teruggetrokken. Er verstreek een moment. Ik voelde iets wat je af en toe ervaart bij iemand met wie je intiem bent, wanneer de onderlinge afstand, die al die tijd als een Chinees papieren speeltje ineengevouwen ligt, opeens openspringt. En toen verbrak Lotte de ban door haar schouders op te halen en te zeggen dat ze het niet wist. Ze zei er verder niets meer over, maar een dag later zag ik haar door de krant bladeren, vrijwel zeker op zoek naar een verslag van het ongeluk. Ze was namelijk weggelopen. Ze was weggelopen zonder te wachten om te zien wat er gebeurd was.

Haar hele leven lang heb ik gedacht dat alles over haar ouders ging. Toen ze het verhaal over die bus vertelde, ging dat over haar ouders, en wanneer ze huilend wakker werd, ging dat over haar ouders, en wanneer ze tegen me uitviel en dagenlang onbenaderbaar bleef, ging dat volgens mij op een bepaalde manier ook over haar ouders. Het verlies was zo extreem dat je niet verder hoefde te zoeken. Hoe moest ik dus weten dat er in de maalstroom van haar gemoed ook nog een kind was weggeraakt?

Ik zou nooit van zijn bestaan hebben geweten als er aan het einde van het leven van Lotte niet iets vreemds was gebeurd. Haar alzheimer was toen al in een vrij gevorderd stadium. In het begin had ze geprobeerd het te verbergen. Ik haalde weleens herinneringen op aan iets wat we samen hadden gedaan – een restaurant aan zee waar we hadden gegeten in Bournemouth, jaren geleden, of het boottochtje dat we op Corsica hadden gemaakt, toen haar hoed was afgeblazen en op de deinende golven naar de Afrikaanse kust wegdreef, althans zo hadden we ons dat later voorgesteld terwijl we zondoordrenkt, naakt en gelukkig in bed lagen. Ik haalde herinneringen op aan een van deze herinneringen en dan zei ze: Natuurlijk, ja natuurlijk, maar in haar ogen zag ik dat er onder deze woorden helemaal niets lag, slechts een peilloze diepte, als de vijver met zwart water waarin ze elke ochtend verdween, weer of geen weer. Daarna volgde een periode waarin ze bang werd, zich bewust van hoeveel ze elke dag, misschien wel elk uur kwijtraakte, als iemand die langzaam doodbloedt, een eindeloze aderlating die eindigt met vergetelheid. Wanneer we uit wandelen gingen, greep ze mijn arm beet alsof de straat, de bomen en huizen, Engeland zelf, op elk moment onder ons konden wegvallen en wij naar beneden zouden tuimelen, wentelend en draaiend, niet in staat ooit weer op de been te komen. En toen ging ook die periode voorbij en herinnerde ze zich niet meer dat ze bang was, herinnerde ze zich niet meer, zo neem ik aan, dat alles ooit anders was geweest, en vanaf dat moment begaf ze zich alleen, volslagen alleen, op een lange reis terug naar het land van haar jeugd. Haar conversatie, als je het zo zou kunnen noemen, raakte volledig in verval en wat nog resteerde was het puin waaruit ooit een beeldschoon gebouw was opgetrokken.

In die periode begon ze te zwerven. Ik kwam terug van boodschappen doen en zag dan dat de voordeur openstond en het huis leeg was. De eerste keer dat het gebeurde, stapte ik in de auto en reed een kwartier rond, steeds radelozer, voordat ik haar een halve kilometer verderop in Hampstead Lane vond, waar ze zonder jas bij een bushalte zat, ook al was het winter. Toen ze me zag, maakte ze geen aanstalten om op te staan. Lotte, zei ik, me vooroverbuigend, of misschien zei ik wel lieverd. Wat wilde je eigenlijk gaan doen? Op bezoek bij vrienden, zei ze, terwijl ze haar enkels over elkaar sloeg. Wat voor vrienden? vroeg ik.

Het werd onmogelijk haar alleen thuis te laten. Ze ging niet altijd uit zwerven, maar ze had me zo vaak aan het schrikken gemaakt dat ik voor drie middagen per week een verpleeghulp in dienst moest nemen, zodat ik zelf boodschappen kon gaan doen. De eerste verpleeghulp die ik vond bleek een verschrikking te zijn. In het begin, toen ze kwam aanzetten met een lange lijst van referenties, had ze een erg professionele indruk gemaakt, maar al gauw ontpopte ze zich als slordig en zonder verantwoordelijkheidsgevoel, iemand die het alleen maar om het geld te doen was. Op een middag kwam ik thuis en stond ze zenuwachtig bij de deur. Waar is Lotte? wilde ik weten. Ze wrong haar handen. Wat gebeurt hier allemaal? vroeg ik en drong langs haar de gang in die Lotte en ik zoveel jaar geleden voor het eerst hadden betreden, toen hij nog eigendom was van de pottenbakster in de rolstoel en het plafond werd getekend door de schade van een verlegde rivier, een rivier die ik eerlijk gezegd nog steeds af en toe ergens in de muren dacht te horen stromen wanneer ik 's nachts wakker werd. Maar de gang was leeg, net als de woonkamer en de keuken. Waar is mijn vrouw? vroeg ik, of misschien schreeuwde ik het wel, hoewel ik bepaald geen schreeuwlelijk ben. Er mankeert haar niets, werd me door deze verpleeghulp verzekerd, Alexandra of Alexa, dat herinner ik me niet meer. Er is gebeld door een heel aardige mevrouw, een rechter, als ik me niet vergis. Ze brengt Lotte momenteel met de auto naar huis. Ik begrijp er niets van, schreeuwde ik, want op dat moment zal ik mijn geduld wel hebben verloren en moet ik zijn gaan schreeuwen: Hoe kan ze ervandoor zijn gegaan terwijl jij vlak naast haar zat? Nou ja, zei de verpleeghulp, ik zát ook naast haar. Ze was televisie aan het kijken, een programma waar ik zelf niet veel aan vond, dus besloot ik naar de andere kamer te gaan totdat ze was uitgekeken. En na dat programma keek ze naar eenzelfde soort programma, en dus belde ik een vriendin, met wie ik een tijdje zat te kletsen, en toen besloot ze naar een dérde programma te kijken, een van die gruwelijke films met slangen die hulpeloze dieren verslinden, slangen en alligators, geloof ik, hoewel dat derde volgens mij over piranha's ging, nou en daarna nam ik een kijkje om te zien of ze iets nodig had en toen was ze verdwenen. Gelukkig werd er een paar minuten later door de rechtbank opgebeld met de mededeling dat mevrouw Berg dáár zat en dat er niets met haar aan de hand was.

Intussen was ik zo razend geworden dat ik amper uit mijn woorden kon komen. De rechtbank? schreeuwde ik, DE RECHTBANK? en als er op dat moment niet een auto was gestopt voor het huis, had ik misschien naar haar uitgehaald. De bestuurster, een vrouw van achter in de vijftig, stapte uit en liep naar de andere kant om het portier voor Lotte open te doen. Geduldig nam ze haar mee over het paadje dat al lang was ontdaan van braamstruiken en aan weerszijden was beplant met paarse irissen en blauwe druifjes, omdat paarsblauw Lottes lievelingskleur was. Daar zijn we dan, mevrouw Berg, eindelijk thuis, zei de vrouw en nam haar aan de arm mee alsof Lotte haar eigen moeder was. Eindelijk thuis, herhaalde Lotte stralend. Dag Arthur, zei ze terwijl ze haar broek gladstreek en langs me het huis in liep.

Daarna vertelde de vrouw, die inderdaad rechter was, het volgende verhaal: Rond een uur of drie was ze een eindje verderop in de gang met een collega gaan praten en toen ze terugkwam, zat Lotte daar, met haar handtas op schoot. Ze staarde voor zich uit alsof ze in een auto meereed en er onbekende landschappen aan haar voorbijtrokken, of alsof ze in een film speelde en net deed alsof ze in een auto meereed terwijl ze in werkelijkheid volmaakt stilzat. Kan ik u ergens mee helpen, vroeg de rechter, hoewel ze normaal gesproken een seintje kreeg als er bezoek kwam en er, voor zover ze wist, geen vergaderingen gepland waren. Achteraf was het haar een raadsel hoe Lotte voorbij de bewaking en haar secretaresse was gekomen. Langzaam keek Lotte haar aan. Ik kom aangifte doen van een misdrijf, zei ze. Dat is goed, zei de rechter en ze ging in de stoel tegenover Lotte zitten, omdat de enige andere optie zou zijn geweest haar te vragen om te vertrekken, iets wat ze niet over haar hart kon verkrijgen. Wat is het misdrijf? vroeg ze. Ik heb mijn kind afgestaan, verklaarde Lotte. Uw kind? vroeg ze, en op dat moment kreeg ze in de gaten dat Lotte, die inmiddels vijfenzeventig was, misschien wat gedesoriënteerd of niet helemaal meer bij zinnen was. Op 20 juli 1948, vijf weken na zijn geboorte, zei ze. Aan wie hebt u hem afgestaan? vroeg de rechter. Hij werd geadopteerd door een echtpaar uit Liverpool, zei Lotte. In dat geval heeft er niemand een misdrijf gepleegd, mevrouw, zei de rechter.

Op dat moment werd Lotte stil. Eerst werd ze stil en daarna raakte ze in de war. In de war en daarna angstig. Ze stond plotseling op en vroeg of ze naar huis kon worden gebracht. Stond op en wist niet welke kant ze op moest, alsof ze zelfs was vergeten waar de deur was, alsof er met de uitgang hetzelfde was gebeurd als met de rest. Toen de magistraat naar haar adres vroeg, noemde Lotte de naam van een Duitse straat. Van verderop in de gang kwam het geluid van een rechtershamer en Lotte schrok. Ten slotte vond ze het goed dat de rechter in haar handtas keek om naar haar adres en telefoonnummer te zoeken. De rechter belde naar huis en sprak met de verpleeghulp en zei vervolgens tegen haar secretaresse dat ze zo weer terug was. Toen ze het gebouw verlieten, keek Lotte de rechter aan alsof ze haar voor het eerst zag.

Er drong een kilte mijn hoofd binnen, een hevige gevoelloosheid alsof er ijs door mijn ruggengraat omhoog was gekropen en nu mijn hersenen in stroomde om mijn zintuiglijk centrum te beschermen tegen de klap van het nieuws dat het zojuist had ontvangen. Het lukte me de rechter uitvoerig te bedanken en zodra ze wegreed, ging ik naar binnen en ontsloeg de verpleeghulp, die vloekend vertrok. Lotte vond ik in de keuken, waar ze zich te goed deed aan een blik met koekjes.

In eerste instantie deed ik niets. Langzaam begonnen mijn hersenen te ontdooien. Ik luisterde naar de geluidjes waarmee Lotte door het huis liep, de manier waarop ze ademhaalde, slikte en haar droge lippen bevochtigde, het gekraak van botten en het zachte gekreun dat ze door haar mond liet ontsnappen. Wanneer ik haar hielp met uitkleden of in bad gaan, zoals ik tegenwoordig wel verplicht was, keek ik naar haar slanke lichaam, waarvan ik elke centimeter had gedacht te kennen en vroeg ik me af hoe het mogelijk was dat ik nooit had beseft dat het een kind had gebaard. Ik rook haar geur, de bekende geurtjes en de nieuwere geurtjes van haar oude dag, en ik dacht bij mezelf: ons huis biedt onderdak aan twee verschillende soorten. Hier in dit huis wonen twee verschillende soorten, een op het land en een in het water, een die dicht bij het oppervlak blijft en de andere die zich ophoudt in de diepte, en toch liggen ze elke nacht, door een hiaat in de wetten van de natuurwetenschap, in hetzelfde bed. Ik keek naar Lotte, die voor de spiegel haar witte haren zat te borstelen en ik wist dat we vanaf nu tot aan het eind elke dag steeds meer van elkaar zouden vervreemden.

Wie was de vader van het kind? Aan wie had Lotte de baby afgestaan? Had ze hem ooit teruggezien of nog op een of andere manier contact met hem gehad? Waar was hij nu? Deze vragen bleven me voortdurend door het hoofd spelen, vragen waarvan ik het nog steeds ongelooflijk vond dat ik ze moest stellen, alsof ik me afvroeg waarom de hemel groen was of waarom er een rivier door de muren van ons huis liep. Lotte en ik hadden samen nooit gesproken over de relaties die we hadden gehad voordat we elkaar leerden kennen; ik uit respect voor haar en zij omdat ze zo met het verleden omging: in een volslagen zwijgen. Natuurlijk was ik ervan op de hoogte dat ze minnaars had gehad. Ik wist bijvoorbeeld dat het bureau een geschenk van een van die mannen was geweest. Misschien was hij de enige, hoewel ik dat betwijfelde: ze was al achtentwintig toen ik haar ontmoette. Maar nu drong het tot me door dat hij de vader van het kind moet zijn geweest. Hoe verklaarde je anders haar vreemde gehechtheid aan het bureau, hoe verklaarde je anders dat ze dat wangedrocht vrijwillig in haar leven toeliet en ook nog eens dagelijks in de schoot van dat monster zat te werken – dat kon alleen maar uit schuldgevoel en berouw zijn. Het was onvermijdelijk dat mijn gedachten al snel bij de geest van Daniel Varsky terechtkwamen. Als het klopte wat ze aan de rechter had verteld, zou hij vrijwel precies dezelfde leeftijd als haar kind hebben gehad. Ik ging er niet van uit dat hij inderdaad haar kind was; dat zou absoluut onmogelijk zijn geweest. Ik kon niet precies zeggen hoe ze zou hebben gereageerd als haar volwassen zoon opeens voor de deur had gestaan, maar ik wist dat haar reactie beslist zou hebben verschild van de manier waarop ze destijds voor het eerst naar Daniel had gekeken. En toch, opeens begreep ik waarom ze zich tot hem aangetrokken voelde, en in één klap werd het grote geheel duidelijk, althans een glimp van het grote geheel, voordat het uiteenviel in verdere onbekendheden en verdere vragen.

Vier jaar nadat Daniel Varsky voor het eerst bij ons aanbelde, werd ik 's avonds door Lotte opgehaald bij Paddington Station, op een winteravond in 1974, en zodra ik in de auto stapte, besefte ik dat ze had gehuild. Geschrokken vroeg ik haar wat er aan de hand was. Eerst zei ze een poosje niets. Zwijgend reden we over de Westway en door St. John's Wood, langs de donkere rand van Regent's Park, waar de koplampen af en toe hun schijnsel op de spookachtige flits van een hardloper wierpen. Herinner je je nog die Chileense jongen die een paar jaar geleden op bezoek kwam? Daniel Varsky? vroeg ik. Natuurlijk. Op dat moment had ik geen idee wat ze tegen me zou gaan zeggen. Er schoot van alles door mijn hoofd, maar niets daarvan kwam ook maar in de buurt van wat ze me daarna vertelde. Ongeveer vijf maanden geleden werd hij gearresteerd door de geheime politie van Pinochet, zei ze. Zijn familie heeft sindsdien niets meer van hem gehoord, en ze hebben reden om aan te nemen dat hij is omgebracht. Gefolterd en daarna omgebracht, zei ze, en toen haar stem over die nachtmerrieachtige laatste woorden gleed, leek hij niet te stokken in haar keel of door tranen te worden verstikt, maar verwijdde hij zich eerder, zoals pupillen dat doen in het donker, alsof er niet één nachtmerrie in schuilt, maar heel veel.

Ik vroeg Lotte hoe ze dat wist en ze vertelde dat ze af en toe met

Daniel had gecorrespondeerd, totdat ze op een gegeven moment niets meer van hem hoorde. Eerst had ze zich geen zorgen gemaakt, want het duurde vaak een hele tijd voordat haar brieven bij hem aankwamen omdat ze altijd doorgestuurd werden door een vriend; Daniel zelf was nogal eens onderweg en daarom had hij iets geregeld met een vriend die in Santiago woonde. Ze schreef nog eens en hoorde weer niets. Op dat moment werd ze ongerust, zich bewust van de ernst van de situatie in Chili. Dit keer schreef ze rechtstreeks naar die vriend en vroeg hem of alles wel in orde was met Daniel. Er ging bijna een maand voorbij voordat ze ten slotte een brief terugkreeg van de vriend, die liet weten dat Daniel was verdwenen.

Die avond probeerde ik Lotte te troosten. Maar terwijl ik daarmee bezig was, besefte ik dat ik niet wist hoe dat moest, dat we eigenlijk samen een inhoudsloos toneelstukje aan het opvoeren waren, omdat het er bepaald niet in zat dat ik kon weten of begrijpen wat de jongen voor haar had betekend. Het werd me niet gegund, en toch was ze uit op mijn troost of had ze die zelfs nodig, en hoewel een beter mens het misschien anders had ervaren, voelde ik toch een lichte wrevel. Een greintje, niet meer dan dat, maar toen ik haar voor ons huis in de auto tegen me aan drukte, voelde ik die wrevel toch. Want was het eigenlijk niet oneerlijk van haar om een muur op te trekken en daarna van mij te verlangen dat ik haar troostte voor wat zich erachter afspeelde? Oneerlijk en zelfs egoïstisch? Natuurlijk zei ik niets. Wat had ik kunnen zeggen? Ik had ooit beloofd haar alles te vergeven. De gewelddadige tragedie van de jongen hing in het duister over ons heen. Ik drukte haar tegen me aan en troostte haar.

Zo'n tien dagen nadat Lotte door de rechter was thuisgebracht, liep ik naar haar werkkamer terwijl zij zelf een dutje deed op de bank. Het was al anderhalf jaar geleden sinds ze boven was geweest, en op haar bureau lagen haar papieren er nog net zo bij als op de laatste dag dat ze had geprobeerd de slag met haar steeds verder vervliegende geest aan te gaan en voorgoed het onderspit had gedolven. De aanblik van haar handschrift op die omkrullende vellen papier deed me ontzettend veel pijn. Ik ging achter haar bureau zitten, de eenvoudige houten tafel die ze had gebruikt sinds ze dat andere bureau aan Varsky had weggegeven, vijfentwintig jaar geleden, en legde mijn handen op het blad. Wat er op het bovenste vel geschreven stond was vrijwel overal doorgestreept, zodat slechts hier of daar wat zinnen of woorden resteerden. De leesbare stukjes waren grotendeels onbegrijpelijk, maar toch was in die manische doorhalingen en beverige letters Lottes frustratie heel duidelijk, de frustratie van iemand die probeert een wegstervende echo in fonetisch schrift om te zetten. Mijn oog viel op een zinnetje ergens vlak onderaan: *De ~~verbijsterde~~ man stond onder het plafond: Wie kan dat zijn? Wie kan dat in hemelsnaam zijn?* Zonder aankondiging werd ik overvallen door een snik die als een gewelddadige golf op me afkwam, een golf die over een vlakke en verder kalme oceaan trok met als uitdrukkelijke doel zich op mijn hoofd stuk te breken. Ik ging erin kopje-onder.

Daarna stond ik op en liep naar de kast waarin Lotte haar paperassen en ordners bewaarde. Ik wist niet waarnaar ik op zoek was, maar stelde me zo voor dat ik het vroeg of laat wel zou vinden – ongeacht wat het mocht zijn. Er waren oude brieven van haar redacteur, verjaardagskaarten van mij, opzetjes van verhalen die ze nooit had gepubliceerd, ansichtkaarten van mensen die ik kende en andere van mensen die ik niet kende. Ik zocht een heel uur lang, maar vond niets wat ook maar enigszins naar het kind verwees. Evenmin vond ik brieven van Daniel Varsky. Daarna ging ik de trap af naar beneden, waar Lotte net wakker werd. Samen gingen we een wandeling maken, zoals we dat sinds mijn pensionering elke middag deden. We liepen tot Parliament Hill, waar we naar de vliegers keken die heen en weer slingerden in de wind, en daarna gingen we op huis aan om te eten.

Nadat Lotte die avond in slaap was gevallen, glipte ik uit bed, maakte een kopje kamillethee voor mezelf, bladerde op mijn gemak door de krant en begaf me vervolgens naar de zolder, alsof het een idee was dat nog maar net bij me was opgekomen. Ik opende nog meer laden en nog meer ordners en toen ik daarmee klaar was, kwamen er weer andere laden en ordners tevoorschijn dan ik al had doorzocht, sommige voorzien van een opschrift, andere niet. Losse vellen leken uit eigen beweging naar buiten te dwarrelen, over de hele vloer heen, als een papieren herfst die op touw is gezet door een kind dat zich verveelt. Er kwam bijna geen eind aan de hoeveelheid papier die Lotte in dat bedrieglijk kleine kastje had weggestopt en ik begon de hoop te verliezen dat ik ooit zou vinden waar ik naar zocht. En al die tijd dat ik flarden van brieven, aantekeningen en manuscripten las, kon ik niet ontsnappen aan het gevoel dat ik Lotte verried op de manier die voor haar het alleronvergeeflijkst zou zijn geweest.

Het was al een flink eind na drie uur in de ochtend toen ik een plastic mapje vond met twee documenten erin. Het eerste was een vergeeld ontslagformulier van het East End Maternity Hospital, gedateerd 15 juni 1948. Onder NAAM PATIËNT was door iemand, een verpleegster of secretaresse, Lotte Berg getypt. Het opgegeven adres was niet dat van de kamer in de buurt van Russell Square, maar van een andere straat waar ik nog nooit van had gehoord en die later, toen ik hem opzocht, in Stepney bleek te liggen, niet ver van het ziekenhuis. Onderaan stond dat Lotte op 12 juni om 10.25 uur in de ochtend was bevallen van een jongen, die drie kilo en twee ons had gewogen. Het tweede was een verzegelde envelop. De lijm was oud en droog en bood weinig weerstand toen ik de envelop probeerde te openen met mijn vinger. Er lag een lokje donker, fijn haar in. Ik haalde het eruit en legde het in de palm van mijn hand. Om redenen die ik niet kan verklaren, moest ik denken aan een plukje haar aan een lage tak dat ik als jongen tijdens een boswandeling had gevonden. Ik wist niet van welk dier het afkomstig was en zag in mijn gedachten een majestueus dier, zo groot als een eland maar heel sierlijk, zich stil een weg door het bos banen, een magisch wezen dat zich nooit aan mensen vertoonde, maar alleen voor mij een teken van zijn bestaan had achtergelaten. Ik probeerde me van dat oude beeld te ontdoen, waaraan ik eigenlijk al meer dan zestig jaar niet had gedacht, en me juist te concentreren op het feit dat ik het haar van het kind van mijn vrouw in mijn hand had liggen. Maar wat ik ook probeerde, ik kon alleen maar denken aan dat prachtige dier dat met stille stap door de bossen schreed, een dier dat niet sprak, maar alles wist en met veel verdriet en pijn naar de verwoestingen van het menselijk leven keek, aangericht tegen zijn eigen soort en elke andere die er was. Op een gegeven moment vroeg ik me zelfs af of ik door vermoeidheid zat te hallucineren, maar toen dacht ik bij mezelf: nee, dit krijg je als je oud wordt, de tijd laat je in de steek en al je herinneringen worden onvrijwillig.

Er zat verder niets in de envelop. Even later stopte ik de haarlok terug en plakte de envelop dicht met plakband. Ik schoof hem weer in de plastic map en legde hem terug waar ik hem had gevonden, achter in de la. Toen borg ik alle paperassen op, zoveel mogelijk in de juiste volgorde, schoof de bureauladen dicht en draaide het licht uit. Het was intussen bijna ochtend. Ik sloop de trap af en liep naar de keuken om water op te zetten. In het vale licht dacht ik iets te zien bewegen onder de azalea naast het tuinpoortje. Een egel, dacht ik opgetogen, al had ik geen reden om zoiets aan te nemen. Wat is er met de egels van Engeland gebeurd? De vriendelijke beestjes die ik vroeger als jongen overal tegenkwam, ook al lagen ze dan vaak dood langs de weg. Waar zijn alle egels aan doodgegaan, dacht ik terwijl het theezakje in het dampende water hing, en in mijn achterhoofd maakte ik een aantekening, een aantekening die ik misschien wel zou vergeten, om Lotte te vertellen dat er ooit een tijd was dat je ze overal in dit land kon tegenkomen, die schattige nachtdieren wier grote ogen een volkomen verkeerde indruk over hun belabberde gezichtsvermogen wekken. De vos weet heel wat, maar de egel weet iets groots, zoals Archilochus heeft gezegd, maar wat was dat dan? De tijd verstreek en toen hoorde ik dat ze me vanuit de slaapkamer riep. Ja, mijn liefste, riep ik, met mijn blik nog op de tuin. Ik kom eraan.

Leugens van kinderen

In de herfst van 1998 ontmoette ik Joav Weisz en werd ik verliefd. Ontmoette ik hem op een feestje op Abingdon Road, in een deel van de straat waar ik niet eerder was geweest. Werd ik verliefd, wat toen nog iets nieuws voor me was. Het is nu tien jaar geleden, maar nog steeds is die tijd voor mij een van de bijzonderste uit mijn leven. Joav studeerde net als ik in Oxford, maar hij woonde in Londen, in het huis aan Belsize Park dat hij met zijn zusje, Lea, deelde. Zij studeerde piano aan het Royal College of Music en dikwijls hoorde ik haar ergens achter de muren spelen. Soms hielden de noten abrupt op en volgde er een lange stilte, af en toe onderbroken door het schrapen van de pianokruk of voetstappen over de vloer. Ik dacht dat ze wel zou binnenkomen om kennis te maken, maar even later klonk er weer muziek achter de houten betimmering. Ik was al drie of vier keer in het huis geweest voordat ik Lea eindelijk ontmoette en toen viel het me op hoeveel ze op haar broer leek, alleen had ze iets van een elfje, iets ongrijpbaars, alsof ze er niet meer zou zijn als je je even omdraaide.

Het huis, een enorm, vervallen victoriaans herenhuis, was te groot voor hen tweeën en stond vol met prachtige donkere meubels die hun vader, een beroemde antiquair, daar had opgeslagen. Om de zoveel maanden kwam hij naar Londen en werd de hele inrichting volgens zijn onberispelijke smaak van de ene dag op de andere omgegooid. Tafels, stoelen, lampen of canapés verlieten in verhuiskisten het pand en werden vervangen door nieuwe meubels. Zo kwam het dat de kamers er steeds anders uitzagen en de geheimzinnige, ontheemde sfeer aannamen van huizen en appartementen waarvan de bewoners overleden waren, failliet gegaan of gewoon hadden besloten afscheid te nemen van de spullen waarmee ze zich jarenlang hadden omringd. En dan werd George Weisz ingeschakeld om de inboedel weg te halen. Af en toe kwamen er potentiële kopers langs om een meubelstuk met eigen ogen te zien, en kregen Joav en Lea opdracht hun vieze sokken, opengeslagen boeken, beduimelde tijdschriften en lege glazen op te ruimen, plus wat zich allemaal nog meer had opgehoopt sinds het laatste bezoek van de werkster. Maar het gros van Weisz' klanten had er geen behoefte aan om hun aankoop persoonlijk te komen bekijken, óf omdat hij een wereldvermaarde antiekhandelaar was, óf omdat ze heel rijk waren, óf omdat de beoogde meubels een sentimentele waarde hadden die losstond van hun verschijningsvorm. Als hij niet in Parijs, Wenen, Berlijn of New York was, verbleef hun vader in de Ha-orenstraat in Een Kerem in Jeruzalem, in het natuurstenen huis, begroeid met bloeiende klimop, waar Joav en Lea hun kinderjaren hadden doorgebracht, het huis waarvan de luiken altijd dicht waren om het genadeloze licht te weren.

Het huis waar ik van november 1998 tot mei 1999 bij hen inwoonde, was twaalf minuten lopen van 20 Maresfield Gardens, het huis van Sigmund Freud, die daar van september 1938, na zijn vlucht voor de Gestapo, tot eind september 1939 had gewoond en was overleden aan drie doses morfine die hem op eigen verzoek waren toegediend. Als ik er op een wandeling toevallig langskwam, ging ik vaak even naar binnen. Vlak voor Freud uit Wenen vluchtte, had hij bijna al zijn bezittingen laten verschepen naar het nieuwe huis in Londen, waar zijn vrouw en dochter zijn werkkamer aan de Berggasse 19, die hij noodgedwongen had moeten achterlaten, vol liefde in de oude staat herstelden, tot in de kleinste details. Indertijd wist ik niet van het bestaan van Weisz' werkkamer in Jeruzalem, dus ontging me de poëtische symmetrie van het feit dat zijn huis zo dicht bij dat van Freud stond. Misschien proberen alle ballingen het verloren huis te herscheppen, uit angst in een vreemd huis dood te gaan. In de winter van 1999 stond ik geregeld op het Perzische tapijt in de werkkamer van de psychiater, opgebeurd door de huiselijke sfeer en de aanblik van de vele beeldjes en snuisterijen, en dan werd ik getroffen door het ironische feit dat zelfs Freud voor de mythische betovering van de herinnering was gezwicht, hoewel hij natuurlijk als geen ander wist hoe verwoestend de last van het geheugen kan zijn. Na zijn dood heeft Anna Freud haar vaders werkkamer precies zo gelaten als die was, tot en met de bril die hij voor de laatste keer van zijn neus had gehaald en op zijn bureau had gelegd. Van woensdag tot en met zondag, van twaalf tot vijf, kun je rondkijken in de kamer waar niets meer is veranderd sinds het moment dat de man die ons een aantal bepalende denkbeelden over het menszijn heeft gegeven er zijn laatste adem uitblies. In de folder, die door een al wat oudere gids op een stoel bij de ingang wordt uitgereikt, staat dat de bezoeker haar rondleiding niet alleen moet zien als een rondgang door een huis van steen, maar ook, vanwege de vele vitrines met kunstvoorwerpen, door een huis van de geest.

Ik zeg 'het huis waar ik bij hen inwoonde' in plaats van 'ons huis', want ik heb er wel zeven maanden gewoond maar het is in geen enkel opzicht ooit mijn huis geweest; hoogstens kun je zeggen dat ik er een bevoorrechte gast was. De enige andere regelmatige bezoeker was de Roemeense werkster, Bogna, eeuwig strijd leverend met de oprukkende chaos waardoor broer en zus voortdurend bedreigd leken te worden, als door donderkoppen aan de horizon. Na de gebeurtenissen is ze vertrokken. Misschien kon ze de bende niet langer aan of misschien wilde ze niet langer voor niks werken. Of misschien had ze al een voorgevoel van dreigend onheil en wilde ze zich zo snel mogelijk uit de voeten maken. Ze liep mank, vocht in de knie, geloof ik, een kopje water uit de Donau dat rondklotste als ze met haar zwabber en plumeau van de ene kamer naar de andere hompelde, zuchtend alsof ze net een teleurstelling te verwerken had gekregen. Onder haar peignoir had ze een dik verband om haar knie, en ze bleekte haar haar met een zelfgemaakt mengsel van gevaarlijke chemicaliën. Als je dicht bij haar stond, rook ze naar uien, ammoniak en hooi. Het was een ijverige vrouw, maar soms hield ze even op met werken om over haar dochter in Constanţa te vertellen, een tuinbouwdeskundige die onderbetaald werd door de staat en wier man haar voor een andere vrouw in de steek had gelaten. Ook over haar moeder, die een stukje grond had dat ze weigerde te verkopen en die last had van reumatiek. Bogna onderhield hen alle twee en stuurde elke maand geld en tweedehands kleren op. Haar eigen man was vijftien jaar daarvoor aan een zeldzame bloedziekte overleden; nu was daar een behandeling voor. Ze noemde me Isabella, in plaats van mijn echte naam te gebruiken, Isabel, of Izzy, zoals ik meestal word genoemd, en dat liet ik maar zo. Ik weet niet waarom ze tegen me praatte. Misschien zag ze een bondgenoot in me, of op z'n minst iemand die ook een buitenstaander was, geen lid van de familie. Niet dat ik mezelf zo zag, maar in die tijd wist Bogna meer dan ik.

Toen Bogna weg was, raakte het huis in verval. Het begon in te zakken en werd in zichzelf gekeerd, alsof het tegen het vertrek van zijn enige medestander protesteerde. In elke kamer stapelden de vuile borden zich op, gemorst eten bleef liggen op de plek waar het was gevallen of aangekoekt, het stof hoopte zich op en in de jungle onder de meubels was een fijne grijze vacht ontstaan. De koelkast werd door zwarte schimmel gekoloniseerd, de ramen stonden altijd open zodat het inregende en de gordijnen verzuurden, de vensterbanken begonnen te bladderen en te rotten. Op een keer vloog er een mus naar binnen die er niet meer uit kon en met zijn vleugels tegen het plafond klapperde. Ik maakte een grapje over de geest van Bogna's plumeau. Er werd met een nors zwijgen op gereageerd en ik begreep dat Bogna, die drie jaar lang voor Joav en Lea had gezorgd, niet meer genoemd mocht worden. Na Lea's reis naar New York en het begin van de verschrikkelijke stilte tussen broer en zus en hun vader, kwamen ze helemaal het huis niet meer uit. Ik was nog de enige uit de buitenwereld die hun de dagelijkse benodigdheden bracht. Soms, als ik verdroogd eigeel uit een pan schraapte om ontbijt te kunnen klaarmaken, moest ik aan Bogna denken en hoopte ik dat ze ooit haar oude dag in een huisje aan de Zwarte Zee zou doorbrengen, zoals ze zo graag had gewild. Twee maanden later, eind mei, werd mijn moeder ziek en ging ik terug naar New York, waar ik bijna een maand bleef. Ik belde Joav een paar keer per week, maar van de ene dag op de andere namen broer en zus de telefoon niet meer op. Soms liet ik 's avonds de telefoon wel dertig of veertig keer overgaan, terwijl ik de zenuwkrampen in mijn maag voelde. Toen ik begin juli terug was in Londen, bleek het huis donker te zijn en waren de sloten vervangen. Eerst dacht ik dat Joav en Lea een grap met me uithaalden. Maar na een paar dagen had ik nog steeds niets van ze gehoord. Op het laatst zat er niets anders op dan terug te gaan naar New York, want ik was inmiddels van Oxford getrapt. Verbeten ging ik naar ze op zoek, hoe boos en verdrietig ik ook was. Tevergeefs. De enige aanwijzing dat ze nog leefden was de doos met mijn spullen die een halfjaar later bij mijn ouders thuis werd bezorgd, zonder afzendadres erbij.

Uiteindelijk legde ik me neer bij de vreemde logica van hun vertrek, een logica waarmee ik tijdens mijn korte omgang met hen vertrouwd was geraakt. Ze waren gevangenen van hun vader, opgesloten binnen de muren van hun eigen familie, en ze waren niet in staat om nog een band met anderen aan te gaan. Ik ging ervan uit dat hun zwijgen de komende jaren niet verbroken zou worden en verwachtte niet ze ooit nog terug te zien – wat ze deden, deden ze compromisloos, ongehinderd door de dilemma's waar wij, gewone stervelingen, door besluiteloosheid, weifelachtigheid en spijt mee te kampen hebben. Ik vatte mijn oude leven weer op, werd nog een paar keer verliefd, maar bleef altijd aan Joav denken en was benieuwd waar hij was en wat er van hem geworden was.

Toen, zes jaar later, op een dag aan het einde van de zomer van 2005, ontving ik een brief van Lea. Ze schreef dat in juni 1999, een week na de viering van zijn zeventigste verjaardag, hun vader zelfmoord had gepleegd in het huis aan de Ha-orenstraat. De schoonmaakster had hem de volgende dag in zijn werkkamer gevonden. Op het tafeltje naast hem lagen een verzegelde brief aan zijn kinderen, een leeg potje slaappillen en een fles whisky, een drank die Lea hem tijdens zijn leven nog nooit had zien drinken. Verder lag er een boekje met adviezen over vrijwillige levensbeeindiging. Er was niets aan het toeval overgelaten. Aan de andere kant van de kamer, op een tafel, lag de bescheiden verzameling horloges die vroeger van Weisz' vader was geweest en die hij elke dag had opgewonden sinds zijn vader in 1944 in Boedapest was opgepakt. Zijn leven lang had Weisz de horloges overal mee naartoe genomen, zodat hij ze volgens schema kon opwinden. *Toen de schoonmaakster binnenkwam*, schreef Lea, *bleken alle horloges stil te staan.*

Haar brief was geschreven in een klein, net handschrift dat sterk contrasteerde met de vage, warrige inhoud. Van een begroeting was nauwelijks sprake in de brief, alsof we elkaar een paar maanden geleden voor het laatst hadden gezien in plaats van zes jaar. Na het bericht van haar vaders zelfmoord ging ze in de brief uitgebreid in op een schilderij dat aan de muur van zijn werkkamer hing, de kamer waarin hij zich van het leven had beroofd. Dat schilderij hing er al zolang ze zich kon heugen, schreef Lea, maar ze wist ook nog dat er een tijd was dat het er niet hing, dat haar vader ernaar op zoek was, net zoals hij alle andere meubels in zijn kamer had opgespoord en weer in bezit had gekregen. Dat waren de meubels die in de werkkamer van zijn eigen vader in Boedapest hadden gestaan, tot aan de avond in 1944 waarop zijn ouders door de Gestapo waren opgepakt. Ieder ander zou ze als verloren hebben beschouwd. Maar daarin verschilde hun vader juist van anderen en daardoor was hij ook tot een van de allergrootsten op zijn vakgebied uitgegroeid. In tegenstelling tot mensen, zei hij altijd, kunnen levenloze dingen niet zomaar verdwijnen. De Gestapo had de kostbaarste voorwerpen uit hun woning in beslag genomen, en dat waren er nogal wat, want de moeder van Weisz kwam uit een rijke familie. De spullen werden – samen met grote hoeveelheden sieraden, diamanten, geld, horloges, schilderijen, tapijten, tafelzilver, serviezen, meubels, linnengoed, porselein en zelfs camera's en postzegelverzamelingen – ingeladen in een trein met tweeënveertig goederenwagons, de Goudtrein, waarmee de ss Joodse bezittingen het land uit wilde krijgen voordat de Sovjettroepen Hongarije binnentrokken. De rest werd door de buren ingepikt. Toen Weisz na de Tweede Wereldoorlog naar Boedapest terugkeerde, was het eerste dat hij deed bij deze buren aankloppen, en wanneer ze dan met een wit weggetrokken gezicht opendeden, marcheerde hij de woning in met een stel ingehuurde zware jongens, die de gestolen meubels optilden en op hun rug meenamen. De kaptafel van zijn moeder was ingepikt door een inmiddels volwassen vrouw, die niet meer op haar oude adres woonde, maar nu ergens in een buitenwijk van Boedapest zat, zoals Weisz had achterhaald. Midden in de nacht brak hij bij haar in, schonk zichzelf een glas wijn in, liet het vuile glas op tafel staan en sjouwde de kaptafel eigenhandig naar buiten, terwijl de vrouw in een andere kamer diep in slaap was. Later, toen hij zijn eigen zaak had, liet hij dit werk aan anderen over. Maar de meubels van zijn familie kwam hij altijd persoonlijk opeisen. In mei '45 werd de Hongaarse Goudtrein door de geallieerden bij Werfen aangehouden. Het grootste deel van de goederen werd in een militair depot in Salzburg opgeslagen en later doorverkocht via Amerikaanse legerwinkels en veilingen in New York. Het achterhalen van die meubelstukken kostte Weisz meer tijd, jaren, soms zelfs tientallen jaren. Hij zocht contact met alle betrokkenen, van de hoge Amerikaanse legerofficieren die toezicht hadden gehouden op de verdeling van de goederen tot de medewerkers van het depot die de meubels hadden moeten transporteren. Wie weet wat hij ze in ruil voor de gewenste informatie heeft geboden.

Hij had zich tot taak gesteld om elke belangrijke handelaar in meubilair uit de negentiende en twintigste eeuw in Europa persoonlijk te kennen. Hij probeerde van elke veiling de catalogus te bemachtigen, hij was bevriend met elke meubelrestaurateur, wist precies wat er in Londen, Parijs en Amsterdam op de markt kwam. In het najaar van 1975 dook de Hoffman-boekenkast van zijn vader op in een winkel aan de Herrenstrasse in Wenen. Hij vloog er direct vanuit Israël naartoe en herkende de boekenkast aan de lange kras aan de rechterzijkant. (Andere boekenkasten zonder dit kenmerk waren in het verleden al door Weisz afgewezen.) De woordenboeksteun van zijn vader traceerde hij tot een bankiersfamilie in Antwerpen en vandaar liep het spoor naar een winkel aan de Rue Jacob in Parijs, waar hij al enige tijd in de etalage stond, bewaakt door een grote, witte Siamese kat. Lea herinnerde zich nog dat enkele van die verloren gewaande meubelstukken bij hun huis aan de Ha-orenstraat werden afgeleverd. Dat waren gespannen, beladen momenten die haar zoveel schrik aanjoegen dat ze zich in de keuken verstopte als de kisten werden opengewrikt, uit angst dat de verschrompelde gezichten van haar dode grootouders tevoorschijn zouden komen.

Over het schilderij schreef Lea het volgende: *Het was zo donker dat je alleen vanuit een bepaalde hoek kon zien dat het een ruiter te paard was. Jarenlang heb ik gedacht dat het Alexander Zaïd was. Mijn vader heeft het nooit een mooi schilderij gevonden. Ik denk weleens dat als hij het voor het kiezen had gehad, hij in een lege kamer had gewoond met alleen een bed en een stoel. Ieder ander zou het schilderij als verloren hebben beschouwd, net als de rest van de bezittingen, maar zo niet mijn vader. Hij ging gebukt onder een plichtsgevoel dat zijn hele leven beheerste, en later dat van ons. Hij is jaren bezig geweest om dat schilderij op te sporen en heeft een fiks bedrag aan de eigenaars moeten betalen om het terug te krijgen. In zijn nagelaten brief schreef hij dat het schilderij in de werkkamer van zijn vader had gehangen. Ik wist niet hoe ik het had, ik had het wel kunnen uitgillen om deze absurditeit. Misschien heb ik ook wel heel hard moeten lachen. Alsof ik niet altijd had geweten dat alles in zijn werkkamer in Jeruzalem een tot op de millimeter nauwkeurige kopie was van mijn grootvaders werkkamer in Boedapest! Tot en met de zware velours gordijnen, de potloden in het ivoren bakje! Veertig jaar lang heeft mijn vader zich ingespannen om die verloren kamer te reconstrueren tot hij er precies zo uitzag als op die noodlottige dag in 1944. Alsof je door alle stukken op hun oude plaats te zetten de tijd kon terugdraaien en verdriet kon uitwissen. Het enige wat er in de werkkamer aan de Ha-orenstraat ontbrak was het bureau van mijn grootvader – op de plek waar het ooit had gestaan, was nu een gapend gat. Zonder het bureau was de werkkamer incompleet, een gebrekkige replica. En ik was de enige die wist waar het bureau zich bevond. Dat ik weigerde dit geheim met hem te delen, heeft voor de ontwrichting van ons gezin gezorgd, in het jaar dat jij bij ons inwoonde, een paar maanden voor hij een eind aan zijn leven maakte. En toch wilde hij dat niet toegeven! Ik dacht dat ik zijn dood op mijn geweten had. Maar het was juist andersom. Toen ik zijn brief las,* schreef Lea, *begreep ik pas dat mijn vader gewonnen had. Hij had eindelijk een manier gevonden om ons voorgoed aan zich te binden. Na zijn dood gingen we terug naar ons huis in Jeruzalem. En daar hielden we op met leven. Of misschien kun je beter zeggen dat we een leven van eenzame opsluiting begonnen, met z'n tweeën in plaats van alleen.*

Er volgde nog een uitgebreide beschrijving van bepaalde kamers in het huis. *Wat kapotgaat, gebruiken we niet meer. We betalen iemand om boodschappen te doen en dingen te halen die we nodig hebben. Een vrouw die het geld goed kan gebruiken en genoeg in haar leven heeft gezien om geen vragen te stellen. Eerst gingen we nog af en toe naar buiten, maar nu bijna nooit meer. Er is een grote matheid over ons neergedaald. We hebben de moestuin en daar komt Joav wel, maar het is maanden geleden dat hij voor het laatst het huis uit is geweest.*

Ze kwam bij de portee van haar brief: *Als het nog langer zo doorgaat, houden we echt op met leven. Een van ons zal iets vreselijks begaan. Het is net of mijn vader ons elke dag iets dichter naar zich toe lokt. Het wordt steeds moeilijker om weerstand te bieden. Ik ben bezig moed te verzamelen om weg te gaan. Maar als ik wegga, is het voorgoed en Joav mag niet weten waar ik zit. Anders worden we alle twee weer teruggezogen en ik denk niet dat ik er dan ooit nog uit kom. Hij weet hier dus niets van. Misschien heb je het nog niet door, Izzy, maar ik schrijf je om te vragen of je hiernaartoe wilt komen. Naar hem. Ik heb geen idee hoe je leven er momenteel uitziet, maar ik weet hoeveel je destijds van hem hield. Wat jullie voor elkaar betekenden. Je leeft nog steeds in hem, en dat kun je van weinig andere dingen zeggen. Ik was altijd jaloers op de gevoelens die je in hem losmaakte. Dat hij iemand had gevonden die hem iets deed voelen wat mij niet was vergund.*

Aan het eind van de brief schreef ze dat ze pas weg kon als ze zeker wist dat ik kwam. Ze moest er niet aan denken wat hem in zijn eentje allemaal kon overkomen. Ze vertelde niet waar ze van plan was heen te gaan. Alleen dat ze me over twee weken zou bellen om mijn antwoord te vernemen.

Door haar brief kwam een vloedgolf aan emoties los: verdriet, pijn, blijdschap maar ook boosheid dat Lea dacht dat ik na al die jaren alles voor Joav zou opgeven, dat ze me zo voor het blok zette. Haar brief joeg me ook angst aan. Ik wist dat het vreselijk moeilijk zou zijn om Joav weer te vinden en te voelen, omdat hij een ander was geworden en omdat ik wist wat hij in me kon losmaken, een onverdraaglijke vitaliteit die als een steekvlam de leegte in mij deed ontbranden en iets over mij onthulde wat ik stiekem altijd al wist: dat ik steeds op halve kracht had geleefd en heel snel genoegen had genomen met een minder leven. Net als iedereen had ik werk, ook al vond ik het niet leuk, ik had zelfs een vriend, een aardige, lieve jongen die van mij hield en een soort tedere ambivalentie in mij opriep. Maar zodra ik de brief uit had, wist ik dat ik naar Joav zou gaan. In het licht van hem kreeg alles – de inktzwarte schaduwen, de vuile vaat, de geteerde daken buiten – een andere aanblik, werd intenser, veranderd door een stroom van gevoelens. Hij maakte een hevig verlangen in me wakker – niet alleen naar hem, maar ook naar de grootsheid van het leven, naar de extremen van alles wat ons gegeven is te voelen. Verlangen maar ook moed. Achteraf kun je zeggen dat ik, gezien het gemak waarmee ik de deur van het ene leven achter me dichtdeed en naar het andere wegsloop, al die tijd op die brief had zitten wachten, en dat alles wat ik had opgebouwd van bordkarton was geweest; vandaar dat ik na de langverwachte komst van de brief mijn leven gewoon kon opvouwen en weggooien.

Terwijl ik wachtte op Lea's telefoontje kon ik aan niets anders denken. 's Nachts deed ik geen oog dicht en ik kon me niet concentreren op mijn werk, vergat dingen die ik moest doen, raakte documenten kwijt, kreeg het aan de stok met mijn baas, die zijn woede altijd al op mij afreageerde, als hij niet toevallig naar mijn benen of borsten staarde. Toen de dag eindelijk aanbrak dat Lea me zou bellen, meldde ik me ziek op mijn werk. Ik durfde niet eens te douchen, uit angst dat ik het telefoontje zou missen. De ochtend ging over in de middag, de middag in de avond, de avond in de nacht, en nog steeds had Lea niet gebeld. Ik was bang dat ze van gedachten was veranderd en opnieuw met de noorderzon was vertrokken. Of dat ze mijn nummer niet kon vinden, ook al stond ik in het telefoonboek. Maar toen, om kwart voor negen ('s ochtends vroeg in Jeruzalem), ging de telefoon. Izzy? vroeg ze en haar stem klonk precies zoals altijd, bleekjes, als je een stem zo kunt omschrijven, en een beetje trillerig alsof ze haar adem inhield. Daar spreek je mee, zei ik. Hij ligt boven te slapen, zei Lea. Hij valt pas om twee of drie uur 's nachts in slaap, dus ik moest wachten met bellen. We zwegen allebei en in die stilte haalde ze zonder een woord te zeggen het antwoord uit me tevoorschijn. Ze slaakte een zucht. Als je er bent, heeft het geen zin aan te bellen. Hij doet toch niet open. Ik laat de sleutel voor je achter, vastgeplakt op de intercom bij het hek. Ik knikte, want door het brok in mijn keel kon ik niets uitbrengen. Het spijt me, Izzy, dat we... dat hij nooit... Ze maakte haar zin niet af. Het was allemaal zo verschrikkelijk, zei ze. Een enorm schuldgevoel. Jarenlang hebben we onszelf gestraft. En Joav heeft zichzelf gestraft door jou op te geven. Lea... begon ik. Ik moet nu ophangen, fluisterde ze. Zorg goed voor hem.

Ze hadden overal gewoond. Toen Joav acht was en Lea zeven was hun moeder overleden en daarna, zonder zijn vrouw als anker en gekweld door verdriet, was hun vader van stad naar stad getrokken, steden waar hij soms een paar maanden, soms een paar jaar verbleef. Waar hij woonde, werkte hij ook. Volgens Joav was zijn vader toen al een legende op antiekgebied. Hij had geen winkel nodig; zijn klanten wisten hem altijd te vinden. En de zo felbegeerde meubels, de bureaus, secretaires of stoelen die ze wilden hebben, waar ze ooit in hadden gezeten en nooit meer dachten in te zullen zitten, alles waarmee hun verloren leven of het leven waarvan ze altijd hadden gedroomd was gestoffeerd, kreeg George Weisz in handen via bronnen, kanalen en toevalligheden die zijn beroepsgeheim bleven. Op zijn twaalfde had Joav een steeds terugkerende droom waarin zijn vader, zijn zusje en hij op een bebost strand woonden waar elke nacht meubels aanspoelden: met zeewier overdekte hemelbedden en zitbanken. Ze sleepten de meubels onder het dak van de bomen en richtten er kamers mee in die hun vader afbakende door met de punt van zijn schoen strepen in het zand te trekken, de ene kamer na de andere, zonder dak of muren net zolang totdat het bos niet meer te zien was. Het waren sombere, griezelige dromen. Maar op een keer droomde Joav dat Lea een lamp vond waar het peertje nog in zat. Ze holden ermee naar hun vader, die de lamp op een mahoniehouten tafeltje zette en de stekker in Joavs mond stopte. Op handen en knieën en met stevig dichtgeknepen mond keek Joav hoe het bladerdak werd verlicht. Schaduwen golfden door de takken. Jaren later kwam Joav op een trektocht door Noorwegen toevallig bij een stuk strand terecht dat hij herkende als het strand uit zijn dromen. Hij nam een foto en toen hij terug was in Oslo, liet hij het filmrolletje ontwikkelen. Daarna stuurde hij de foto zonder briefje erbij naar zijn zus, want ze begrepen elkaar woordeloos.

Hun vader nam hen mee naar Parijs, Zürich, Wenen, Madrid, München, Londen, New York en Amsterdam. Wanneer ze de nieuwe woning betrokken, was die altijd volledig gemeubileerd. De meubels werden verkocht totdat het appartement min of meer leeg was en dan verhuisden ze naar een andere stad. Of het was andersom: bij hun komst was het huis leeg en rook het naar verse verf. In de loop van de maanden vulde het zich met een cilinderbureau, een set mimi-tafeltjes, een divan die door het raam naar binnen werd gehesen of door de deur werd gesjouwd op de rug van mannen die zwaar door hun neus ademden, en soms leek het wel of een meubelstuk vanzelf naar binnen was gekomen, wanneer Joav en Lea op school zaten of in het park speelden, en het zich ergens in een onopvallend hoekje had geïnstalleerd, alsof het daar al zijn hele onbezielde leven had gestaan. Joav had verteld dat een van zijn eerste herinneringen uit die doorgangsjaren was dat de bel ging, dat er werd opengedaan en dat er een Louis Seizestoel in het trappenhuis stond. Het blauwe damast was gescheurd en de paardenharen vulling puilde naar buiten. Als het appartement te vol werd, of wanneer de herinnering aan zijn vrouw George Weisz te veel werd, of om redenen die Joav en Lea wel begrepen maar niet konden uitleggen, pakten ze hun koffers en trokken naar een andere stad. In die nieuwe plaats werden ze soms midden in de nacht wakker omdat ze naar de wc moesten en dachten dan dat ze nog in het oude huis waren, in de vorige stad, met als gevolg dat ze tegen de muren botsten. Aan de binnenkant van de apothekerskast op de tweede verdieping van het huis in Belsize Park had een van hen een lijstje met alle adressen gekerfd waar ze hadden gewoond: *19 Ha-oren, Singel 104, Florastrasse 43, 163 West 83rd Street, 66 Boulevard Saint-Michel...* Het waren er dertien of veertien in totaal en op een middag, toen ik alleen in het huis was, heb ik ze in mijn notitieboekje overgeschreven.

Weisz, die doodsbang was dat zijn kinderen iets overkwam, had strikte regels over wat ze wel en niet mochten doen, waar ze wel en niet heen mochten gaan, en met wie. Op hun leven werd toezicht gehouden door een reeks humorloze, hardhandige kinderjuffrouwen die hen overal volgden, ook toen ze oud genoeg waren om recht op een zekere bewegingsvrijheid te hebben. Na hun tennis-, piano-, klarinet-, ballet- of karateles werden ze door deze gespierde vrouwen in dikke kousen en op Zweedse muilen linea recta naar huis gebracht. Elke aanpassing of wijziging van hun dagschema moest eerst aan hun vader worden voorgelegd. Toen Joav op een keer deemoedig opmerkte dat andere kinderen thuis niet zulke strenge regels hadden, snauwde Weisz terug dat er van deze kinderen waarschijnlijk niet zoveel werd gehouden als van hem en zijn zusje. Als er al iets van protest was tegen hun vaders leefregels, dan kwam dat, in milde vorm, van Joav. Weisz sloeg deze protesten met onevenredige kracht neer. Hij was voortdurend op zoek naar een aanleiding om hem te kleineren, alsof hij zich er zo van wilde verzekeren dat Joav nooit genoeg zelfvertrouwen zou krijgen om tegen hem in verzet te komen. En Lea had ook altijd gedaan wat haar vader zei, omdat ze onder de extra last gebukt ging van de wetenschap dat ze haar vaders lievelingetje was, en tegen hem opstaan of, God verhoede, ongehoorzaam zijn, zou gelijkstaan aan verraad van de hoogste orde, zoiets als een fysieke aanval.

Toen Joav zestien en Lea vijftien was, besloot hun vader hen op een internaat te doen: de Internationale School in Genève. Inmiddels waren de kinderjuffrouwen vervangen door een chauffeur die hen net als de vrouwen overal volgde, alleen nu vanuit het met leer beklede interieur van een Mercedes-Benz. Op een gegeven moment kon Weisz er niet langer omheen dat zijn kinderen bepaald wereldvreemd waren geworden. Ze spraken een mengtaaltje van Hebreeuws, Frans en Engels dat alleen zij verstonden en ofschoon ze veel van de wereld hadden gezien, accepteerden ze als vanzelf de positie van buitenstaander onder hun leeftijdgenoten, verkozen die zelfs. Hij zag ook wel in dat hij ze niet langer zo strak aan de leiband kon houden. Het is niet ondenkbaar dat hij aanvoelde, zoals dat soms voorkomt bij de meest ongevoelige, meest onoordeelkundige ouders, dat zijn opvoedmethode niet goed was voor zijn kinderen, hen misschien zelfs ernstig kon beschadigen, op een manier die hij zich nu nog niet kon voorstellen.

Hij belde de rector, monsieur Boulier, en had een lang gesprek met hem over de school, hoe er voor zijn kinderen gezorgd zou worden en wat hij verwachtte dat zijn kinderen er zouden aantreffen. De ervaring had hem geleerd dat mensen harder voor je lopen als je ze aan je weet te binden, al is het maar door een handdruk of een vriendelijk praatje. Het beste is nog als ze denken dat je een tegenprestatie kunt leveren, dus had Weisz Boulier aan het eind van het telefoongesprek ervan verzekerd dat hij een bijpassend exemplaar voor zijn mingvaas zou vinden, waarvan de andere een paar jaar geleden tijdens een door zijn vrouw georganiseerd diner aan gruzelementen was gevallen. Weisz geloofde niet dat de vaas tijdens een etentje kapot was gevallen, maar het was voor hem voldoende te weten dat de omstandigheden waarin de vaas gebroken was Boulier nog steeds dwarszaten en dat alleen een volmaakte vervanger van de vaas de herinnering aan het voorval naar de achtergrond kon dringen.

Weisz zelf reed geen auto – hij ging bijna altijd lopen, en anders nam hij de metro, net als iedereen – maar hij wilde zijn kinderen per se in de auto met chauffeur van Parijs naar Genève vergezellen. In Dijon pauzeerden ze om te lunchen en na de maaltijd in een donker eethuisje in een smal middeleeuws straatje dat naar een zeventiende-eeuwse theoloog was genoemd, liet Weisz Joav en Lea achter in een boekwinkel, waar ze onder toezicht van de chauffeur mochten rondneuzen terwijl hij zelf een bespreking had. Overal waar Weisz kwam, had hij een zakenafspraak; en als hij die niet had, verzon hij wel iets. Er was een speciaal gebaar dat hij altijd maakte, een harkbeweging met zijn vingers over zijn oogleden, alsof hij iets wilde wegvegen. Dat gebaar was zo typerend voor hem dat het voor Joav een soort herkenningsteken was geworden. Toen Joav klein was, dacht hij dat zijn vader op die momenten naar iets buiten het bereik van het menselijk gehoor luisterde, als een hond.

Toen ze in Genève waren aangekomen, ging Weisz met zijn kinderen meteen door naar het huis van de rector, monsieur Boulier. Daar wachtten ze samen met madame Boulier en haar astmatische Franse buldog in de zitkamer, waar ze zandkoekjes van een schaal mochten pakken, terwijl hun vader achter de dichte deur van de studeerkamer een gesprek met de rector had. Het duurde een hele tijd voordat de twee mannen eindelijk uit de gelambriseerde studeerkamer kwamen. Daarna bracht de rector ze naar de jongensafdeling, waar Joav zou verblijven; hij kon het niet laten de gordijnen open te doen zodat ze het uitzicht op het boomrijke park konden bewonderen. Nadat Weisz zijn zoon had omhelsd, ging hij samen met Lea naar de andere kant van de stad, naar het huis van een gepensioneerde docent Engels, waar ze met twee oudere meisjes zou komen te wonen. Het ene meisje was de dochter van een Amerikaanse zakenman en zijn Thaise vrouw, en het andere de dochter van de man die vroeger de hofingenieur van de sjah was geweest. Toen Lea voor het eerst ongesteld werd, deed het Iraanse meisje haar twee diamanten oorknopjes cadeau, die Lea in een doosje op de vensterbank bewaarde, naast de andere souvenirs die ze op haar reizen had verzameld. Dat jaar was het eerste en, in elk geval tot aan het moment dat ik hen leerde kennen, het laatste dat Joav en Lea niet bij elkaar woonden.

Zonder zijn kinderen werd Weisz nog rustelozer. Hij stuurde Joav en Lea ansichtkaarten uit Buenos Aires, St. Petersburg en Krakau. De tekst achter op de kaart, geschreven in een handschrift dat met zijn generatie zal uitsterven (onvast, vol met verhaspelingen vanwege de gedwongen overgang van de ene taal naar de andere, deftig in zijn onleesbaarheid), werd altijd met dezelfde zinsnede besloten: *Zorg goed voor elkaar, mijn lievelingen. Papa.* Op vakanties en soms ook in het weekend namen Joav en Lea de trein naar Parijs, Chamonix, Basel of Milaan om hun vader, in een appartement of een hotel, op te zoeken. Op die reisjes werden ze soms voor een tweeling aangezien. Ze zaten altijd in een rookcoupé, Lea met haar hoofd tegen het raam en Joav met zijn hand onder zijn kin en ondertussen raasden de omtrekken van de Alpen voorbij en gloeiden hun sigaretten, die ze tussen hun lange, dunne vingers hielden, af en toe op in de schemering.

Toen zijn kinderen twee jaar op de school in Genève zaten, besloot Weisz, negen jaar na zijn vlucht uit Jeruzalem, terug te gaan naar het huis in de Ha-orenstraat. Hij gaf zijn kinderen geen uitleg. Er waren heel veel dingen waar ze het eigenlijk nooit over hadden: hun zwijgzaamheid was niet zozeer vluchtgedrag als wel een manier voor eenlingen om in gezinsverband met elkaar te kunnen leven. Weisz reisde nog steeds veel, maar na elke reis liep hij toch weer met zijn kleine koffer in de hand over het overwoekerde tuinpad naar het natuurstenen huis, waar zijn vrouw ooit zo van had gehouden.

Joav en Lea genoten intussen van hun nieuwverworven vrijheid op school, maar in andere opzichten was er weinig voor ze veranderd. Sterker nog, nu ze tegen hun zin in het schoolleven waren ondergedompeld en zo dicht op elkaar met leeftijdgenoten moesten leven, werd des te duidelijker dat ze anders dan de rest waren en kwamen ze nog meer in een isolement terecht. Ze lunchten met z'n tweetjes, brachten hun vrije uurtjes in elkaars gezelschap door, zwierven door de stad of maakten een boottochtje over het meer, waarbij ze elk besef van tijd verloren. Soms zaten ze samen een ijsje te eten in een van de cafés aan het water, ieder een andere kant uit turend, verdiept in hun eigen gedachten. Ze sloten weinig vriendschappen. In hun tweede jaar probeerde een van de jongens die bij Joav op de slaapzaal lagen, een arrogante Marokkaan, Lea tot een afspraakje te bewegen, en toen hij nul op het rekest kreeg, begon hij het gerucht te verspreiden dat broer en zus een incestueuze relatie hadden. Ze deden er alles aan om het gerucht kracht bij te zetten, legden opzichtig hun hoofd in elkaars schoot en streelden elkaars haar. Onder de leerlingen werd de relatie binnen korte tijd een geaccepteerd gegeven. Zelfs hun leraren begonnen hen met een mengeling van fascinatie, weerzin en afgunst te bekijken. Toen de situatie uit de hand dreigde te lopen, voelde monsieur Boulier zich geroepen om hun vader in te lichten over wat er zich tussen zijn kinderen afspeelde. Hij liet een bericht achter voor Weisz, die hem direct vanuit New York terugbelde. Boulier schraapte zijn keel, probeerde eerst de ene benadering, liep vast, probeerde een andere, kreeg een hoestbui, vroeg Weisz aan de lijn te blijven, werd gered door zijn vrouw, die toesnelde met een glas water en een vermanende blik, een blik die hem weer de urgentie van de kwestie deed inzien, waarna hij de hoorn oppakte en Weisz vertelde wat iedereen inmiddels over zijn kinderen wist. Toen hij was uitgesproken, zei Weisz niets. Boulier trok zijn wenkbrauwen op en keek zijn vrouw heel even nerveus aan. Weet u wat ik denk? zei Weisz ten slotte. Ik kan het misschien wel raden, antwoordde Boulier. Ik denk dat ik me zelden vergis in mensen, monsieur Boulier. In mijn branche is mensenkennis onontbeerlijk en ik ben er altijd prat op gegaan dat ik die in grote mate bezit. Maar nu besef ik dat ik het in uw geval mis had, monsieur Boulier. Ik geef toe dat ik u geenszins voor bijzonder intelligent hield. Maar ik vond u ook geen domoor. De rector moest weer hoesten en begon daarbij ook te zweten. En als u me nu alstublieft wilt excuseren, ik heb een afspraak, zei Weisz. Goedemiddag.

Het was vooral Joav die me deze verhalen vertelde, meestal als we samen in het donker naakt op zijn bed lagen te praten en te roken, met zijn penis tegen mijn dij, ik met mijn hand zachtjes over het uitsteeksel van zijn sleutelbeen strelend, zijn hand tegen mijn knieholte, mijn hoofd in de kromming van zijn schouder, vervuld van de speciale, huiveringwekkende sensatie dat we in de nieuwe, kwetsbare toestand van intimiteit verkeerden. Toen ik Lea beter leerde kennen, vertelde zij me ook weleens wat. Maar ze maakte haar verhalen nooit af en er zat altijd een ongrijpbaar, onopgehelderd tintje aan. Hun vader was een figuur die steeds slechts gedeeltelijk werd ingekleurd, alsof een complete tekening van hem al het andere aan het zicht zou onttrekken, ook henzelf.

Het klopt niet helemaal dat ik Joav op een feestje heb ontmoet, althans niet voor het eerst. Ik kwam hem voor het eerst tegen toen ik net drie weken in Oxford was, in het huis van een jonge docent die bij een van mijn hoogleraren in New York had gestudeerd. Die avond wisselden we maar een paar woorden met elkaar. De tweede keer dat we elkaar zagen, probeerde Joav me ervan te overtuigen dat ik tijdens het etentje grote indruk op hem had gemaakt, dat hij zelfs had overwogen om naar me op zoek te gaan. In mijn herinnering had hij er voornamelijk verveeld en soms afwezig bij gezeten, alsof hij weliswaar van zijn bordeaux dronk en zijn eten in hapklare brokjes sneed, maar ondertussen in gedachten bezig was om een kudde geiten over een kurkdroge vlakte te leiden. Hij zei niet veel. Het enige wat ik van hem wist, was dat hij derdejaars student Engels was. Na het toetje vertrok hij als eerste, met het excuus dat hij nog met de bus terug naar Londen moest, maar toen hij afscheid nam van onze gastheer en zijn vrouw, zag ik dat hij best charmant kon zijn als hij wilde.

Voor het promotieprogramma stond drie jaar en er waren maar weinig verplichtingen aan verbonden. Om de zes weken had ik overleg met mijn promotor, maar verder werd ik aan mijn lot overgelaten. De problemen begonnen vrij snel na mijn komst, toen bleek dat ik met het onderwerp dat ik in mijn proefschrift wilde onderzoeken – de invloed van het nieuwe medium radio op de modernistische literatuur – in een impasse was geraakt. Dit was het thema geweest van mijn doctoraalscriptie aan de universiteit van New York, waarvoor ik van mijn docenten veel lof toegezwaaid had gekregen en waarmee ik zelfs een prijs had gewonnen, de Wertheimer Prize, genoemd naar een emeritus hoogleraar die vanuit de idyllische begraafplaats van Westchester in zijn rolstoel naar de plechtigheid was gereden. Maar de docent die mijn academische verrichtingen in Oxford moest begeleiden, een kaalhoofdige modernist aan Christ Church, die A.L. Plummer heette, maakte meteen gehakt van mijn scriptie, beweerde dat die theoretische samenhang ontbeerde en stond erop dat ik een nieuw onderwerp koos. Gezeten op een gammele stoel, ingeklemd tussen de torenhoge boekenstapels in zijn werkkamer, deed ik nog een halfhartige poging mijn werk te verdedigen, maar eigenlijk had ik zelf mijn belangstelling voor het idee ook verloren en alles wat ik erover te melden had was al in de ongeveer honderd pagina's van mijn scriptie vervat. In de lichtbaan die door een klein, hoog raampje viel (een raampje waar alleen een dwerg of kind door kon ontsnappen) dwarrelden stofdeeltjes op A.L. Plummers hoofd neer en hoogstwaarschijnlijk ook op dat van mij. Er zat weinig anders op dan de eindeloze boekenvoorraad van de Bodleian Library door te spitten op zoek naar een nieuw onderwerp.

De daaropvolgende weken bracht ik door in een stoel in de Radcliffe Camera, een van die gerieflijke leren stoelen, bevlekt met menselijke sappen, die in ongeveer elke bibliotheek op de wereld te vinden zijn. De stoel stond naast een raam met uitzicht op All Souls. Buiten hing er water in de lucht, alsof het een wetenschappelijk experiment was – een experiment dat al duizend jaar aan de gang was en het weer in Engeland vormde. Af en toe stak een figuur of een tweetal figuren in zwarte toga's de binnenplaats van All Souls over, wat mij het idee gaf dat ik naar de repetitie van een toneelstuk keek waaruit alle tekst en de meeste toneelaanwijzingen geschrapt waren en waarvan alleen het 'komt op' en 'gaat af' waren overgebleven. Dit doelloze komen en gaan bezorgde me een onbestemd, onzeker gevoel. Ik las onder andere de essays van Paul Virilio – de uitvinding van de trein behelst tevens de uitvinding van de ontsporing, over dat soort zaken schreef Virilio graag – maar kreeg ze niet uit. Ik had nooit een horloge om en meestal verliet ik de bibliotheek als ik het opgesloten gevoel niet langer kon verdragen. Vier of vijf keer was het me overkomen dat ik net uit de bibliotheek kwam op het moment dat een student een contrabas over de straatkeien voortrolde, alsof hij een uit zijn krachten gegroeid kind voor zich uit duwde. Soms was hij me net voor geweest en andere keren kwam hij er net aan. Maar één keer kwam ik de bibliotheekdeur uit precies op het moment dat hij langsliep en maakten we oogcontact, zoals je dat soms met een onbekende hebt, een wederzijdse onuitgesproken bevestiging dat de werkelijkheid verdwijngaten bevat waarvan je hoopt nooit te ontdekken hoe diep ze zijn.

Ik had een kamer aan Little Clarendon Street, waar ik meestal was als ik niet in de bibliotheek zat. Ik ben altijd, vooral toen, een bedeesd, extreem verlegen type geweest dat met een of twee goede vriendinnen door het leven ging, zelfs een vriendje had, met wie ik mijn tijd doorbracht als ik niet alleen was. Ik ging ervan uit dat ik uiteindelijk ook weer zo iemand, zulke mensen, in Oxford zou tegenkomen. In de tussentijd bleef ik op mijn kamer.

Afgezien van een grote tapijtcoupon die ik vanaf het noordelijke stuk van Banbury Road met de bus naar huis had gesjouwd, een waterkoker en een victoriaans theeservies van de rommelmarkt, stond er niet veel in mijn kamer. Ik heb het altijd prettig gevonden om weinig bagage te hebben; iets in mij wil het gevoel hebben elk moment moeiteloos op te kunnen stappen. Ik werd onrustig van het idee dat er gewicht op me drukte, net alsof ik op het oppervlak van een bevroren meer woonde en elk nieuw huishoudelijk attribuut – een pan, een stoel, een lamp – hetgene kon zijn dat me door het ijs deed zakken. De enige uitzondering hierop waren boeken, die ik onbezwaard in huis haalde, omdat ik nooit het gevoel had dat ze mijn bezit waren. Daarom voelde ik me ook nooit verplicht de boeken die me niet boeiden uit te lezen, niet eens de druk om ze überhaupt boeiend te vinden. Maar dit bepaalde gebrek aan verantwoordelijkheid maakte me ook kwetsbaar. Wanneer ik dan eindelijk op het goede boek stuitte, was het gevoel verpletterend; het blies een gat in me open dat mijn leven gevaarlijker maakte, omdat ik geen zeggenschap had over wat er naar binnen kwam.

Ik had Engelse letterkunde als hoofdvak gekozen, omdat ik gek op lezen was, niet omdat ik een duidelijk beeld voor ogen had van wat ik met mijn leven wilde. Tijdens dat najaar in Oxford begon mijn verhouding met boeken echter te veranderen. Het ging heel geleidelijk, bijna zonder dat ik er erg in had. Met het verstrijken van de weken had ik steeds minder een idee waar ik de komende drie jaar een proefschrift over moest schrijven en ik voelde me verpletterd door de onmetelijkheid van die taak. Wanneer ik in de bibliotheek was, werd ik bekropen door een vage, onderhuidse angst. Eerst had ik het nog niet zo door, was ik me alleen bewust van een trekkende spanning in mijn maag. Maar elke dag werd het gevoel iets sterker, sloot zich strakker om mijn keel, net als mijn gevoel dat alles zinloos en nutteloos was. Ik las zonder dat de betekenis van de woorden tot me doordrong. Ik bladerde terug om opnieuw te beginnen bij de passage die ik me nog kon herinneren, maar even later losten de zinnen weer op en scheerde ik weer afwezig over de nietszeggende bladzijden, als een insect over het oppervlak van stilstaand water. Ik raakte steeds nerveuzer en durfde haast niet meer naar de bibliotheek te gaan. Ik werd bang om bang te worden. Zodra ik de bibliotheek binnenging, sloeg de paniek toe. Het feit dat de paniek verband hield met lezen – zolang ik me kon heugen het belangrijkste in mijn leven en altijd een bolwerk tegen de wanhoop – maakte het des te moeilijker. Ik had me vaak genoeg triest gevoeld, maar ik had nog nooit zo'n belegering van binnenuit ervaren, alsof mijn lichaam allergisch voor zichzelf was geworden. 's Nachts lag ik wakker met het idee dat ik misschien wel stil in bed lag, maar dat ik op een ander niveau langzaam uiteenviel.

Werken ging niet meer, dus zwierf ik overdag door de straten van Oxford, ging naar de film in de Phoenix Picturehouse, snuffelde rond in de winkel met oude prenten aan High Street of doodde de tijd in het Pitt Rivers Museum met een rondgang langs de vitrines met geraamtes, gereedschappen en gebarsten kommetjes van verdwenen volkeren. Maar ik registreerde amper wat er voor me stond. Mijn geest voelde als versuft, mijn lichaam als verdoofd, alsof er een schakelpaneel was uitgezet. Een paar weken later was ik elk besef van mezelf kwijt. Het leek of iemand in één nacht alle inhoud uit mij had gezogen, maar dat mijn lichamelijk omhulsel nog nietsvermoedend rondliep. Leegte betekende echter geen apathie: overal leken angst, eenzaamheid en wanhoop op de loer te liggen om mijn fysieke voortgang door de straat te belemmeren. Terwijl ik deze hindernisbaan afwerkte, ontdaan van ieder doel, wilde ik het liefst terug naar mijn oude kinderkamer, ingestopt onder de lakens met de vertrouwde wasmiddelgeur, luisterend naar het gemompel van mijn ouders verderop in de gang. Op een avond liep ik terug naar mijn kamer nadat ik urenlang zomaar wat had rondgezworven en bleef staan voor een delicatessenzaak op St. Giles'. Ik zag mensen naar buiten komen met tassen vol marmelade, paté, chutney en vers brood en moest denken aan mijn ouders die met hun sloffen aan in de keuken voorovergebogen over hun bord zaten en naar het avondnieuws op de kleine televisie in de hoek keken, en opeens barstte ik in snikken uit.

Het liefst had ik er de brui aan gegeven en was ik vertrokken, als ik niet zo bang was om mijn ouders teleur te stellen. Ze zouden het niet begrepen hebben. Het was mijn vader die erop had aangedrongen om me op te geven, die onder het avondeten maar had georeerd over hoeveel deuren er door zo'n studiebeurs voor me open zouden gaan. (De badkamer van mijn ouders had spiegels en als je de deur van hun kleerkasten tegelijk opendeed en in de ontstane driehoek ging staan, zag je een duizelingwekkende, oneindige reeks deuren en alter ego's die alle kanten uit snelden: dit beeld zag ik voor me wanneer mijn vader die uitdrukking gebruikte.) Het kon hem weinig schelen wat ik precies met die beurs ging studeren. Volgens mij dacht hij dat ik vanzelf een dikbetaalde baan bij een beleggingsbank als Goldman Sachs of Mackenzie zou krijgen, als ik maar genoeg academisch prestige had behaald. Maar toen die beurs me was toegekend en ik wist dat ik naar Oxford ging, kwam mijn moeder, die tot dan toe weinig over de kwestie had gezegd, met tranen in haar ogen mijn kamer in om te zeggen hoe blij ze voor me was. Ze zei niet dat zij daar als meisje ook altijd van had gedroomd, een droom die in haar geval weinig kans op verwezenlijking had gehad. Met haar achtergrond, een immigrantengezin dat nauwelijks het hoofd boven water kon houden, hoefde ze er niet op te rekenen dat haar ouders haar in haar intellectuele aspiraties zouden steunen. Ik had altijd stiekem gedacht dat mijn moeder, door het huwelijk met mijn vader, had besloten om die aspiraties in één keer te verdrinken, zoals je met een nest jonge katjes doet. Het was een vreselijk idee dat zij het huwelijk als haar enige uitweg had gezien – haar ouders waren gelovig, en mijn vader, twaalf jaar ouder dan zij, juist niet – en ik denk dat mijn moeder dat kleine beetje aangreep als kans om aan haar ouders te ontsnappen. Toen ze in 1967 trouwde, was ze pas negentien en als ze nog een paar jaar had gewacht, had ze misschien door alle maatschappelijke veranderingen meer moed kunnen opbrengen. Maar ja, dan was ik niet geboren.

Ik moet eerlijk zeggen dat ik niet weet hoeveel mijn moeder van zichzelf heeft weggedrukt. Met het vorderen van de jaren kon ze niet meer verbergen hoe afgemat ze was, maar over haar zielenroerselen gaf ze weinig prijs. Het enige wat ik wist, was dat er een hardnekkig restje nieuwsgierigheid en verlangen in mijn moeder zat dat ze niet had kunnen verdrinken, hoe graag ze dat misschien ook had gewild. Naast haar bed lag altijd een stapeltje boeken waar ze naar greep wanneer iedereen sliep. Pas jaren later zag ik het verband tussen mijn eigen boekenliefde en die van mijn moeder, want hoewel er bij ons thuis altijd boeken waren, zag ik mijn moeder zelden lezen; dat was iets wat ze pas ging doen toen ze wat ouder was en meer tijd had. De enige uitzondering was de krant, die ze altijd van a tot z spelde, alsof ze op zoek was naar een bericht over iemand die ze lang geleden uit het oog was verloren. Toen ik pas met mijn studie was begonnen, betrapte ik haar weleens aan de keukentafel, waar ze met geluidloos bewegende lippen het semestercurriculum zat door te nemen. Ze vroeg nooit welke colleges ik wilde volgen, bemoeide zich sowieso niet met mijn keuzes. De avond voor mijn vertrek naar Engeland gaf mijn moeder me de iriserend groene Pelikan-vulpen die ze als kind van haar oom Saul had gekregen nadat ze op school een opstelwedstrijd had gewonnen. Tot mijn schande moet ik bekennen dat ik er nooit een woord mee heb geschreven, niet eens een brief aan mijn moeder, en ik zou ook niet meer weten waar die pen is gebleven.

Wanneer mijn ouders me zondagmiddag belden, vertelde ik altijd uitgebreid hoe geweldig ik het had. Voor mijn vader verzon ik verhalen over debatavonden in de Oxford Union en anekdotes over de andere beursstudenten – toekomstige politici, gehaaide rechtenstudenten, een voormalig speechschrijver voor Boutros Boutros-Ghali. Voor mijn moeder beschreef ik de Duke Humfrey's Library in het Bodleian, waar je de originele manuscripten van T.S. Eliot of Yeats kon opvragen, en het diner aan de *high table* in Christ Church waarvoor A.L. Plummer me had uitgenodigd (voordat hij mijn dissertatie naar de prullenbak verwees). Maar het ging steeds slechter met me. In mijn toestand was het al een hele opgave om de deur uit te gaan en mensen te ontmoeten. Zelfs mijn mond opendoen om een sandwich te bestellen in de Tuck Shop, vergde een wanhopige zoektocht naar een paar kruimeltjes assertiviteit. Wanneer ik alleen op mijn kamer zat, gewikkeld in een deken, mijmerde ik, zachtjes jammerend en hardop pratend tegen mezelf, over de teloorgang van mijn roemrijke jeugd, toen ik door iedereen, ook door mezelf, als een slim en getalenteerd meisje werd gezien. Dat leek nu allemaal voorbij. Ik vroeg me af of ik misschien een soort psychische crisis doormaakte, van het soort waardoor iemand die tot dan toe een normaal leven heeft geleid van de ene dag op de andere wordt overrompeld en waarmee zich opeens een nieuw leven vol kwellingen en moeilijkheden aandient.

In de eerste week van november ging ik in de Phoenix naar *De spiegel* van Tarkovski, een van mijn lievelingsfilms. Ik bleef net zolang zitten tot de lichten aangingen, in tranen of bijna in tranen. Ten slotte pakte ik mijn spullen en stond op. In de foyer kwam ik Patrick Clifton tegen, een slimme, luidruchtige homoseksuele politicologiestudent, die met eenzelfde beurs als ik studeerde. Met een grijns die zijn puntige tandjes toonde nodigde hij me uit voor een feestje die avond. Ik weet niet waarom ik ja zei, want ik was er niet bepaald best aan toe. Uit wanhoop misschien of uit een instinctief zelfbehoud. Maar ik was er nog niet of ik had al spijt. Het feest in South Oxford werd gegeven in een huis met twee verdiepingen, en de kamers waren verlicht in verschillende kleuren, de ene paars, de andere groen, waardoor het geheel een naargeestige uitstraling kreeg, wat nog eens werd versterkt door de muziek die ik alleen maar kan omschrijven als neolithische grafmuziek. Op de trappen werden mensen stoned en in de kamer waar de muziek het hardst stond bevond zich een bonte verzameling van zwaaiende lijven die niet geïnteresseerd in elkaar leken. Achter in het huis was een lange kombuisachtige keuken, met gebarsten, vuile tegels en emmers met bier op ijs. Twintig minuten na binnenkomst verloor ik Patrick uit het oog, en omdat ik niet wist wat ik verder moest doen, ging ik maar op zoek naar een wc. De wc boven bleek bezet, dus bleef ik geleund tegen de muur staan wachten. Binnen klonk gelach van twee, misschien wel drie mensen. Het leek me onwaarschijnlijk dat de wc-gangers er snel uit zouden komen, maar ik bleef gewoon staan. Na tien minuten verscheen Joav Weisz in de blauwverlichte gang. Ik herkende hem onmiddellijk, omdat niemand eruitzag zoals hij. Hij had dik, kastanjebruin haar dat hoog op zijn hoofd golfde en in een zwierige lok over zijn voorhoofd viel, een lang, smal gezicht, donkere, ver uiteenstaande ogen, een Griekse neus die in gebogen neusvleugels eindigde, en volle lippen die bij de mondhoeken van nature omlaag wezen, een gezicht dat het ene moment iets engelachtigs had en het volgende iets duivels, en dat in ongewijzigde vorm uit de renaissance, misschien zelfs de middeleeuwen, afkomstig leek te zijn. Jij, zei hij met een scheve grijns.

De wc-deur ging open en er tuimelde een stelletje naar buiten, en meteen daarop werd ik overvallen door een golf van misselijkheid en ik wist dat ik moest overgeven. Ik dook het hokje in, deed de wc-bril omhoog en liet me op mijn knieën vallen. Toen ik klaar was en opkeek, zag ik tot mijn afgrijzen Joav boven me staan. Hij gaf me een bekertje troebel water uit de kraan. Ik dronk het op en ondertussen keek hij me bezorgd, zelfs liefdevol aan. Ik zei iets over de kebab die ik die avond had gegeten. We zaten een poosje te zwijgen, alsof we van plan waren, nu we eenmaal de wc tot onze beschikking hadden, er net zo lang te blijven als het andere stel. Ik zag een flits van mezelf in de spiegel, donker en enigszins vervormd; ik wilde mezelf graag beter bekijken om te zien hoe erg de schade was, maar ik geneerde me voor Joav. Ben ik zo lelijk? zei hij ten slotte. Wat? vroeg ik met een lachje dat overging in gesnork. Als er iemand lelijk is, dan... begon ik. Nee, zei hij en streek een plukje haar uit mijn ogen, jij bent mooi. Dat zei hij plompverloren, met een directheid die me overrompelde. Ik geneer me, zei ik, al was dat niet zo.

Hij stak zijn hand in zijn zak en haalde er een zakmes uit, waarvan hij het mesje uitklapte. Een fractie van een seconde dacht ik dat hij iets gewelddadigs van plan was, niet met mij maar met zichzelf. Maar nee, hij pakte het stuk zeep dat op het wastafeltje lag, een viezig zeepje doortrokken met het vuil van alle handen die de wc hadden bezocht, en daar begon hij schilfers af te snijden. Het was zo'n maf gezicht dat ik in lachen uitbarstte. Even later gaf hij mij het zeepje. Wat is het? vroeg ik. Zie je dat niet? Ik schudde mijn hoofd. Een boot, zei hij. Het leek niet op een boot, maar dat maakte me niet uit. Het was lang geleden dat iemand speciaal voor mij iets had gemaakt.

Ik keek naar zijn vreemde gezicht en op dat moment wist ik dat er een deur was opengegaan, maar niet op de manier zoals mijn vader bedoelde. Het was een deur waar ik doorheen kon lopen en het was me meteen duidelijk dat ik dat ook zou doen. Ik werd opnieuw bevangen door misselijkheid, misselijkheid vermengd met blijdschap en opluchting, omdat ik voelde dat het ene hoofdstuk van mijn leven uit was en het volgende ging beginnen.

Er waren natuurlijk penibele momenten, of momenten waarop alles op losse schroeven leek te staan. De eerste keer dat we met elkaar naar bed gingen, gebeurde er iets vreemds. We lagen op het kleed in Joavs slaapkamer op de tweede verdieping van het huis aan Belsize Park. De ramen stonden open, de lucht was bijna zwart van naderend onweer, alles was griezelig stil. Hij trok mijn blouse uit en streelde mijn borsten. Hij had heel zachte, onderzoekende handen. Toen wilde hij mijn broek uittrekken, alleen had ik mijn schoenen nog aan. Hij trok mijn onderbroek gewoon over de band van mijn broek naar beneden totdat hij bij mijn voeten was, waar hij uiteraard vast kwam te zitten. Er volgde een worsteling, zoals ze in Russische romans zeggen, maar gelukkig duurde die niet lang. Mijn schoenen glipten uit en de broek schoot los. Daarna deed hij zijn eigen kleren uit. Eindelijk waren we allebei naakt. Maar in plaats van in dezelfde geest door te gaan, veranderde Joav van koers en begon kopje te duikelen. Een heuse koprol, met mij aan hem vast. Toen we een volledige omwenteling hadden gemaakt, maakte hij nog een koprol. Wat seks betrof was ik in allerlei rare en kinky dingen meegegaan, maar dit sloeg alles, omdat er totaal niets opwindends aan was, althans niet voor mij en zo te zien ook niet voor hem. We waren net twee mensen die voor een circusact oefenden. Je doet mijn nek pijn, fluisterde ik. Meer hoefde ik niet te zeggen. Joav liet me los. Ik viel terug op de grond en lag een poosje doodstil uit te hijgen en na te denken of ik de draad weer wilde oppakken of dat ik beter mijn kleren kon aantrekken en weggaan.

Ik lag nog te dubben toen ik een gesmoord gehuil hoorde. Ik ging rechtop zitten. Wat is er? vroeg ik. Niets, zei hij. Maar je huilt. Ik dacht gewoon ergens aan. Waaraan dan? vroeg ik. Dat vertel ik je nog wel een keer. Vertel het me nu, wilde ik zeggen en ik schoof naar hem toe, maar ik kreeg de kans niet het uit te spreken, want toen was zijn mond op de mijne en werd ik in een zachte, diepe kus getrokken, alsof hij bij me naar binnen was gegaan en met uiterst vaardige en delicate vingers een snelle spoedoperatie op me verrichtte, waardoor er iets naar boven kwam en tot leven werd gewekt, iets wat me met een levenskracht doorstroomde waarvan ik lang verstoken was geweest. Die avond vrijden we misschien wel drie of vier keer. Vanaf die dag waren we bijna altijd samen.

Wanneer ik bij Joav was, ging alles wat in mij lág rechtop staan. Hij kon me aankijken met een ongegeneerde openheid die me deed huiveren. Het is een wonderbaarlijk gevoel als iemand ziet wie je werkelijk bent, niet zoals hij wil dat je bent, of zoals je je voordoet. Ik had wel vriendjes gehad en ik kende de baltsrituelen die je uitvoert om elkaar beter te leren kennen, de verhalen die je opdiept over je jeugd, zomerkamp, de middelbare school, de bekende vernederingen en de schattige dingen die je als kind zei, de gezinsdrama's – je tekent een portret van jezelf waarin je jezelf iets slimmer afschildert, iets diepzinniger dan je diep vanbinnen weet dat je bent. En hoewel ik misschien maar drie of vier relaties had gehad, had ik al gemerkt dat het bij de volgende niet meer zo spannend was om je levensverhaal te doen, dat je je er minder geestdriftig in stortte en steeds meer wantrouwen kreeg tegenover een intimiteit die uiteindelijk toch nooit tot werkelijk begrip leidde.

Maar met Joav was het anders. Geleund op een elleboog keek hij me aandachtig aan terwijl ik aan het woord was en hij afwezig mijn arm of been streelde en me af en toe onderbrak om iets te vragen – wie is zij, je hebt het nog niet eerder over haar gehad, goed, ga door, wat gebeurde er toen? Hij onthield alles tot in de kleinste details en wilde niet alleen de hoogtepunten horen, maar echt alles, ik mocht van hem niets overslaan. Hij klakte met zijn tong wanneer ik bij een gedeelte kwam waarin iemand me gemeen had behandeld of in de steek had gelaten, en grijnsde trots als ik een overwinning beschreef. Soms ontlokte mijn relaas hem een zachte, haast tedere lach. Hij gaf me het gevoel dat ik mijn hele levensverhaal uitsluitend had beleefd om het aan hem te kunnen vertellen. En mijn lichaam behandelde hij met dezelfde aandacht en verwondering. Hij streelde en kuste me altijd met zo'n dodelijke ernst – terwijl hij mijn gezicht bestudeerde om mijn reactie te peilen – dat ik erom moest lachen. Voor de grap haalde hij een keer een notitieboekje tevoorschijn waarop hij na elke liefkozing iets noteerde dat hij hardop voorlas: Zuigen aan oor... lelletje... puntkomma... moet ze van... kreunen... Dan kuste hij me, begon me weer te strelen en pakte het boekje er weer bij: Likken over... de rechter... tepel terwijl... hand... glijdt... over haar... prachtige... bil...len... puntkomma... Een dromerige... lach... verspreidt zich... over haar... gezicht. Adempauze. Dan: Stop... haar tenen... in mond... puntkomma... Ze krijgt... kippenvel... op haar... armen... en haar... schitterende dijen... drukt ze samen... Aanvulling... puntkomma... Nog een keer... en ze... gilt het uit... Uitroepteken. Maar daar hield de grap niet op. Op een keer ging ik naar de bibliotheek en trof tussen mijn boeken het notitieboekje aan, en elke bladzij was met het kriebelige handschrift van Joav bedekt.

Door zijn aandacht voelde ik me zo zuiver geworden, zo stralend en precies, zo áángeraakt, dat ik me er, zeker in het begin, bij neerlegde dat er bepaalde zaken in zijn familie waren waar hij niet met mij over kon praten, hoewel ik hem wel mijn hele levensverhaal had gedaan. Hij zei het niet rechtstreeks; op een of andere manier wist hij een antwoord altijd te vermijden.

Ik probeerde hem door studie te leren kennen. Ik bestudeerde de moedervlekjes op zijn lichaam, het glanzende litteken boven zijn linkertepel dat op een treinspoor leek, de misvormde nagel van zijn rechterduim, het veld met gouden haartjes tussen zijn stuitje en zijn billen. Zijn opvallend smalle polsen, de geur van zijn hals. De zilverkleurige vullingen in zijn mond, de minuscule haarvaatjes in de bovenrand van zijn oren. Ik adoreerde de manier waarop hij uit één mondhoek leek te praten, alsof de andere pertinent weigerde mee te gaan met wat er werd gezegd. En er ging een golfje van liefde door me heen wanneer ik hem op zijn typische manier muesli naar binnen zag lepelen en de krant lezen, bijna lomp, terwijl hij verder alles met zoveel beschaafdheid deed. Onder het lezen wond hij een pluk haar om zijn vinger. Hij had een snelle spijsvertering. Om te voorkomen dat hij hoofdpijn kreeg, moest hij vaak eten. Om die reden – en omdat er na de dood van zijn moeder alleen avondeten was dat door de huishoudster was klaargemaakt, wat niet hetzelfde was – had hij al op jonge leeftijd leren koken.

In zijn slaap gaf hij zoveel hitte af dat ik er bang van werd, maar later wende ik eraan en werd er juist naartoe getrokken. Ik had een keer gelezen dat kinderen die hun moeder hebben verloren uren achtereen heel dicht bij de verwarming zitten, en op een nacht zag ik bij het inslapen een beeld voor me van zulke kinderen die dicht tegen Joav aan lagen. Misschien droomde ik wel dat ik zelf zo'n kind was. Maar Joav had zijn moeder verloren, ik niet. Als hij wakker was, liep hij onrustig heen en weer of zat hij steeds met zijn voet te wippen. Alle energie die zijn lichaam produceerde moest hij zien kwijt te raken, maar die uitzinnige bedrijvigheid leidde eigenlijk tot niets, want zodra die energie verbruikt was, maakte zijn lichaam weer nieuwe aan. Wanneer ik bij hem was, had ik het gevoel dat alles steeds in beweging was, op weg naar iets, een gevoel dat me na al die voorgaande maanden van verstikking zowel opwinding als rust gaf. Ik merkte wel dat hij ergens verdriet om had, maar ik wist niet waar het vandaan kwam of hoe diep het ging. Kijk me niet zo aan, zei hij vaak. Hoe dan? vroeg ik. Alsof ik een terminale patiënt ben. Maar ik ben een heel goede verpleegster. Hoe weet ik dat? vroeg hij. Let maar op, zei ik. Stilte. Ga door, kreunde hij, ik heb nog maar één dag te leven. Dat zei je gister ook. Je gaat me toch niet vertellen, zei hij, dat ik ook nog eens aan geheugenverlies lijd!

Slapen op mijn kamer in Little Clarendon Street hield ik al snel voor gezien en voortaan zat ik de meeste tijd in Londen. Je zou kunnen zeggen dat ik erheen was gevlucht, naar Joav en zijn wereld waarvan het huis aan Belsize Park het middelpunt vormde. Joav moet van het begin af aan gevoeld hebben dat er een zekere wanhoop in me school, een bereidheid om even diep te gaan als hij, om alles opzij te zetten en mezelf in de enige soort relatie te storten die hij kon aangaan, een soort complot waarin geen plaats was voor anderen, met uitzondering van zijn zusje, die door hem als een deel van zichzelf werd beschouwd.

Mijn geestestoestand ging direct met sprongen vooruit, maar ik was nog steeds niet de oude: er bleef een restje angst zitten, angst voor mezelf vooral, en voor alles wat er in mij sluimerde zonder dat ik het wist. Het was meer alsof ik onder narcose was gebracht, maar niet genezen was van mijn aandoening, of wat me dan ook mankeerde. Het was anders dan vroeger en hoewel ik niet meer vreesde in het gekkenhuis te eindigen – ik dacht zelfs met enige schaamte terug aan mijn pathetische gedrag tijdens de ergste periode – had ik toch het idee dat iets in me voorgoed was veranderd, aangetast of zelfs beschadigd. Er was een bepaalde autonomie verdwenen, of misschien kan ik beter zeggen dat het idee van een solide zelfbewustzijn, toch al nooit erg sterk bij mij aanwezig, als een ondeugdelijk stuk speelgoed kapot was gevallen. Misschien was het daarom zo gemakkelijk voor me – niet meteen, maar na verloop van tijd – om me te verbeelden dat ik een van hen was, bijna.

In het begin was het anders. Het leven dat ze leidden in het huis aan Belsize Park vond ik vreemd en moeilijk te bevatten. Zelfs de meest banale dingen – de kast vol dure jurken die Lea nooit droeg, de manke Bogna die twee keer per week kwam schoonmaken, de gewoonte van Joav en Lea om bij binnenkomst hun jassen en tassen gewoon op de grond te gooien – waren in mijn ogen exotisch en fascinerend. Ik nam alles in me op en probeerde het achterliggende patroon te ontdekken. Ik wist dat het huishouden door een aantal zelfbedachte regels en formaliteiten werd bepaald, maar niet precies welke. En ik wist dat ik er niet naar mocht vragen; ik was slechts een beleefde, dankbare gast. Mijn moeder had me bepaalde manieren bijgebracht. De belangrijkste daarvan was je eigen neigingen te onderdrukken als het ging om opvattingen van iemand die je hoogachtte.

Zoals de kinderen van een scheepskapitein de zee instinctief begrijpen, zo hadden Joav en Lea een aangeboren gevoel voor meubels, waar ze vandaan kwamen, uit welke periode ze stamden en hoeveel ze waard waren, en ze wisten intuïtief waarom iets mooi was. Niet dat ze veel gebruikmaakten van dit talent of zich geroepen voelden omzichtig met zulke meubels om te springen. Ze namen er simpelweg nota van, zoals je even iets zegt over een mooi uitzicht, en gingen dan weer door met hun dagelijkse bezigheden, zonder zich ergens iets van aan te trekken. Uit hun terloopse opmerkingen pikte ik geleidelijk aan steeds meer op. In mijn verlangen meer op hen te lijken, wilde ik van Joav van alles weten over de verschillende meubelstukken die het huis in- en uitgingen. Verstrooid gaf hij antwoord, zonder op te kijken van zijn bezigheid. Ik vroeg eens of hij ook niet vond dat al die uitgediende meubels uit versnipperde of vergane levens iets droevigs hadden, al die voorwerpen die niet in staat waren herinneringen op te slaan, die alleen maar stof verzamelden. Maar hij haalde zijn schouders op en verwaardigde zich niet antwoord te geven. Al mocht ik dan nog zoveel te weten komen, de soepelheid en het gemak waarmee Joav en Lea zich tussen de antiquiteiten bewogen zou ik me nooit eigen weten te maken, laat staan hun eigenaardige mengeling van intuïtie en onverschilligheid.

Als kind dat was opgegroeid in New York had ik nooit geldgebrek gekend, maar ik kwam niet uit een rijk gezin. Ik had van jongs af aan het gevoel dat we niet op ons bezit konden rekenen, dat het elk moment onder ons kon afbrokkelen, alsof we in een lemen huis woonden in het verkeerde klimaat. Soms hoorde ik mijn ouders discussiëren over de vraag of de twee schilderijen van Moses Soyer die bij ons in de gang hingen verkocht moesten worden. Het waren sombere, dreigende doeken die me in het donker schrik aanjoegen, maar het idee dat mijn ouders er om financiële redenen afstand van moesten doen, baarde me zorgen. Ik had niet meer rustig geslapen als ik had geweten dat er figuren als George Weisz bestonden die je familiemeubels een voor een kwamen weghalen. In werkelijkheid woonden we in een appartement in een witstenen gebouw aan York Avenue dat mijn ouders met steun van mijn grootouders hadden kunnen kopen. Toch gingen we naar prijsstunters om kleren te kopen en ik kreeg vaak op mijn kop omdat ik het licht liet branden en de stroom zo duur was. Op een keer hoorde ik mijn vader tegen mijn moeder schreeuwen dat ze bij elke keer dat ze de wc doortrok een dollar weggooide. Sindsdien liet ik gedurende de dag mijn uitwerpselen zich in de toiletpot ophopen totdat ze een kritieke massa hadden bereikt. Toen dat niet meer mocht van mijn moeder, probeerde ik mijn behoefte zo lang mogelijk op te houden. Als dat tot een ongelukje leidde, verdroeg ik de vernedering en mijn moeders woede met de gedachte aan het geld dat ik mijn ouders uitspaarde. Toch kon ik het niet rijmen dat voor ons raam de brede, modderige East River maar eindeloos voortklotste en het water in onze wc zo kostbaar was.

De meubels bij ons thuis waren over het algemeen van goede kwaliteit, ook de paar antieke spullen die we van mijn grootvader hadden gekregen. De bovenkant daarvan was afgedekt met een glasplaat die in elke hoek op doorzichtige rubberen rondjes rustte. Toch mocht ik er niet mijn glas op zetten of er te dichtbij in de buurt spelen, met als gevolg dat we ons nogal geïntimideerd voelden door die kostbare voorwerpen. Al wisten we het nog zo ver te schoppen in het leven, zo beseften we, dat chique gedoe was eigenlijk niet voor ons bedoeld en de paar dure antieke spullen die we bezaten waren afkomstig uit hogere kringen en bij ons niet op hun plaats. We waren altijd bang dat we iets kapotmaakten en daardoor had ik geleerd voorzichtig met die meubels om te gaan, om er niet tussen te leven maar naast te leven, op gepaste afstand. Toen ik voor het eerst in Belsize Park kwam, stuitte het me tegen de borst om te zien hoe nonchalant Joav en Lea met het meubilair omsprongen dat tijdelijk in hun huis verkeerde en dat hun enige bron van inkomsten, en dat van hun vader, vormde. Ze legden hun blote voeten op Biedermeier-tafeltjes of zetten er hun wijnglas op, ze lieten vette vingers achter op vitrinekasten, deden dutjes op de canapés, gebruikten art-deco commodes als aanrecht en liepen soms over de lange eettafels, want dat was in een propvolle kamer de snelste manier om je te verplaatsen. De eerste keer dat Joav me uitkleedde en me voorover liet buigen, voelde ik me ongemakkelijk en opgelaten, niet vanwege het standje – dat vond ik juist heel plezierig – maar omdat ik gebogen stond over een schrijftafeltje dat was ingelegd met parelmoer. Maar hoe nonchalant ze ook waren, ze leken nergens krassen of butsen in te maken. Aanvankelijk dacht ik nog dat dat kwam omdat ze van huis uit gewend waren omringd te zijn door zulke spullen, maar naarmate ik Joav en Lea beter leerde kennen begon ik hun talent, als je het zo kon noemen, steeds meer te beschouwen als iets wat ze van een hogere instantie hadden geleend.

Het huis gaf steeds vlotter zijn geheimen prijs en ik leerde het beter kennen. Het had in totaal vier verdiepingen. Lea woonde op de bovenste. Ze sliep in de achterkamer, in een hemelbed, en in de voorkamer, onder een lichtkoepel van glas-in-lood, stond een Steinway-piano; 's middags verschenen er op een bepaald uur kleurige strepen op de witte toetsen. Voordat ik Lea ontmoette, voelde ik me enigszins bedreigd door de plek die ze in Joavs leven innam. In gesprekken had hij het vaak over haar, soms noemde hij haar 'mijn zus' en soms alleen 'zij', en meer dan eens had hij het over hen tweeën als over een collectief. Wanneer ze ophield met pianospelen, wist ik zeker dat ze ons ergens vanuit het huis gadesloeg en dan kreeg ik kippenvel op mijn armen. Maar toen Lea eindelijk voor het eerst haar opwachting maakte, vond ik haar opvallend tenger en bescheiden, alsof haar hele wezen zich op het leven binnen in haar concentreerde. Ze leek door een soort grote innerlijke spanning bij elkaar gehouden te worden. In de werkkamer beneden had ze nog een tweede piano, een kleine vleugel. Overal lagen stapels bladmuziek. De papieren slingerden door het hele huis, doken op in de keuken of in de badkamers. Het kostte haar twee weken om een stuk uit haar hoofd te leren. Eerst deelde ze het in steeds kleinere porties op, die ze vervolgens met een afwezige blik in haar ogen werktuiglijk instudeerde. Ze droeg een oude katoenen kimono en trok zelden gewone kleren aan. Ze kreeg iets groezeligs, op de pianotoetsen verschenen vettige vlekken en zelfs onder haar nagels hoopte zich vuil op. Dan kwam de dag dat ze het stuk in het geheel tot zich nam, het verteerde en het zich eigen maakte, waarna ze als een razende alles opruimde, haar haar waste en aan de piano het stuk uit haar hoofd speelde. Ze speelde het op honderd verschillende manieren, heel snel of juist heel langzaam, en met elke noot kwam ze een stap dichter bij een soort onbestemde klaarheid. Alles aan haar was teer en compact, een en al elegantie, maar wanneer ze haar handen op het klavier legde, brak er iets reusachtigs in haar los. Jaren later, toen ik Lea's brief had gekregen waarin ze me vroeg om bij Joav in het huis aan de Ha-orenstraat in te trekken, bleek haar vleugel daar in een enorme kamer met een gewelfd plafond aan touwen en katrollen te hangen, als een soort kroonluchter. Er ging een verschrikkelijke kracht van uit. De vleugel leek bijna onmerkbaar heen en weer te zwaaien, al was er op die snikhete dag geen zuchtje wind. Lea had een ladder nodig om erop te kunnen spelen. Hoe ze die vleugel daar had weten te krijgen, was me een raadsel. Joav beweerde later dat hij haar niet had geholpen; hij was op een dag de deur uitgegaan en toen hij terugkwam, hing de vleugel daar. Op mijn vraag waarom ze dat gedaan had, gaf hij een vaag antwoord over de zuiverheid van een in de lucht aangeslagen noot, die een fractie van een seconde geen andere invloeden ondervindt. Maar zover ik wist was Lea na de zelfmoord van hun vader helemaal gestopt met pianospelen. Ook als ik elders in het huis was, was ik me steeds bewust van het feit dat de vleugel daar zo spookachtig zweefde, soms troosteloos, soms dreigend, en ik was bang dat hij, op het moment dat hij eindelijk naar beneden stortte – en dat was slechts een kwestie van tijd, totdat de touwen het begaven – het hele huis in zijn val zou meeslepen.

Joavs slaapkamer in het huis aan Belsize Park lag pal onder die van Lea. Het weinige meubilair dat op hun etages stond was daar min of meer permanent, waarschijnlijk omdat het te veel moeite kostte om de spullen steeds van boven naar beneden te sjouwen, of omdat het een opluchting was om ergens een plek te hebben waar hun vader geen invloed kon uitoefenen, althans niet in dat opzicht. In Joavs kamer lag een grote matras, er was een hele wand met boeken, maar dat was het wel zo'n beetje.

De keuken bevond zich een trap lager, op tuinniveau. Vanuit de keuken keek je in de achtertuin, die via een deur aan het einde van een korte gang te bereiken was. Om de deur open te maken moest je eerst het ingewikkelde werk van de daar wonende spinnen kapotmaken; zodra je de deur achter je had dichtgedaan, begonnen ze opnieuw. Bogna, die orthodox-katholiek was, had te veel eerbied voor het leven om die spinnen te doden. De tuin was verwilderd en overwoekerd en stond vol braamstruiken. Het was november toen ik hem voor het eerst zag en alles was op sterven na dood. Ooit moest iemand de tuin hebben beplant en onderhouden, maar zonder toezicht had het stug vasthoudende, weerbarstige plantenleven ongehinderd zijn gang kunnen gaan en hadden alleen de grovere planten en struiken, een dichtbegroeide wirwar, het gered. Het tuinpad had zijn beste tijd gehad. De rododendrons en laurier groeiden in een hoge, donkere haag tegen het zonlicht. Op het gras stond een kaarttafeltje. Op het blad had zich her en der kaarsvet opgehoopt en in een asbak van het Excelsior in Rome lag een plasje vies water. Later, toen het warm werd, maakten we weer gebruik van de tuin en gingen we buiten zitten met een flesje wijn. De staat van de tuin paste goed bij Joav en Lea. Ze hadden gevoel en respect voor het persoonlijke leven van voorwerpen die met rust moeten worden gelaten; voor die voorwerpen hadden ze een groot, afstandelijk respect. Overal in huis lagen spullen die waren vergeten, gevallen of blijven liggen op de plek waar ze ooit waren neergelegd. Soms keek je wekenlang tegen zo'n stilleven aan voordat Bogna het uiteindelijk weghaalde. Ze zette de spullen terug op hun plaats, als die er was, of gooide ze in de vuilnisbak. Ze leek begrip te hebben voor Joav en Lea's voorkeuren en gewoontes, ook al stonden die haaks op de hare. Ze deed net of ze zich doodergerde, door heel hard te zuchten en overdreven met haar slechte been te slepen, maar het was duidelijk dat ze met hen te doen had. Maar per slot van rekening moest Bogna ook haar werk doen. Het was Weisz die haar betaalde en aan wie ze verantwoording moest afleggen als het huis niet goed schoon was wanneer hij eindelijk zijn opwachting maakte.

Voordat hun vader kwam, ging ik altijd met de bus terug naar Oxford. Zijn werk vereiste dat hij een zekere charme en prettige omgangsvormen bezat, maar in werkelijkheid was hij erg op zichzelf, een teruggetrokken man die een soort vestinggracht om zich heen had. Het type dat de suggestie van intimiteit wekt door je het hemd van het lijf te vragen, de namen van je eventuele kinderen te onthouden, of wat je het liefst drinkt, maar die, zo besef je achteraf, als je het al beseft, eigenlijk niets over zichzelf heeft verteld. En waar het zijn gezin betrof, hield hij niet van buitenstaanders. Ik weet niet precies meer hoe me dit was duidelijk gemaakt – het was niet met zoveel woorden gezegd – maar ik wist dat het ten strengste verboden was om bij hen in huis te zijn wanneer hun vader er was. Na zijn bezoek was Joav meestal afstandelijk en mat, en sloot Lea zich uren achtereen op om piano te studeren. Toen mijn relatie met Joav serieuzer werd en ik een vaste plek in het huis aan Belsize Park had verworven, begon het me steeds meer tegen te staan dat ik me elke keer dat hun vader kwam als een ongewenste of afzichtelijke gast uit de voeten moest maken. Dat gevoel werd nog eens verergerd doordat Joav weigerde om me de reden uit te leggen, er eigenlijk niets over kwijt wilde. Hij liet alleen doorschemeren dat er bepaalde ongeschreven regels en verwachtingen waren waar niet aan te tornen viel. Het enige wat ik wist, was dat ik er niet mocht zijn als zijn vader er was. Het versterkte een bepaalde onzekerheid bij mij die vanaf het begin latent in onze relatie aanwezig was: het gevoel dat er altijd een groot stuk van Joav voor mij achtergehouden zou blijven, een ander leven dat hij leidde en waarvan ik nooit deel zou kunnen uitmaken.

Rond januari zat ik bijna dagelijks in de British Library. Het was donker wanneer ik naar Haverstock Hill liep om de ondergrondse te nemen en het was donker wanneer ik 's middags uit de bibliotheek kwam en weer op Euston Road stond. Ik had nog steeds geen nieuw onderwerp voor mijn proefschrift bedacht. Dagen achtereen zat ik doelloos te lezen, zonder veel in me op te nemen, bang dat ik een nieuwe paniekaanval zou krijgen. Ik belde A.L. Plummer, die steeds minder belangstelling voor me leek te hebben, en deelde hem mee welke richting ik op wilde gaan. Aan het werk dan, zei hij, en ik zag hem voor me, op een hoge stapel boeken gezeten, zijn kale kop als die van een slapende aasgier in zijn toga gestopt. Soms ging ik 's ochtends de deur uit met het voornemen naar de bibliotheek te gaan, maar wanneer ik dan bij het station kwam, ontbrak me de moed om met de andere spitsuurreizigers af te dalen in de krochten van de Northern Line, dus liep ik door, kocht in een tentje aan High Street iets voor het ontbijt, snuffelde wat rond in Waterstone's of tussen de smalle schappen van de tweedehandsboekwinkel op Flask Walk, totdat het kwart over elf was en ik me naar Fitzjohns Avenue begaf. Het Freud Museum ging om twaalf uur open. Vaak was ik de enige bezoeker, en de gidsen en de vrouw die de museumwinkel beheerde leken altijd blij om me te zien, en wanneer ik een kamer in ging, trokken zij zich schielijk terug zodat ik rustig in mijn eentje kon rondkijken.

In de middag in Belsize Park gingen Joav en ik, vaak met Lea erbij, naar de bioscoop; soms zagen we twee films achter elkaar, soms bleven we zitten om dezelfde film nog een keer te zien. Of we gingen wandelen op de Heath. Af en toe maakten we een uitstapje – naar de National Gallery, naar Richmond Park of we gingen naar een toneelstuk in het Almeida. Maar de meeste tijd brachten we door in het huis, dat ons aan zich gebonden hield met een kracht die ik niet echt goed kan verklaren, alleen dat het onze wereld was en dat we er gelukkig waren. 's Avonds zaten we te lezen of keken we naar een gehuurde film terwijl Lea piano studeerde, en als het wat later was, trokken we dikwijls een fles wijn open en dan droeg Joav gedichten voor van Bialik, Amichai, Kaniuk of Alterman. Ik vond het heerlijk om naar hem te luisteren als hij in het Hebreeuws voorlas, om hem zo levendig te horen bestaan in zijn moedertaal. En misschien ook omdat ik op die momenten even bevrijd was van de moeite die ik anders moest doen om hem te begrijpen.

Ik was er in ieder geval gelukkig. Op een ochtend was ik me in het donker aan het aankleden, toen Joav zijn hand onder de dekens uit stak en me naar zich toe trok. Jij, zei hij. Ik ging naast hem liggen en streelde zijn gezicht. Laten we ervandoor gaan, zei hij. Waarheen? Ik weet niet. Istanbul? Caracas? En wat gaan we daar doen? Joav deed zijn ogen dicht en dacht na. We beginnen een sapkraam. Een wat? Sap, zei hij. We gaan verse sapjes verkopen. Wat de mensen maar willen. Papaja, mango, kokosnoot. Ik wist dat hij een grapje maakte, maar er lag een smekende blik in zijn ogen. Hebben ze dan kokosnoten in Istanbul? vroeg ik. Die importeren we gewoon, antwoordde hij. Het wordt een enorme rage. De mensen zullen in lange rijen op straat staan. De hele stad wil alleen nog maar ons kokossap, zei ik. Ja, zei hij, en aan het eind van de middag, als we genoeg kokossap naar onze zin hebben verkocht, gaan we terug naar huis, helemaal kleverig en blij, en dan gaan we urenlang vrijen en kleden ons mooi aan, jij in een witte jurk en ik in een wit pak, en gaan we uit, blozend en stralend, en varen de hele nacht in een boot met een glazen bodem over de Bosporus. Wat valt er dan te zien op de bodem van de Bosporus? vroeg ik. Zelfmoordenaars, dichters, door storm verwoeste huizen, zei hij. Ik wil geen zelfmoordenaars zien, zei ik. Goed, ga dan mee naar Brussel. Waarom Brussel? Bevel van hogerhand, zei hij. Wat? vroeg ik. *El Jefe*, zei hij. Je vader? Precies, die. Serieus? vroeg ik. Heb je me ooit niet serieus meegemaakt? zei hij, terwijl hij mijn onderbroekje omlaag trok en onder de dekens verdween.

Af en toe vroeg hun vader aan Joav en Lea om hem met een klusje te helpen, zoals een klant een meubelstuk laten zien, ergens heen rijden om iets op te halen wat hij had gekocht, of namens hem een veiling bijwonen. Het was voor het eerst dat Joav vroeg of ik met hem meeging, wat ik opvatte als een teken dat er iets belangrijks tussen ons was veranderd. Voor het eerst had ik genoeg krediet opgebouwd om aanwezig te zijn bij een privéaangelegenheid van de familie. We namen de auto, een zwarte Citroën DS uit 1974. Wanneer je de auto startte, moest je even wachten totdat de hydraulische pomp in werking trad en de achterkant van de auto omhoogkwam. Voorin was een lange bank uit één stuk, waarop ik dicht tegen Joav aan schoof, die aan het stuur zat. De auto gleed de snelweg op en we hadden het over waar we nog naartoe wilden (ik naar Japan, hij wilde graag het noorderlicht zien), over Hongaars versus Fins, geniale middernachtelijke invallen, de opluchting van falen, Joseph Brodsky, begraafplaatsen (mijn favoriete was San Michele, die van hem Weissensee), het huis van Yehuda Amichai in Jemien Mosje. Joav vertelde dat zijn moeder hem er vroeger, toen hij nog klein was, op attent maakte als ze Amichai in de bus zag of hem op straat zag lopen met zijn plastic manden vol boodschappen van de sjoek. Moet je zien, zei ze dan, een doodgewone man die beladen met boodschappen naar huis loopt, maar tegelijkertijd strijden in zijn ziel alle dromen, het verdriet en de vreugde, de liefde en de spijt, al het wrange verlies van de voorbijgangers op straat om een plekje in zijn woorden. En dan bevonden we ons daar samen, in het Jeruzalem van zijn jeugd. Hij vertelde me over het huis in de Ha-orenstraat, waar het naar beschimmeld papier, vochtige spaarbekkens en kruiden rook, en dat zijn moeder er op slag verliefd op was geworden toen ze jaren daarvoor Een Kerem had bezocht. Het eerste dat zijn vader deed toen hij geld begon te verdienen, was de eigenaar van het huis opzoeken en vragen hoeveel hij ervoor wilde hebben. Op een dag vroeg hij aan zijn vrouw of ze zin had in een wandeling en met een omweg kwamen ze heel toevallig bij het huis aan de Ha-orenstraat, waarop hij de sleutel uit zijn zak haalde en de poort openmaakte, en zij verbijsterd en aarzelend bleef staan, zoals iedereen door aarzelend ongeloof wordt bevangen wanneer een droom opeens werkelijkheid wordt.

Achteraf gezien geloof ik dat ik al die tijd in Engeland nooit gelukkiger ben geweest dan tijdens die autorit, dicht tegen Joav aan gekropen, die praatte en stuurde. Het was jammer dat we al zo snel in Folkestone arriveerden, waar we de auto op de trein zetten en Engeland achter ons lieten. In de tunnel was geen radio-ontvangst en we hadden ook geen cd-speler of cassetterecorder in de auto, maar in de stilte onder het Kanaal zaten we te zoenen, totdat we in Calais weer boven water kwamen. We passeerden borden naar de slagvelden van Ieper en Passendale, maar reden zelf verder naar het oosten, richting Gent. In de buurt van Brussel werd het mistig en terwijl we langs een kanaal reden, vlogen er kraaien op die op slag verdwenen waren toen de armoedige buitenwijken van de stad opdoemden. We verdwaalden in een doolhof van eenrichtingsverkeer, rotondes en brede straten zonder bewegwijzering, of verwarrende bewegwijzering, en we moesten stoppen om de weg te vragen aan een Afrikaanse taxichauffeur. Hij lachte ons uit toen we wegreden, alsof hij iets wist over onze bestemming wat wij niet wisten. We reden door de dure straten van Ukkel naar het zuiden en al snel zaten we weer op binnenwegen met bomen aan weerszijden, die prachtige binnenwegen waarvan de bomen met behulp van passer en liniaal geplant lijken te zijn en die je alleen in Europa ziet, waar schoonheid een kwestie van starre precisie is. Onder het rijden hadden we het over onze toekomst, waar we het zelden over hadden, althans nooit direct, omdat ik met Joav nooit over iets kon praten dat met onze relatie te maken had, terwijl hij indirect over heel gevoelige, intieme dingen kon praten, heel gevaarlijke, pijnlijke, verdrietige dingen, maar ook heel hoopvolle. Wat we precies over onze toekomst zeiden, is moeilijk te zeggen, omdat het in zulke bedekte termen ging, maar we wisselden een gevoel uit, of een verandering van gevoel, alsof we na dagenlang of zelfs maandenlang door sponzig veen te hebben gelopen nu opeens vaste grond onder onze voeten hadden. Een verandering van gevoel die ik toen niet, en ook nu nog niet, zoveel jaar later, goed kan omschrijven.

Het liep al tegen het einde van de middag toen we voor een paar verroeste smeedijzeren hekken stopten. Joav draaide zijn raampje omlaag en drukte op de zoemer van de intercom. Het duurde even voordat er werd gereageerd en hij stond net op het punt om nog een keer aan te bellen toen de hekken tot leven kwamen en langzaam openzwaaiden. We tuften de oprit op en het grind knerpte onder de banden van de Citroën. Wie woont hier? vroeg ik en deed net of ik niet onder de indruk was van het kasteel met de leistenen torentjes dat vanachter reusachtige eiken tevoorschijn kwam, want het laatste wat ik wilde was dat Joav er spijt van kreeg dat hij me had meegenomen. Meneer Leclercq, zei hij, wat de situatie alleen maar lachwekkender maakte, want ik had nog nooit van een Leclercq gehoord, laat staan dat ik wist wie hij was.

Ik ging ervan uit dat iemand die genoeg geld had om in zo'n kast van een huis te wonen dag en nacht butlers en dienstmeisjes om zich heen zou hebben, bedienend personeel in uniform dat hem elke vorm van lichamelijke inspanning uit handen nam. Maar toen we hadden aangescheld, zwaaide er een enorme deur met koperbeslag knarsend open en stonden we oog in oog met Leclercq zelf, die een geruit overhemd met een spencer aanhad en een nietige indruk maakte tegen de achtergrond van een dubbele marmeren trap. Boven zijn hoofd zwaaide een reusachtige glas-in-loodlamp aan een koperen ketting zachtjes heen en weer in de tochtvlaag. Verder was het interieur donker en onbeweeglijk. Leclercq stak naar ons beiden een hand uit, al was ik een seconde of een fractie van een seconde te verlamd om te reageren, omdat ik mijn hersenen afpijnigde aan wie onze gastheer me ook alweer deed denken. Pas toen mijn hand stevig door de zijne was omvat, besefte ik met een ijskoude rilling over mijn rug dat het Heinrich Himmler was. Natuurlijk, het gezicht was ouder geworden, maar de kleine spitse kin, de dunne lippen, het ronde metalen brilletje en vlak boven het montuur dat enorme uitgestrekte platte voorhoofd, een egale vlakte die onevenredig hoog was doorgeschoten, bekroond met een lachwekkend klein, haast verschrompeld toefje haar – er kon geen misverstand over bestaan. Toen hij ons met een bloedeloos lachje begroette, bleek hij kleine, gele tandjes te hebben.

Ik probeerde Joavs blik te vangen, maar volgens mij was hem de gelijkenis ontgaan en hij liep doodgemoedereerd achter Leclercq naar binnen. Leclercq ging ons voor door een lange, glanzend gewreven gang; zijn voeten, die hij in een paar rood velours pantoffels had gestoken, waren schilferig en opgezwollen en er liep een netwerk van dikke aderen over. We kwamen langs een enorme verweerde spiegel in een vergulde lijst, en even werd ons drietal verdubbeld, waardoor de stilte nog griezeliger werd. Waarschijnlijk was Leclercq zich dat ook bewust, want hij draaide zich naar Joav om en begon in het Frans tegen hem te praten – over onze reis, voor zover ik het kon verstaan, en over de grote, eerbiedwaardige eiken op het landgoed, die nog voor de Franse Revolutie waren geplant. Ik rekende uit dat hij, indien de zelfmoord van Himmler in de gevangenis van Lüneburg in scène was gezet en de beroemde foto van het languit op de grond liggende lijk een trucage, nu achtennegentig moest zijn en de krasse knar die voor ons liep was hooguit zeventig. Maar kon hij niet een familielid zijn, zoals Hitler nog familie had wonen in de groene dreven van Long Island, een achterneef of de enige overgebleven neef van de man die de leiding had gehad over de vernietigingskampen, de Einsatzgruppen en de afslachting van miljoenen mensen? Hij bleef voor een dichte deur staan, haalde een zware sleutelring uit zijn broekzak en nadat hij de goede sleutel had gevonden, liet hij ons binnen in een grote gelambriseerde zaal met uitzicht op de tuin, die zich naar alle kanten uitstrekte. Ik keek naar buiten en toen ik me omdraaide, stond Leclercq me zeer geïnteresseerd op te nemen, waarvan ik nogal zenuwachtig werd. Misschien was hij alleen maar blij dat hij weer wat gezelschap had. Hij gebaarde dat we moesten gaan zitten en ging weg om thee te halen. Kennelijk woonde hij alleen in dit onafzienbaar grote pand.

Ik vroeg aan Joav of het hem ook was opgevallen dat onze gastheer als twee druppels water op Himmler leek, waarop Joav in lachen uitbarstte, maar toen hij merkte dat ik geen grapje maakte, zei hij dat het hem niet was opgevallen, al moest hij na enig aandringen van mijn kant toch wel toegeven dat er inderdaad een vage, heel vage gelijkenis was, als je met toegeknepen ogen in een bepaalde lichtval naar de oude man keek. Hij verzekerde me echter dat Leclercq uit een van de oudste adellijke geslachten van België stamde, zelfs een verre nazaat van Karel de Grote was; de vader van zijn moeder was een burggraaf, die onder Leopold II korte tijd eigenaar was geweest van een rubberplantage in Belgisch Congo. Tijdens de Eerste Wereldoorlog was het grootste deel van het familiekapitaal verdampt. Het restant was min of meer opgegaan aan de torenhoge vermogensbelasting, waardoor ze uiteindelijk gedwongen waren al hun landgoederen van de hand te doen. Het enige wat ze hadden overgehouden was Cloudenberg, het geliefde familielandhuis. Van alle broers en zussen leefde alleen Leclercq nog en voor zover Joav wist, was hij nooit getrouwd.

Een aannemelijk verhaal, wilde ik al zeggen, maar op dat moment hoorden we ergens op de gang een donderend geraas, gevolgd door het gerammel of gekletter van blikken of pannen. We liepen op het kabaal af en vonden na een hele poos de grote keuken achter de eetzaal, waar we Leclercq op handen en knieën aantroffen tussen metalen kommen van verschillend formaat die uit de servieskast op hem waren gevallen. Even dacht ik dat hij huilde, maar hij bleek zijn bril kwijt te zijn en zag niets meer. We zochten mee en kropen met z'n drieën over de grond. Ik vond de bril onder een stoel. Een van de glazen was gebarsten en Leclercq deed een aandoenlijke poging de metalen brilpoten recht te buigen. Op het aanrecht stond een blik vanillewafeltjes op een dienblad en toen Leclercq zijn kapotte bril weer op zijn neus had gezet, moest ik toegeven dat zijn gelijkenis met Himmler, eerst nog zo opvallend, al een stuk minder was, en dat de associatie die ik had gemaakt waarschijnlijk voortkwam uit mijn beperkte kennis van de handel waarin Weisz zat.

Misschien kwam het doordat hij de wereld nu anders zag, maar met zijn kapotte bril op leek er iets droevigs uit Leclercq te sijpelen dat als een spoor achter hem aan liep toen wij hem volgden door de lange gangen, over de slingerende tuinpaden, langs geschoren heggen, door de doolhof van buxushaagjes en de trappen op en af (voornamelijk óp) van dat imposante, onaangedane kasteel, dat in de lucht verrees zoals een wolk bloed zich rond een geharpoeneerde zeehond in het water verspreidt. Hij scheen het doel van ons bezoek te zijn vergeten – hij repte met geen woord over de tafel, of misschien was het een ladekast, klok of stoel die we kwamen brengen, en Joav was te beleefd om erover te beginnen. Leclercq leek vooral verdwaald in de zijstraten, bochten en kronkelweggetjes van zijn eigen stem waarmee hij ons de lange geschiedenis van Cloudenberg uit de doeken deed, die al in de twaalfde eeuw was begonnen. Het oorspronkelijke kasteel was verwoest door een brand die in de keuken was ontstaan en zich een weg door de enorme eetzaal en langs de trappen had gevreten, waarbij wandtapijten, schilderijen en jachttrofeeën door de vlammen werden verteerd en de jongste zoon van de kasteelheer, die met zijn voedster op de tweede verdieping ingesloten raakte, was omgekomen. Alleen de gotische kapel, die op een heuvel een eindje verderop stond, werd gespaard. Soms daalde zijn stem tot fluistertoon en kon ik hem amper verstaan. Ik had het idee dat als we op dat moment stilletjes waren weggeslopen, op onze schreden teruggekeerd en in de Citroën de lange oprijlaan weer waren af gereden, Leclercq het waarschijnlijk niet eens in de gaten had gehad, doordat hij volkomen opging in de lange, ingewikkelde gebeurtenissen, de geheimen, triomfen en teleurstellingen van Cloudenberg. Met zijn gekke kapotte bril, zijn droge, opgezette voeten, zijn hoge, misleidende voorhoofd had hij in mijn ogen wel wat van een non, gek genoeg, een non die zich niet met lichaam en ziel aan God had verbonden, maar aan de strenge stenen van Cloudenberg.

Pas tegen de avond was de rondleiding (als je het zo kon noemen) eindelijk afgelopen. We gingen met z'n drieën om de gebutste houten tafel in de keuken zitten waar de koks ooit bouten en biefstukken hadden staan hakken voor de geweldige festijnen die de burggraaf had aangericht. Leclercq zag er bleek en afgemat uit, bijna leeg, alsof de Leclercq in Leclercq was opgestaan en de vurige zonsondergang van de twaalfde, dertiende of veertiende eeuw tegemoet was gelopen. Neem me niet kwalijk, zei hij, jullie zijn vast uitgehongerd, en hij stond op om in de koelkast te kijken, een apparaat dat er misplaatst uitzag tussen zoveel geschiedenis. Hij leek opeens met zijn been te trekken; misschien had ik dat eerder niet opgemerkt, hoewel dat onwaarschijnlijk was, want ik had de hele middag vlak achter hem gelopen. Of het was zo'n kreupele gang die met vermoeidheid of een bepaald weertype erger wordt. Laat mij maar, zei ik, en hij wierp me een dankbare blik toe. Isabel is een geweldige kok, zei Joav. Ze kan van niets een feestmaal maken.

Leclercq liep weg en kwam terug met een fles wijn. Ik maakte een quiche, en terwijl die in de oven stond, dekte ik de tafel. Achteraf besefte ik pas dat ik de vorken en messen verkeerd om had gelegd, en toen we aan tafel gingen, verstijfde Leclercq, alsof hem een raadsel was voorgeschoteld waarvan hij niet de hoop had het ooit te kunnen oplossen, maar even later legde hij de ene pols sierlijk over de andere, met al zijn adellijke wellevendheid, en nam het bestek in de juiste handen. Na de eerste hap slaakte hij een hoorbare zucht, de stroefheid verdween en nadat hij wat eten en wijn ophad, leek hij weer wat meer in zijn oude doen.

Na het eten bracht Leclercq ons naar onze kamer. Mocht er sprake van zijn geweest dat we bleven logeren, dan was mij dat geheel ontgaan. Maar toen we klaar waren met eten, was het al tien uur en toch hadden we het nog steeds niet gehad over het doel van ons bezoek, wat dat ook was. We hadden een weekendtas gepakt, omdat we van plan waren op de terugweg in een knus pensionnetje te logeren. Joav ging de bagage uit de auto halen, zodat ik alleen achterbleef met Leclercq, die druk bezig was met het beddengoed, ondertussen iets brommend over het dienstmeisje dat een vrije dag had.

Joav en ik poetsten naast elkaar onze tanden in een enorme badkamer die aan onze slaapkamer grensde, met een bad waar een paard in kon. In bed begonnen we te zoenen. Iz, wat moet ik toch met je beginnen? fluisterde hij in mijn haar. Ik ging lepeltje-lepeltje tegen hem aan liggen. In plaats van te vrijen, zoals we bijna elke avond deden, begon Joav fluisterend in mijn oor te praten. Hij vertelde me nog meer verhalen over zijn jeugd in Jeruzalem, dingen die hij nog niet eerder had verteld, alsof hij vrijer kon spreken nu hij niet thuis in Belsize Park was. Hij vertelde me over zijn moeder, die actrice was geweest tot ze zwanger van hem raakte. Na zijn geboorte had ze het acteerwerk niet meer opgepakt, maar soms, wanneer ze naar een foto uit die tijd keek, zag hij in haar blik een zweem van de dingen die ze hem had kunnen vertellen. Toen ze nog leefde, legde hij uit, fungeerde zijn moeder als een soort buffer tussen hen en hun vader. Uit haar mond klonken zijn bevelen minder hard en ze wist de dingen die hij hun opdroeg altijd minder zwaar te maken.

Uren later werd ik badend in het zweet wakker. Ik stond op om water uit de kraan te drinken en besefte dat ik klaarwakker was en niet meer in slaap zou kunnen vallen, zoals wel vaker gebeurt wanneer ik midden in de nacht wakker word. Ik wilde Joav niet wakker maken door het leeslampje aan te knippen, dus pakte ik op de tast mijn boek – iets van Thomas Bernard, ik weet niet meer precies wat – en sloop de kamer uit. Glazig aangestaard door zes of zeven opgezette hertenkoppen liep ik de gang door. Boven aan de trap hing een werkje van Breughel, waar Leclercq ons eerder die dag attent op had gemaakt. Het was zo'n wintertafereel met grijs ijs, witte sneeuw en zwarte bomen, dat onder de voet wordt gelopen door een invasie van menselijk leven. Het was een uiterst verfijnd geschilderde scène, waarin zelfs de kleinste levensvorm aandacht had gekregen en alles van alle kanten was beschouwd: minutieuze tafereeltjes van jolijt en wanhoop; gezien vanaf deze afstand door de telescopische ogen van de kunstenaar hadden ze zowel iets onheilspellends als iets koddigs. Ik deed een stapje naar voren om het beter te bekijken. In een hoekje stond een man tegen de muur van een huis te pissen, terwijl in het raam erboven een potige vrouw met een opgeblazen gezicht zich vooroverboog om een pan water over zijn hoofd uit te gieten. Even verderop was een man met een hoed door het ijs gezakt terwijl alle anderen gewoon vrolijk rondschaatsten zonder iets in de gaten te hebben – alleen een klein jongetje had het ongeluk gezien en probeerde de verdrinkende man het uiteinde van zijn stok aan te reiken. Op dat moment was het tafereel stilgezet: de jongen die vooroverleunt, de stok die wordt aangereikt maar nog niet is aangepakt, en opeens spitst het hele tafereel zich toe op dat donkere gat dat wachtte om het op te slokken.

In de keuken tastte ik naar het lichtknopje. Toen ik dat eindelijk had gevonden, kreeg ik haast een hartverzakking want daar zat, geknield op een stoel aan de houten tafel met het gekraste blad, een witharig jongetje op een kippenpoot te kluiven. Wie ben jij? vroeg ik, of riep ik, al was die vraag voornamelijk retorisch omdat ik bijna zeker wist dat hij het elfachtige jochie was dat ik net op de Breughel had gezien en dat hier wat te eten kwam halen. De jongen, die hooguit acht of negen was, veegde nonchalant met de rug van zijn hand over zijn vettige gezichtje. Hij had een Spiderman-pyjama aan en aan zijn voeten zaten afgetrapte sloffen. Gigi, zei hij. Dat leek me een ongebruikelijke naam voor een jongen. Maar ik moest het ermee doen, want Gigi sprong van zijn stoel, gooide de botjes in de vuilnisbak en verdween in de bijkeuken. Even later kwam hij naar buiten met zijn arm diep in een blik koekjes. Hij haalde er een koekje uit en bood mij dat aan. Ik schudde mijn hoofd, waarop Gigi zijn schouders ophaalde, zelf zijn tanden in het koekje zette en bedachtzaam begon te kauwen. Zijn haar zat in de war en in zijn nek zat een grote klit, alsof het in geen weken was gekamd. *Tu as soif*? vroeg hij. Wat? zei ik. Hij deed net of hij een slok uit een onzichtbaar glas nam. O, zei ik, nee. En toen onzinnig: Weet meneer Leclercq dat je hier bent? Hij fronste. *Eh*? zei hij. Meneer Leclercq? Weet hij dat je hier bent? *Tonton Claude*? vroeg hij. Ik deed mijn best te begrijpen wat hij zei. *Mon oncle*? zei hij. Is hij je óóm? Dat leek me nauwelijks denkbaar. Gigi nam nog een hap van zijn koekje en veegde een witblonde lok uit zijn ogen.

Knabbelend aan zijn koekje ging Gigi me voor de trap op, zo'n behendig lichtgewicht kind, of misschien leek dat maar zo in het donkere, deprimerende interieur van Cloudenberg. Op de overloop van de eerste verdieping keek ik even naar de Breughel om te checken of het jochie weg was en de man met de hoed verdronken. Maar de figuurtjes waren te klein en ik stond te veraf om het goed te kunnen zien. Bovendien was Gigi al doorgelopen, de hoek om. Toen hij het koekje ophad, veegde hij de kruimels op zijn gepilde pyjamabroek, haalde een speelgoedautootje uit zijn zak en reed daarmee heen en weer langs de plint. Daarna liet hij het weer in zijn zak glijden en pakte mijn hand. We liepen over de ene lange gang na de andere, gingen deuren door en trappen op, en terwijl Gigi voor me uit sprong, slenterde of holde en soms terugrende om mijn hand te pakken, begon ik langzaam mijn richtingsgevoel te verliezen, wat geen onaangename gewaarwording was. De omgeving werd allengs minder rijk versierd, totdat we op het laatst een smalle houten wenteltrap op gingen, almaar hoger, en ik besefte dat we in een van de kasteeltorens waren. Bovenin was een kamertje met vier smalle ramen, uitkijkend op de vier windstreken. In een van de ramen zat een kapotte ruit waar de wind doorheen blies. Gigi deed een lamp aan waarvan de kap beplakt was met stickers van dieren en regenbogen, die iemand er, uit verveling wellicht, had proberen af te krabben. Op de vloer lagen dekens, een kussen met een verschoten gebloemde sloop en een hoopje groezelige knuffels, in de vorm van een soort rommelig nest. Verder lag er een oud half brood en er stond een potje jam zonder deksel. Ik had het gevoel of we in zo'n dierenhol uit een kinderboek waren beland, vol met knusse meubeltjes, met alle attributen van het menselijk leven op miniatuurschaal; alleen hadden we er niet voor onder de grond hoeven af te dalen maar de hoogte in moeten gaan. Maar in plaats van warmte en gezelligheid straalde deze dierlijke schuilplaats van de jongen juist afzondering en eenzaamheid uit. Gigi liep naar een van de ramen, keek naar buiten en huiverde, en opeens zag ik in gedachten ons torentje van buitenaf, een spiegelend glazen hokje waarin zich twee experimenten in menselijk leven bevonden, dobberend op een donkere zee. Op de vensterbank stonden drie of vier tinnen soldaatjes, met afgebladderde verf, in verstarde vechthouding. Ik had zin om mijn arm om de jongen heen te slaan, om te zeggen dat alles goed zou komen, misschien niet volmaakt, een en al geluk, maar genoeg om tevreden mee te zijn. Maar ik maakte geen aanstalten om hem aan te raken of te troosten, en ik zei niets tegen hem, omdat ik bang was hem aan het schrikken te maken en omdat ik de juiste woorden in het Frans niet wist. Op een van de muren was een foto geplakt van een vrouw met woest haar en een sjaal om haar hals. Gigi draaide zich om en zag dat ik ernaar keek. Hij kwam naar me toe, haalde de foto van de muur en legde hem onder zijn kussen. Daarna schoof hij onder de stapel dekens, rolde zich op tot een bal en viel in slaap.

Ook ik viel in slaap. Toen ik voor de tweede keer die lange nacht wakker werd, lag Gigi als een poes dicht tegen me aan en was het buiten al licht aan het worden. Omdat ik hem niet alleen wilde laten, tilde ik hem zo voorzichtig mogelijk op. Ik had zelf geen zusjes of broertjes en hij was, voor zover ik me kon herinneren, het eerste kind dat ik ooit had opgetild en gedragen, en het verbaasde me hoe licht hij was. Jaren later, wanneer ik mijn eigen zoon – die van Joav en mij – optilde, moest ik soms opeens weer aan Gigi denken. Hij bewoog zich, mompelde iets onverstaanbaars, zuchtte en viel weer in slaap tegen mijn schouder. Ik droeg hem met zijn slappe bovenlijf en bungelende benen de trap af, ging deuren door en gangen af tot ik door een wonderbaarlijke toevalligheid of handige sluiproute via een lage deur op een gangetje uitkwam dat naar de grote hal leidde waar Leclercq ons welkom had geheten onder de enorme glazen lamp die als het zwaard van Damocles heel zachtjes boven zijn hoofd heen en weer had gezwaaid, althans zo was het op me overgekomen, bang als ik was in het nachtelijke kasteel, waar ik alleen maar durfde rond te lopen omdat ik Gigi's warme, zachte adem tegen mijn oor voelde blazen. Ik nam dezelfde weg die Joav, Leclercq en ik de vorige dag hadden genomen. Ik kwam opnieuw langs de grote spiegel en verwachtte min of meer dat de jongen er niet in weerspiegeld zou worden, als een geest, maar nee, in het weinige licht dat er was, onderscheidde ik de contouren van twee personen. Toen ik bij de deur kwam, of wat volgens mij de deur was die Leclercq voor ons had opengemaakt om ons het uitzicht op de tuin te laten zien, verplaatste ik Gigi naar mijn andere arm en legde mijn hand op de deurklink. Die gaf gemakkelijk mee. Waarschijnlijk was Leclercq vergeten hem op slot te doen, dacht ik, en ik ging de kamer in met het idee om eventjes in het vroege grijze ochtendlicht naar de tuin te kijken, een licht waar ik dol op ben vanwege de rafelige broosheid die alles erdoor krijgt. De kamer waarin ik me nu bevond was echter donker en had geen uitzicht, liever gezegd, het uitzicht was door dikke gordijnen aan het oog onttrokken, en het leek me niet waarschijnlijk dat Leclercq voor hij ging slapen was teruggegaan om de gordijnen dicht te doen. Na een paar seconden begon het me te dagen dat deze kamer veel groter was dan die andere, dit was meer een zaal dan een kamer, en ik werd me ervan bewust dat zich in de schaduwen zwijgende figuren ophielden, schaduwen die, zo kon ik al snel zien, gevuld waren met lange rijen gedaanten van verschillende afmetingen die één grote, sombere uitdijende massa leken te vormen, helemaal tot aan de uithoeken van deze zaal met zijn koepel. Hoewel ik niet veel kon zien, voelde ik instinctief wat die gedaanten waren. Ik moest opeens denken aan een foto die ik jaren daarvoor was tegengekomen bij mijn onderzoek naar het werk van Emanuel Ringelblum in het kader van een geschiedeniswerkgroep: een plaatje van een grote groep Joden op de

Umschlagplatz, het grote verzamelpunt vlak bij het getto van Warschau, die daar op hun hurken, op vormeloze bagage of gewoon op de grond op hun deportatie naar Treblinka zaten te wachten. Die foto had destijds grote indruk op me gemaakt, niet alleen vanwege de zee van ogen die allemaal op de camera waren gericht, waardoor de suggestie werd gewekt dat de sfeer zo berustend was dat de fotograaf zichzelf verstaanbaar had kunnen maken, maar ook vanwege de weloverwogen compositie waarover de fotograaf duidelijk zorgvuldig had nagedacht, de aandacht voor de manier waarop de bleke gezichten, bekroond met donkere hoeden, zich herhaalden in het schijnbaar oneindige patroon van lichte en donkere bakstenen in de muur achter hen die iedere uitweg versperde. Achter die muur stond een rechthoekig gebouw met rijen vierkante ramen. Het geheel straalde een zo sterke geometrische ordening uit dat het haast vooropgezet leek, een geheel waarin de doodgewone stoffering – Joden, bakstenen en ramen – haar eigen, onherroepelijke plaats had. Toen mijn ogen aan het donker waren gewend, zag ik duidelijk – in plaats van een vaag instinctief vermoeden te hebben – dat het tafels, stoelen, secretaires, koffers, lampen en bureaus waren die in de zaal in de houding stonden, alsof ze op bevelen wachtten. En ik wist opeens waarom ik uitgerekend op dat moment aan die foto van de Joden op de Umschlagplatz had moeten denken: ik herinnerde me namelijk dat ik tijdens diezelfde onderzoeksperiode was gestuit op een aantal foto's van synagoges en Joodse magazijnen die gebruikt waren als depot voor de meubels en andere huisraad die de Gestapo uit de huizen van gedeporteerde of vermoorde Joden had geroofd, foto's met daarop enorme legers van omgekeerde stoelen, als een eetzaal na sluitingsuur, torens opgevouwen linnengoed en planken vol met verschillende soorten zilveren lepels, vorken en messen.

Ik weet niet hoe lang ik daar zo stond, aan de rand van dat veld met ongebruikte meubels. Maar Gigi begon zwaar te worden in mijn armen. Ik deed de deur achter me dicht en wist de weg naar onze kamer te vinden. Joav sliep nog en ik legde Gigi naast hem op het bed en bleef een tijdje naar ze kijken, twee jongens zonder moeder, die naast elkaar lagen te slapen. Ergens onder in mijn buik knarste en wrong het. Ik besefte dat ik degene was die over hen moest waken en dat deed ik dan ook, terwijl de hemel langzaam lichter werd. Nu ik hieraan terugdenk, heb ik het gevoel dat de ziel van het kind dat Joav en ik later kregen – de ziel van kleine David – op dat moment zachtjes, onopgemerkt door de kamer trok. Mijn oogleden werden zwaar en vielen dicht. Toen ik wakker werd, was het bed leeg en hoorde ik de douche in de badkamer. Joav kwam frisgeschoren in een wolk stoom naar buiten. Gigi was nergens te bekennen en toen Joav niet over hem begon, hield ik ook maar mijn mond.

Het ontbijt werd in de kleinste van de twee eetkamers opgediend, op een tafel die nog altijd groot genoeg was voor zestien tot twintig gasten. Gedurende de nacht of vroege ochtend was Kathelijn, het dienstmeisje, teruggekomen. Leclercq ging aan het hoofd van de tafel zitten, in dezelfde spencer die hij de vorige dag aanhad, maar nu met een grijs sportjasje erover. Ik keek hem vorsend aan of ik iets wreeds in zijn gezicht kon bespeuren, maar het enige wat ik zag waren de afgeleefde trekken van een oude man. In het daglicht kwamen mijn fantasieën over de zaal met meubels me idioot voor. De voor de hand liggende conclusie was dat het de verzameling meubels was uit de vele landhuizen die vroeger van de familie Leclercq waren geweest, voordat ze failliet gingen en hun grondbezit hadden moeten verkopen, of misschien hadden ze gewoon alle spullen in de ongebruikte kamers van het kasteel naar die ene zaal overgebracht.

Gigi was nergens te bekennen. Het dienstmeisje verscheen tijdens de verschillende stadia van het ontbijt, maar trok zich steeds schielijk terug in de keuken. Ik had het idee dat zij me met enig misprijzen bekeek, maar zeker weten deed ik dat niet. Tegen het einde van de maaltijd richtte onze gastheer het woord tot mij. Ik heb gehoord dat je mijn achterneefje hebt ontmoet, zei hij. Joav trok een verbaasd gezicht. Leclercq ging verder: Ik hoop dat je geen last van hem hebt gehad. 's Nachts krijgt hij vaak honger. Normaal gesproken zet Kathelijn iets lekkers bij zijn bed. Dat ben ik zeker vergeten. Over wie hebben jullie het? vroeg Joav, die heen en weer zat te kijken, van mij naar Leclercq en weer terug. De zoon van mijn nichtje, zei Leclercq, boter op zijn toast smerend. Logeert hij hier? vroeg Joav. Hij woont hier sinds vorig jaar, zei Leclercq. Ik ben dol op hem. Het is een hele verandering dat er nu opeens een kind door het huis holt. En zijn moeder dan? viel ik hem in de rede. Er viel een ongemakkelijke stilte. Met een strakgespannen gezicht roerde Leclercq met een zilveren lepeltje in zijn koffie. Die bestaat niet meer voor ons, zei hij.

Het was duidelijk dat daarmee het onderwerp was afgedaan, en na een penibele stilte verontschuldigde Leclercq zich dat hij er zo snel vandoor ging, maar, zo legde hij uit, hij moest naar het dorp om zijn bril te laten maken. Hij stond abrupt op en vroeg of Joav met hem mee wilde lopen, zodat ze konden overleggen over het meubelstuk waarvoor we die lange reis hadden ondernomen. Ik bleef alleen achter. Ik stond op en nam een kijkje in de keuken, in de hoop dat ik Gigi zou treffen. Ik vond het een verdrietige gedachte dat ik hem niet meer zou zien. Er stond een dienblad met een kinderbeker en kinderkommetje, maar verder was de keuken leeg.

We laadden onze bagage in de kofferbak van de Citroën. Op de achterbank stond een grote kartonnen doos. Leclercq kwam ons uitzwaaien. Het was een onbewolkte winterdag, alles was helder en scherp afgetekend tegen de lucht. Ik keek omhoog naar de kasteeltorentjes, in de hoop iets te zien bewegen, misschien zelfs het gezicht van de jongen, maar de ramen waren wit en ondoorzichtig in het zonlicht. Kom nog eens langs, zei Leclercq, al zouden we dat natuurlijk nooit meer doen. Hij hield het portier voor me open en sloeg het onnodig hard dicht, zodat de raampjes van de oude auto rammelden. Toen we wegreden, draaide ik me om om naar onze gastheer te zwaaien. Hij stond daar onbeweeglijk, dwaas en triest met zijn kapotte bril, met op de achtergrond de enorme scheepsromp van Cloudenberg, die door een soort vervorming van perspectief steeds hoger leek op te rijzen alsof het een gezonken schip was dat langzaam uit de diepten van de zee verrees, maar toen maakte de oprijlaan een bocht en kon ik hem achter de bomen niet meer zien.

Op de terugweg zeiden Joav en ik niet veel, we waren verdiept in onze eigen gedachten. Pas toen we de sombere buitenwijken van Brussel achter ons hadden gelaten en weer op de snelweg waren, vroeg ik waarom zijn vader hem nou precies hierheen had gestuurd. Hij keek even in het achteruitkijkspiegeltje en liet een auto passeren. Een schaaktafeltje, zei hij. We moeten ook over andere dingen hebben gepraat, maar ik kan me niet meer herinneren wat die waren.

In de daaropvolgende maanden ontwikkelden Joav, Lea, ik en zelfs Bogna, die nog niet was opgestapt, een vast dagritme. Lea zat als een bezetene stukken van William Bolcom en Debussy in te studeren voor haar eerste pianorecital in de Purcell Room, ik verdeed mijn tijd in de bibliotheek, Joav was hard aan het leren voor zijn tentamens en Bogna kwam en ging, zette alles weer terug op zijn plaats. In het weekend huurden we een stapel video's. We aten als we zin hadden en sliepen als we zin hadden. Ik was er gelukkig. Wanneer ik eerder wakker was dan de rest, liep ik weleens met een deken om me heen door de kamers of dronk ik thee in de lege keuken. Ik was bevangen door een uniek gevoel: het idee dat de wereld, die normaal gesproken zo overweldigend en onbevattelijk was, nu opeens een ordening had, hoe vaag ook, waarin ik mijn eigen plekje had.

En toen, op een regenachtige avond begin maart, ging de telefoon. Soms leken Joav en Lea nog voordat ze hadden opgenomen te weten dat het hun vader was; dan wisselden ze een snelle, veelbetekenende blik uit met elkaar. Het was Weisz, die vanaf het station in Parijs belde dat hij 's avonds zou aankomen. De spanning in het huis werd meteen om te snijden; Joav en Lea werden onrustig en zenuwachtig, zwierven van de ene kamer naar de andere en liepen de trappen op en af. Als we nu naar Marble Arch gaan, kun je om halftien terug in Oxford zijn, zei hij. Ik werd hels. We kregen ruzie. Ik beweerde dat hij zich voor me schaamde en me voor zijn vader wilde verbergen. Ik voelde me opeens weer de dochter van ouders die de mooie zitbank met een plastic hoes hadden afgedekt, een hoes die er alleen voor bezoek werd afgehaald. De dochter van ouders die een beter leven wilden maar niet vonden dat ze er recht op hadden, die zich hadden geschikt in het idee dat alles altijd vlak boven hen hing, net buiten bereik – niet alleen in materieel opzicht maar ook geestelijk, dat deel van de geest dat naar tevredenheid, ja, naar geluk streeft – en ondertussen ijverig hun teleurstelling in stand hielden. Ik zag niet alleen mezelf in het verkeerde licht, maar ook Joav: iemand die uit een beter milieu kwam en misschien wel heel veel van me kon houden, maar er uiteindelijk alleen als tijdelijk gastheer voor me kon optreden. Achteraf besef ik hoezeer ik me vergiste en is het pijnlijk om te bedenken hoe blind ik was voor de pijn van Joav.

We maakten ruzie, maar wat we precies tegen elkaar zeiden weet ik niet meer, aangezien de directe aanleiding waarmee onze ruzies altijd begonnen door Joav meteen werd omgebogen tot iets indirects. Dat constateerde ik altijd pas achteraf: hij sneed iets aan, ging er met mij over in discussie, schoot in de verdediging, zonder dat hij het onderwerp concreet aan de orde stelde of benoemde. Maar deze keer zette ik mijn hakken in het zand en hield vol. Op het laatst was Joav zo moe of wist hij niet meer welke argumenten hij nog meer kon aanvoeren dat hij mijn polsen pakte, me tegen de bank drukte en me zo hard begon te kussen dat ik geen woord meer kon uitbrengen. Een poosje later hoorden we de voordeur opengaan en klonken Lea's voetstappen op de trap. Ik trok mijn spijkerbroek omhoog en knoopte mijn blouse dicht. Joav zei niets, maar alleen al de gekwetste blik in zijn ogen bezorgde me een schuldgevoel.

Weisz stond in de betegelde vestibule, met gepoetste schoenen aan en een wandelstok met een zilveren knop in zijn hand; de schouders van zijn wollen jas glommen van de regen. Het was een klein mannetje, kleiner en ouder dan ik had verwacht, heel klein en heel iel, alsof het innemen van ruimte een compromis was waar hij zich bij had neergelegd maar weigerde gebruik van te maken. Het was amper te geloven dat dit de man was voor wie Joav en Lea zo sidderden. Maar toen hij zich omdraaide om me aan te kijken, waren zijn ogen alert, kil en indringend. Hij riep de naam van zijn zoon zonder zijn blik van mij af te wenden. Joav liep op een holletje voor me uit, alsof hij de eventuele conclusie die zijn vader kon trekken wilde onderscheppen, of door een paar zinnetjes in hun eigen taal wilde ontkrachten. Weisz pakte het hoofd van Joav vast en kuste hem op beide wangen. Ik vond het een verrassende gevoelsuiting; ik had mijn eigen vader nog nooit een andere man zien zoenen, niet eens zijn eigen broer. Weisz zei zacht iets in het Hebreeuws tegen Joav, met een blik over zijn schouder naar mij – iets in de trant van dat hij ons ergens in had gestoord, nam ik aan, want Joav ontkende het meteen hoofdschuddend. En om het verschrikkelijke misverstand recht te zetten, zo kwam het althans over, hielp Joav zijn vader uit zijn jas en pakte voorzichtig zijn arm vast om hem naar binnen te leiden. Lea was aan de kant blijven staan alsof ze duidelijk wilde maken dat dit gênante voorvalletje, dit misverstand dat in loshangend shirt en op sportschoenen onbeholpen op de trap stond, haar totaal niet aanging.

Dit is Isabel, een vriendin uit Oxford, zei Joav toen ze bij de trap waren, en even dacht ik dat hij met zijn vader verder de gang door zou lopen, alsof het hele huis vol gasten was en ik toevallig de eerste was die aan hem werd voorgesteld. Maar Weisz liet Joavs arm los en posteerde zich voor mij. Ik kwam de laatste treden van de trap af, als een soort onhandige debutante, omdat ik ook niet wist wat ik anders moest.

Wat leuk u eindelijk te ontmoeten, zei ik. Joav heeft me zoveel over u verteld. Weisz' gezicht vertrok even en hij nam me met een vorsende blik op. In de stilte trok mijn maag samen. Toch heeft hij helemaal niets over jou verteld, zei hij. Toen glimlachte hij, althans zijn mondhoeken gingen een fractie omhoog in een uitdrukking die zowel vriendelijk als ironisch kon zijn. Mijn kinderen vertellen me heel weinig over hun vrienden, zei hij. Ik keek even opzij naar Joav, maar de man die me even daarvoor nog zo hard had geneukt was veranderd in iets maks en gedwees, bijna als een kind. Met hangende schouders stond hij de knopen van zijn vaders jas te bestuderen.

Ik wilde net de deur uit gaan om de bus naar Oxford te halen, zei ik. Nu nog? Weisz trok zijn wenkbrauwen op. Het giet van de regen. Ik weet zeker dat mijn zoon met alle liefde een bed voor je wil opmaken, ja toch, Joav? zei hij terwijl hij me strak bleef aankijken. Dat is ontzettend aardig, maar ik moet er echt vandoor, zei ik, want intussen had ik er helemaal geen trek meer in om te blijven en mijn positie te verdedigen. Ik moest zelfs de neiging onderdrukken om langs Weisz te rennen, de deur uit, terug naar de wereld van straatlantaarns, auto's en Londense zebrapaden in de regen. Ik heb morgen een afspraak, loog ik. Dan neem je toch de eerste bus, zei Weisz. Ik zocht met mijn ogen steun bij Joav, in ieder geval een aanwijzing hoe ik me hieruit moest redden zonder bot over te komen. Maar hij ontweek mijn blik. Lea was ook gebiologeerd door iets op het manchet van haar blouse. Het is echt geen enkele moeite om vanavond nog te gaan, zei ik slapjes, waarschijnlijk omdat ik inmiddels ook doorkreeg hoe moeilijk het was om nee te zeggen tegen hun vader.

We gingen in de woonkamer zitten – Joav en ik in een rechte stoel en Weisz op een lichtgekleurde zijden sofa. De wandelstok met de zilveren knop, een ramskop met gekrulde hoorns, lag op het kussen naast hem. Joavs blik was onafgebroken op zijn vader gericht, alsof diens aanwezigheid al zijn aandacht en concentratie vergde. Weisz gaf Lea een doos met een lint erom. Ze maakte hem open en er viel een zilverkleurige jurk uit. Trek eens aan, zei Weisz gebiedend. Ze liep met de jurk over haar arm de kamer uit. Toen ze terugkwam, omgetoverd in iets sierlijks dat glinsterde en licht weerkaatste, had ze een dienblad in haar handen met daarop een glas sinaasappelsap en een kom soep voor haar vader. Vind je hem mooi? vroeg Weisz op dwingende toon. Nou, Joav? Ziet ze er niet prachtig uit? Lea glimlachte flauwtjes en gaf haar vader een kus op zijn wang, maar ik wist dat ze de jurk nooit zou dragen, dat hij achter in haar kast zou worden gehangen, bij alle andere jurken die haar vader voor haar gekocht had. Ik vond het vreemd dat haar vader, die zoveel wist van het leven van zijn dochter, niet doorhad dat ze geen belangstelling had voor de opzichtige kleren die hij altijd voor haar kocht, kleren voor een leven dat ze niet leidde.

Onder het eten stelde Weisz vragen aan zijn kinderen, waarop ze gehoorzaam antwoord gaven. Hij wist van Lea's aanstaande pianorecital en dat ze nu bezig was een Bach-cantate in te studeren, in een bewerking van Liszt. Verder wist hij dat een van haar pianodocenten, een Rus die nog les had gegeven aan Jevgeni Kissin, verlof had opgenomen en door een ander was vervangen. Hij vroeg naar de nieuwe docent, waar hij vandaan kwam, of hij goed was, of ze hem aardig vond en hij hoorde de antwoorden met een ongewone ernst aan – het leek of hij luisterde met de impliciete boodschap dat als zijn dochter niet honderd procent tevreden was, de verantwoordelijke personen door hem op het matje zouden worden geroepen, alsof hij er met één telefoontje, een hangend dreigement, voor kon zorgen dat die arme nieuwe docent de laan uit werd gestuurd en dat de vertrokken Rus, die in Zuid-Frankrijk herstellende was van een zenuwinzinking, zo snel mogelijk terugkwam om zijn lessen te hervatten. Lea bezwoer hem dat de nieuwe docent uitstekend was. Op de vraag wat haar plannen voor het weekend waren, antwoordde ze dat ze naar het verjaardagsfeestje van haar vriendin Amalia ging. Maar ik had haar nog nooit over ene Amalia gehoord en zolang ik in het huis woonde, had ik ook nog nooit meegemaakt dat Lea naar een feestje ging.

In zijn lange, uitgezakte gezicht zag ik weinig terug van zijn kinderen. Misschien dat er ooit gelijkende trekken waren geweest, maar die waren door alles wat hem in het leven was overkomen onherkenbaar vervormd. Hij had dunne lippen, zware oogleden over waterige ogen, bobbelige, blauwe aderen op zijn slapen. Alleen de neus was hetzelfde, lang met de hoge, gebogen neusvleugels die altijd opengesperd waren. Of Joav en Lea hun kastanjebruine haar van hem hadden was niet te zeggen, want hij had alleen nog wat dun peper-en-zouthaar dat van zijn hoge, gladde voorhoofd was weggekamd. Nee, de last van zijn erfenis was niet duidelijk zichtbaar in het uiterlijk van zijn kinderen.

Weisz, die tevreden was met de antwoorden van Lea, richtte zich nu tot Joav en vroeg hoe het met de voorbereiding van zijn tentamens ging. Joav antwoordde in soepele volzinnen, alsof hij iets opzei dat hij speciaal voor dit kruisverhoor had bedacht. Net als Lea deed hij heel erg zijn best om zijn vader ervan te verzekeren dat alles prima in orde was, dat er geen enkele reden tot paniek of ongerustheid was. Met groeiende verbazing zat ik hem aan te horen. Ik wist toevallig dat Joav zijn begeleider een arrogante charlatan vond, en dat de begeleider op zijn beurt had gedreigd om Joav van de universiteit te sturen als hij niet snel met concreet bewijs kwam van het werk waar hij naar eigen zeggen mee bezig was. Hij loog glashard, zonder het minste spoortje schuldgevoel, en ik vroeg me af of hij desnoods ook tegen mij zo zou liegen. Maar het ergste was nog dat ik, kijkend naar Weisz, die met de lepel in zijn lange kromme vingers hongerig zijn soep naar binnen werkte, overmand werd door schuldgevoel vanwege de leugens die ik mijn eigen ouders op de mouw had gespeld. Niet alleen had ik gelogen over de geweldige dingen die ik zogenaamd in Oxford meemaakte, maar ook dat ik daar überhaupt was. Omdat ik wist dat mijn vader nooit een koopje kon laten lopen, had ik een verhaal verzonnen dat je met een speciale telefoonkaart goedkoop met Amerika kon bellen. En dankzij deze opzet kon ik nu elke zondag hen bellen in plaats van zij mij. Mijn ouders waren gewoontedieren en ik wist dat ze alleen in noodgevallen van tradities afweken. Voor alle zekerheid belde ik elke avond mijn antwoordapparaat op Little Clarendon Street. Terwijl ik naar Weisz keek, dacht ik aan mijn eigen ouders, hoe ze elke zondagochtend gespannen bij de telefoon zaten, mijn moeder bij het toestel in de keuken en mijn vader in de slaapkamer, en werd ik verteerd door wroeging en verdriet.

Ten slotte veegde Weisz zijn mond af en wendde zich tot mij. Er gleed een straaltje zweet naar het kuiltje van mijn borst. En jij, Isabel? Wat studeer jij? Literatuurwetenschap, antwoordde ik. Om zijn bleke lippen plooide zich een merkwaardig lachje. Literatuurwetenschap, herhaalde Weisz, alsof hij een gezicht bij een naam van lang geleden probeerde te plaatsen.

Het daaropvolgende kwartier werd ik door Weisz doorgezaagd over mijn studie, waar ik vandaan kwam, waar mijn ouders vandaan kwamen, wat ze deden en waarom ik naar Engeland was gekomen. Zo werden de vragen tenminste geformuleerd, maar in werkelijkheid (zo meende ik) waren de woorden die Weisz uitsprak een code voor iets anders wat hij probeerde bloot te leggen. Ik had het gevoel dat ik een examen aflegde waarvan de vereisten voor me verborgen werden gehouden en vertwijfeld probeerde de goede antwoorden te geven, maar het leek alsof ik met elke verdraaiing van de waarheid de liefde en toewijding van mijn ouders verder de grond in trapte. Ik had eerst tegen mijn ouders gelogen en nu loog ik óver hen. Weisz nam de gedaante van hun vertegenwoordiger aan, de raadsman die wordt toegewezen aan de armen en onderdrukten die niet voor zichzelf kunnen opkomen. Tijdens ons gesprek vielen alle sombere, imposante meubels in de kamer weg, de Beierse staande klok en de marmeren tafel, zelfs Joav en Lea, en het enige wat overbleef in die koude holle ruimte waren Weisz en ik, en ergens, zwevend op een hoger niveau, mijn tekortgedane, gekwetste ouders. Hij maakt schoenen? vroeg Weisz. Wat voor soort schoenen? Uit de beschrijving die ik van mijn vaders zaak gaf zou je kunnen denken dat Manolo Blahnik op zijn blote knietjes mijn vader kwam smeken of hij zijn opzichtigste, ingewikkeldste ontwerpen wilde uitvoeren. In werkelijkheid maakte hij instellingsschoeisel voor nonnen en meisjes op katholieke scholen in Harlem. Terwijl ik mijn vaders nering steeds mooier maakte, er een glamoureus, invloedrijk bedrijf van maakte, kwam de herinnering boven aan een middag in de oude fabriek van mijn grootvader, waar mijn vader de scepter had gezwaaid totdat de boel failliet ging en er voor hem niets anders op zat dan tussenpersoon te worden tussen Harlem en de ronkende fabrieken in China. Ik herinnerde me hoe mijn vader me op zijn enorme, strak ontworpen bureau had getild, terwijl aan de andere kant van de wand de machines nerveus voortratelden, onder zijn commando.

Die avond sliep ik in een smal bed in een kleine kamer achter in de gang, naast Lea's kamer. Ik lag wakker en nu ik alleen was, werd ik eerst door een gevoel van vernedering, vervolgens door woede overmand. Wat dacht Weisz wel om me aan een kruisverhoor te onderwerpen, om me het gevoel te geven dat ik moest bewijzen wat ik waard was? Wat ging het hem aan wie mijn ouders waren en wat mijn vader voor de kost deed? Het was al erg genoeg dat hij zijn eigen kinderen door intimidatie in een dergelijke meelijwekkende positie had gemanoeuvreerd, waardoor ze niet meer in staat waren hun eigen weg in het leven te volgen. Het was al erg genoeg dat het hem was gelukt om ze in een soort zelfbedachte gevangenis op te sluiten, zonder dat ze tegen de situatie protesteerden, omdat ingaan tegen hun vader niet tot de mogelijkheden behoorde. Hij regeerde niet met ijzeren vuist of woedeaanvallen, maar juist met het veel angstaanjagender onuitgesproken dreigement dat de geringste onenigheid niet zonder gevolgen zou blijven. En nu was ík opeens ten tonele verschenen om de orde van Weisz op de proef te stellen, om de broze driehoeksverhouding van de familie Weisz te verstoren. Hij had me meteen duidelijk gemaakt dat ik niet hoefde te denken dat Joav en ik een relatie konden hebben zonder dat hij ervan wist of er zijn goedkeuring aan had verleend. En met welk recht? dacht ik nijdig, woelend in het smalle bed. Hij mocht zijn kinderen dan onder de duim hebben, ik liet niet zo makkelijk over me heen lopen. Kom maar op, dacht ik, ik laat me niet door je wegjagen.

Uitgerekend op dat moment ging de deur piepend open en werd ik aan alle kanten door Joav belaagd, als door een roedel wolven. Nadat we ongeveer alle openingen hadden afgewerkt, draaide hij me om en drong diep in me. Het was voor het eerst dat we het zo deden. Bij de eerste stoot moest ik in het kussen bijten om het niet uit te schreeuwen. Na afloop viel ik in slaap tegen de warmte van zijn lichaam, een diepe slaap waaruit ik in mijn eentje ontwaakte. De droom die ik had ebde snel weg, het enige wat ik me nog herinnerde was dat ik Weisz als een vleermuis ondersteboven in de bijkeuken zag hangen.

Het was bijna zeven uur 's ochtends. Ik kleedde me aan en waste mijn gezicht in Lea's badkamer, boven de victoriaanse kinderwastafel met de roze bloemen. Op mijn tenen sloop ik door de gang en ik bleef voor haar kamer staan. De deur stond een stukje open en door de kier zag ik het enorme, maagdelijk witte hemelbed, een bed zo groot en majestueus als een schip, en toen ik dat bedacht, zag ik haar zitten op het dek terwijl alles om haar heen onder water stond. Opeens wist ik dat ook dat bed een cadeau van haar vader was geweest, een geschenk dat haar op subtiele wijze duidelijk maakte wat voor leven ze werd verondersteld te leiden. Ze nam nooit iemand mee naar huis, al had ze ongetwijfeld een aantal vrienden op het conservatorium. Verder had ik haar nog nooit over een vriendje gehoord, van vroeger of van nu. Haar vader en haar broer legden zo'n groot beslag op haar liefde en loyaliteit dat het voor haar vrijwel onmogelijk was om met nog een andere man een relatie aan te gaan. Ik moest denken aan het verjaardagsfeestje dat Lea de vorige avond had verzonnen. Eerst snapte ik niet waarom ze een dergelijke nodeloze leugen had opgedist, maar nu vroeg ik me af of dat misschien de enige manier was waarop ze zich tegen haar vader kon verzetten.

Joav lag nog in zijn bed op de verdieping eronder te slapen. Mijn woede van de vorige avond was een stuk minder en dat gold ook voor mijn zelfvertrouwen. Voor de zoveelste keer vroeg ik me af hoe lang onze relatie nog stand kon houden. Het leek slechts een kwestie van tijd voordat Weisz als overwinnaar uit de strijd zou komen. Ik had Joav tot het eerste gevecht om mij met zijn vader gedwongen, maar hij had meteen zonder slag of stoot opgegeven, als een braaf jochie, om mij daarna in het donker als een bloeddorstig beest te bespringen. Opnieuw zag ik het beeld van de hangende Weisz voor me. Word je ooit verlost van zo'n vader?

Ik schreef een briefje aan Joav dat ik op zijn bureau legde omdat ik weg wilde zijn voordat ik Weisz tegen het lijf liep. Buiten motregende het nog steeds en er hing een dichte, lage mist, en tegen de tijd dat ik het station bereikte, was de jas die ik van mijn moeder had gekregen helemaal klam. Ik nam de ondergrondse naar Marble Arch en daar pakte ik de bus terug naar Oxford. Zodra ik de deur van mijn kamer had opengedaan, werd ik overmand door een enorme somberheid. Nu ik niet bij Joav was, kwam het leven aan Belsize Park me even onzeker voor als een toneelstuk waarvan het decor wordt afgebroken, de acteurs naar huis gaan en de hoofdrolspeelster in haar daagse kleren alleen in het donkere theater achterblijft. Ik kroop onder de dekens en sliep uren achtereen. Joav belde niet en de volgende dag ook niet. In mijn radeloosheid sleepte ik mezelf maar naar de Phoenix, waar ik twee keer *Wings of Desire* zag. Toen ik door Walton Street naar huis liep, was het al donker. Wachtend bij de telefoon viel ik in slaap. Ik had de hele dag niets gegeten en om drie uur 's nachts werd ik wakker van het rommelen van mijn maag. Ik had alleen een chocoladereep in huis, maar daar kreeg ik alleen nog maar meer honger van.

Drie dagen lang werd er niet gebeld. Ik sliep, zat onbeweeglijk in mijn kamer of sleepte mezelf naar de Phoenix, waar ik urenlang naar het flikkerende doek zat te staren. Ik probeerde niet na te denken en hield mezelf in leven met snoep en popcorn die ik bij de ongeïnteresseerde punk-anarchist kocht die het buffet bemande. Ik was hem dankbaar dat hij uit principe begrip had voor mensen die hun tijd in hun eentje in de bioscoop doorbrengen. Hij gaf me vaak gratis snoep of een grote beker frisdrank terwijl ik een kleine had besteld. Als ik werkelijk had gedacht dat het afgelopen was tussen Joav en mij, dan zou ik er nog veel erger aan toe zijn geweest. Nee, wat ik voelde was de kwelling van wachten, van het vastzitten tussen het einde van de ene zin en het begin van de volgende, die een hagelbui, vliegtuigongeluk, ware gerechtigheid of een wonderbaarlijke ommekeer teweeg kon brengen.

Eindelijk ging dan toch de telefoon. De ene zin houdt op en de andere begint, dat staat vast, maar niet altijd op de plek waar de vorige is geëindigd, niet altijd aansluitend op de oude situatie. Kom terug, zei Joav haast fluisterend. Kom alsjeblieft bij me terug. Toen ik de voordeur van Belsize Park openmaakte, was het binnen donker. Ik zag zijn profiel oplichten in de blauwige gloed van de televisie. Hij keek naar een film van Kieślowski die we al minstens twintig keer hadden gezien. Hij was bij de scène waarin Irène Jacob voor het eerst naar het huis van Jean-Louis Trintignant gaat om de hond terug te brengen die ze heeft overreden en daar ontdekt dat de oude man de telefoongesprekken van zijn buren afluistert. *Wat voor werk deed je vroeger?* vraagt ze walgend, *politieman? Nog erger*, zegt hij, *rechter*. Ik gleed op de bank naast Joav en hij trok me zonder iets te zeggen tegen zich aan. Hij was alleen thuis. Later kwam ik erachter dat hun vader Lea naar New York had gestuurd om een bureau op te halen waar hij al veertig jaar naar op zoek was. In de week van haar afwezigheid neukten Joav en ik overal in het huis, op elk denkbaar meubelstuk. Hij zei niets meer over zijn vader, maar zijn fysieke begeerte had iets agressiefs, waardoor ik wist dat er iets pijnlijks tussen hen was voorgevallen. Op een nacht werd ik – ik ben een lichte slaapster – wakker met het gevoel dat er een schim stilletjes over ons heen was gegleden, en toen ik de trap af sloop en het ganglicht aandeed, stond Lea daar met een heel eigenaardige blik in haar ogen, een blik die ik nog nooit had gezien, alsof ze de gerafelde touwen had doorgesneden waarmee we ergens vastgemeerd hadden gelegen. Wij hadden haar onderschat, maar wie haar nog het meest had onderschat was haar vader.

II

Ware barmhartigheid

Waar ben je, Dov? De zon is al op. God weet wat je daar tussen het gras en de brandnetels uitspookt. Nog even en je staat vol distelklitten voor het tuinhekje. Al tien dagen leven we onder een en hetzelfde dak, zoals we in geen vijfentwintig jaar hebben gedaan, en je hebt nog amper een woord gezegd. Nee, dat klopt niet. Er was een lange monoloog over de werkzaamheden aan de weg, iets over rioolpijpen en zinkputten, een eindje verderop. Ik kreeg het vermoeden dat het een code was voor iets anders wat je me wilde vertellen. Over je gezondheid, misschien? Of onze gezamenlijke gezondheid, als vader en zoon? Ik probeerde je te volgen maar je was me al gauw kwijt. Ik werd van het paard geworpen, jongen. Achtergelaten in de riolering. Ik beging de fout je dat dan ook te laten weten en er kwam een gepijnigde blik op je gezicht te liggen voordat je weer in alle talen zweeg. Na afloop kreeg ik het vermoeden dat het een speciaal voor mij uitgedachte test was geweest, een waarvoor ik alleen maar kon zakken, zodat jij weer rustig als een slak in jezelf kon terugkruipen, me weer gewoon kon blijven verachten en veroordelen.

Tien dagen samen in dit huis en het voornaamste wat we tot nu toe hebben gedaan is ons territorium afbakenen en een reeks rituelen instellen. Om ons houvast te geven. Om ons richting te geven, net als de verlichte strips in de gangpaden van vliegtuigen die in nood verkeren. Elke avond ga ik eerder naar bed dan jij en elke ochtend ben jij eerder wakker dan ik, al sta ik nog zo vroeg op. Ik zie je lange grijze gestalte gebogen zitten over de krant. Alvorens de keuken in te gaan, hoest ik even, om je niet te laten schrikken. Je zet water op, zet twee kopjes op tafel. We lezen, brommen wat, laten een boer. Ik vraag of je een geroosterde boterham wil. Daar zeg je nee op. Je bent nu zelfs boven voedsel verheven. Of heb je iets tegen geblakerde korstjes? Brood roosteren was iets wat je moeder altijd deed. Met volle mond praat ik over het nieuws. Zwijgend veeg je de rondgesproeide kruimels weg en blijft lezen. Voor jou zijn mijn woorden op zijn hoogst omgevingsgeluid: ze dringen vaag tot je door, net als het getjilp van de vogels en het gekraak van de oude bomen, en net als deze dingen vereisen ze voor zover ik weet geen reactie van jou. Na het ontbijt ga je naar je kamer om te slapen, uitgeput door je nachtelijke omzwervingen. Vlak voor het middaguur verschijn je met je boek in de tuin en leg je beslag op de enige tuinstoel waarvan de zitting niet kapot is. De luie stoel voor de televisie eis ik voor mezelf op. Gisteren keek ik naar het nieuwsbericht over een zwaarlijvige vrouw die in Tsefat was overleden. Ze was al meer dan tien jaar niet van de zitbank opgestaan en nadat men haar levenloos had aangetroffen, ontdekte men dat haar huid zich er helemaal aan had vastgehecht. Hoe en waarom het zover was gekomen, werd er niet bij verteld. Het verslag vermeldde alleen dat ze van de bank moest worden losgesneden en met een kraan naar buiten werd getakeld. De verslaggever vertelde hoe het kolossale lichaam gehuld in zwart plastic traag naar beneden kwam zakken, want als uiterste vernedering bleek er in heel Israël geen lijkenzak te zijn die groot genoeg voor haar was. Om twee uur precies ga je weer het huis in om je kluizenaarsmaaltijd te eten: een banaan, een bakje yoghurt en een niet al te uitbundige salade. Morgen verschijn je misschien in een haren boetekleed. Om kwart over twee val ik op mijn stoel in slaap. Om vier uur word ik wakker van het geluid van de klus die je die dag besloten hebt uit te voeren – het opruimen van het schuurtje, het aanharken van de tuin, het repareren van de dakgoot – als om je logies te verdienen. Om geen scheve verhoudingen te krijgen, niet bij me in het krijt te komen staan. Om vijf uur geef ik je bij de thee een samenvatting van het allerlaatste nieuws. Ik wacht op een opening, een barst in het harde glazuur van je zwijgen. Je wacht tot ik ben uitgesproken, wast de kopjes, droogt ze af en zet ze terug in de keukenkast. Je vouwt de theedoek op. Je doet me denken aan iemand die achteruitloopt, zijn voetsporen uitwist. Je gaat naar je kamer en trekt de deur dicht. Gisteren heb ik even staan luisteren. Wat dacht ik te kunnen horen? Het krassen van een pen? Maar er was niets. Om zeven uur kom je tevoorschijn om naar het nieuws te kijken. Om acht uur eet ik warm. Om halftien ga ik slapen. Veel later, zo rond een uur of twee, drie in de ochtend, ga je de deur uit om een eind te lopen. In het donker, in de heuvels, in het bos. Ik word niet meer wakker van de honger die me uit bed jaagt om me bij de open koelkast vol te proppen. Van die eetlust, door je moeder als Bijbels omschreven, ben ik al jarenlang af. Nu word ik om andere redenen wakker. Zwakke blaas. Geheimzinnige pijntjes. Potentiële hartaanvallen. Bloedstolsels. En steeds zie ik dat je bed leeg is, keurig opgemaakt. Ik ga weer naar bed en als ik 's morgens opsta, hoe vroeg ook, zie ik je schoenen naast elkaar bij de deur staan en je lange grijze gestalte over de tafel gebogen zitten. En ik hoest even, zodat we opnieuw kunnen beginnen.

Luister, Dov. Want ik zeg dit maar één keer. Er rest ons – jou en mij – maar weinig tijd. Hoe ellendig je leven ook mag zijn, voor jou is er nog volop tijd. Je kunt ermee doen wat je wilt. Je kunt die tijd verspillen met door het bos ronddwalen, achter het drollenspoor aan van dieren die holen graven. Maar ik niet. Ik nader in rap tempo mijn einde. Ik kom niet terug in de vorm van trekvogels, stuifmeel of een lelijk, laag-bij-de-gronds schepsel dat past bij mijn zonden. Alles wat ik ben, alles wat ik was, zal uitharden tot oeroud gesteente. En jij zult daarmee achterblijven, alleen. Alleen met wat ik was, met wat wij waren, en alleen met je pijn, die nooit meer de kans zal krijgen om verlicht te worden. Dus denk goed na. Denk lang en diep na. Want als je hier bent gekomen om te worden bevestigd in wat je altijd van me hebt gevonden, zul je daar vast en zeker in slagen. Ik zal je zelfs helpen, jongen. Dan zal ik de klootzak zijn die je altijd in me hebt gezien. Dat gaat me eerlijk gezegd heel makkelijk af. Wie weet, misschien raak jij op die manier ontslagen van gevoelens van spijt. Maar vergis je niet: terwijl ik begraven lig in een gat dat vrij is van gevoel, blijf jij doorleven in een hiernamaals vol pijn.

Maar dat weet je allemaal best, hè? Het is ook de reden van je komst, besef ik. Voordat ik doodga, zijn er dingen die je tegen me wilt zeggen. Voor de draad ermee. Neem maar geen blad voor de mond. Wat houdt je tegen? Medelijden? Ik zie het in je ogen: wanneer ik met mijn traplift omhoogzeil, zie ik jouw schrik om mijn aftakeling. Het monster uit je kindertijd, verslagen door iets alledaags als een trap. En toch, ik hoef alleen mijn mond open te doen en jouw medelijden krabbelt op een holletje terug naar de steen waaronder het net vandaan gekomen is. Niet meer dan een paar welgekozen woorden om je eraan te herinneren dat ik ondanks de uiterlijke schijn nog steeds dezelfde arrogante botte lul kan zijn die ik altijd ben geweest.

Luister. Ik wil je iets voorstellen. Laat me uitpraten en daarna kun je naar eigen believen accepteren of weigeren. Wat zou je zeggen van een tijdelijke wapenstilstand, voor zolang als het kost om jou je verhaal te laten doen en mij het mijne? Om naar elkaar te luisteren zoals we nooit hebben geluisterd, elkaar aan te horen zonder in de verdediging te gaan en van leer te trekken, om heel even een moratorium op gal en verbittering in te stellen? Om te zien hoe het is om andermans standpunt in te nemen? Misschien zul je zeggen dat het voor ons te laat is, dat het moment van deernis al lang voorbij is. En daar heb je misschien gelijk in, maar we hebben niets meer te verliezen. De dood staat vlak om de hoek op me te wachten. Als we het er nu bij laten zitten, ben ik niet degene die daarvoor zal boeten. Ik zal niets zijn. Ik zal niet horen of zien, denken of voelen. Misschien vind je dat ik een open deur intrap, maar ik durf te wedden dat de toestand van niet-zijn geen onderwerp is waar jij heel vaak bij stilstaat. Vroeger misschien wel, maar dat is lang geleden, en als er één idee is waar de geest zich niet langdurig mee bezighoudt, is het wel zijn eigen opheffing. Misschien zijn de boeddhisten ertoe in staat, de tantristische monniken, maar niet de Joden. De Joden, die zoveel van het leven weten te maken, hebben nooit geweten wat ze met de dood aanmoeten. Vraag een katholiek wat er gebeurt als hij doodgaat en hij geeft een beschrijving van de kringen van de hel, het vagevuur, het voorgeborchte, de hemelse poorten. De christen heeft zich de dood zo eigen gemaakt dat hij daardoor volledig is ontslagen van de noodzaak zich met het eind van zijn bestaan bezig te houden. Maar vraag een Jood wat er gebeurt als hij doodgaat en je ziet de ellende van een mens die het in zijn eentje moet zien te klaren. Een mens die verdwaald is, en in de war. Op de tast moet ronddolen. Want de Jood mag dan alles hebben onderzocht, over alles hebben gesproken, hebben uitgeweid, zijn mening hebben geventileerd, alles tot vervelens toe hebben uitgeplozen, elk flintertje vlees van het bot van ieder vraagstuk hebben losgepeuterd, toch is hij voornamelijk blijven zwijgen over wat er gebeurt wanneer hij doodgaat. Hij heeft het domweg goedgevonden dat onderwerp niet te bespreken. Hij die op andere fronten geen vaagheid verdraagt, vindt het goed om de belangrijkste vraag die er is te laten verdwijnen in een nevelige, wollige grijsheid. Zie je hoe ironisch dat is? Hoe absurd? Wat is de zin van een religie die zich afwendt van het onderwerp: wat gebeurt er als het leven eindigt? Aangezien hem een antwoord is ontzegd – aangezien hem een antwoord is ontzegd terwijl hij tegelijkertijd gebukt ging onder de vloek dat zijn volk duizenden jaren bij anderen een moordzuchtige haat heeft opgewekt – rest de Jood geen andere keuze dan elke dag met de dood te leven. Ermee te leven, zijn huis op te richten in de schaduw van de dood en nooit de voorwaarden te bespreken.

Waar was ik? Ik raak opgewonden, ik ben de draad kwijt, zie je hoe ik zit te schuimbekken? Wacht, ja. Een voorstel. Wat zeg je ervan, Dov? Of zeg maar helemaal niets. Dan vat ik je zwijgen op als een ja.

Zo. Laat ik maar beginnen, mijn jongen. Ik zit namelijk elke dag een beetje te mijmeren over mijn dood. Voer er een onderzoek naar uit. Neem een voorproefje, als het ware. Het is minder een kwestie van de omstandigheden van mijn dood toepassen dan van die omstandigheden doorgronden, nu ik nog over vermogens tot doorgronden beschik en nog in staat ben de diepte van de vergetelheid te peilen. Bij een van deze uitstapjes naar het onbekende ontdekte ik iets over jou wat ik bijna was vergeten. De eerste drie jaren van je leven wist je niets van de dood af. Je dacht dat alles eindeloos zou doorgaan. Op de eerste avond dat je je ledikantje had verruild voor een bed kwam ik je welterusten zeggen. Ga ik nu voor altijd in een grotejongensbed slapen? vroeg je. Ja, zei ik en zo zaten we daar even: ik stelde me jou voor, op een lange reis door de zalen van de eeuwigheid, met je toddeltje stevig in je hand, en jij stelde je voor wat een kind zich voorstelt als het zich een denkbeeld vormt van iets wat voor altijd zal duren. Een paar dagen later zat je aan tafel met je eten te spelen en vertikte je het een hap te nemen. Eet dan maar niet, zei ik. Maar als je niet eet, mag je niet van tafel. Zo simpel als wat. Je onderlip begon te trillen. Voor mijn part blijf je aan tafel slapen, zei ik. Mama doet het heel anders, zeurde je. Het kan me niet schelen hoe zij het doet, siste ik, zo doe ik het, en je komt niet van je stoel voordat je iets eet! Met veel misbaar en protest barstte je in tranen uit. Ik negeerde je. Na een tijdje kwam er een stilte in de kamer te hangen, af en toe verbroken door je gejammer. Toen, zomaar vanuit het niets, kondigde je aan: Als Joëlla doodgaat, nemen we een hond. Ik was verbaasd. Over de cruheid van die uitspraak en omdat ik geen idee had dat je iets van de dood af wist. Ben je dan niet verdrietig als ze doodgaat? vroeg ik en liet de oorlog om het eten maar even met rust. En heel praktisch gaf jij als antwoord: Ja, want dan hebben we geen kat meer om te aaien. Er gingen een paar momenten voorbij. Hoe ziet het eruit als mensen doodgaan? vroeg je. Alsof ze liggen te slapen, zei ik, alleen ademen ze niet. Je dacht daarover na. Gaan kinderen ook dood? vroeg je. Ik voelde iets pijnlijks in mijn borst ontstaan. Soms, zei ik. Misschien had ik andere woorden moeten kiezen. Nooit, of gewoon, nee. Maar ik loog je niets voor. Dat moet je me in elk geval nageven. Toen keek je me aan met je kleine gezichtje en vroeg zonder een spier te vertrekken: Ga ik ook dood? En terwijl je die woorden zei, voelde ik een afgrijzen zoals ik nooit eerder had gevoeld, de tranen brandden in mijn ogen en in plaats van te zeggen wat ik eigenlijk had moeten zeggen: Pas over een heel, heel lange tijd, of: Jij niet, jochie, alleen jij blijft eeuwig leven, zei ik gewoon: Ja. En omdat jij, ongeacht hoeveel je ook leed, diep vanbinnen nog een dier was dat net als ieder ander wil leven, de zon wil voelen en vrij wil zijn, zei je: Maar ik wil niet doodgaan. Je raakte helemaal vervuld van dat ontzettende onrecht. En je keek me aan alsof ik er verantwoordelijk voor was.

Je zou ervan opkijken hoe vaak ik in mijn aristoteliaanse omzwervinkjes door de vallei des doods het kind tegenkom dat jij ooit bent geweest. In eerste instantie keek ik daar ook van op, maar al gauw begon ik naar die ontmoetingen uit te zien. Ik probeerde te bedenken waarom jij op die manier verscheen terwijl het onderwerp zelf maar weinig verband met jou hield. Ik ging beseffen dat het te maken had met bepaalde gevoelens die ik voor het eerst voelde toen je nog een kind was. Ik weet niet waarom Joeri niet dezelfde gevoelens losmaakte. Misschien was ik in zijn kleutertijd nog te veel bezig met andere dingen of misschien was ik te jong. Er zat maar drie jaar tussen jullie, maar in die jaren werd ik volwassen, kwam mijn jeugd officieel ten einde en begon ik aan een nieuwe levensfase als vader en man. Rond de tijd dat jij geboren werd, begreep ik, op een manier die ik niet bij Joeri kon hebben begrepen, wat de geboorte van een kind precies betekent. Hoe hij opgroeit en hoe zijn onschuld langzaam teloorgaat, hoe zijn trekken voor altijd veranderen wanneer hij zich voor het eerst schaamt, hoe hij de betekenis van teleurstelling, van walging leert kennen. Hoe er een hele wereld in hem zit, een wereld die ik kwijt kon raken. Ik stond daar machteloos tegen. En natuurlijk was jij een ander soort kind dan Joeri. Vanaf het begin leek je dingen te weten en die mij voor de voeten te werpen. Alsof je op een of andere manier begreep dat het opvoeden van een kind gepaard gaat met onvermijdelijke daden van geweld. Wanneer ik naast je ledikant stond en naar je gezichtje keek, dat werd vertrokken door geschreeuw van verdriet – een andere omschrijving is er niet, ik heb nooit een baby zo horen huilen als jij – was ik al bij voorbaat schuldig. Ik weet hoe dat klinkt; per slot van rekening was je nog maar een baby. Maar er was iets aan je wat me in mijn zwakste plek belaagde, en dus trok ik me terug.

Ja, jij zoals je toen was, met je blonde haar voordat het grof en donker werd. Ik heb anderen horen zeggen dat ze voor het eerst besef van hun eigen sterfelijkheid kregen toen hun kinderen werden geboren. Maar voor mij was dat anders. Dat is niet de reden waarom ik je nu verscholen zie in de ondiepe wateren van mijn dood. Ik was te veel met mezelf bezig, met de veldslagen in mijn leven, om te merken dat de kleine gevleugelde boodschapper de fakkel uit mijn hand kwam nemen en hem zwijgend aan Joeri en jou overdroeg. Om te merken dat ik vanaf dat moment niet meer het middelpunt van alle dingen was, de brandhaard waar het leven, om zich in leven te kunnen houden, het felst oplaait. Het vuur begon in me af te koelen, maar dat had ik niet in de gaten. Ik bleef leven alsof het leven mij nodig had en niet omgekeerd.

En toch heb je me iets bijgebracht over de dood. Vrijwel zonder dat ik me ervan bewust was, smokkelde jij die wetenschap bij me naar binnen. Niet lang nadat je me had gevraagd of jij ook dood zou gaan, hoorde ik je hardop praten in de andere kamer: Als we doodgaan, zei je, zullen we honger krijgen. Een simpele uitspraak, en daarna ging je verder met valse deuntjes neuriën en je autotjes heen en weer laten rijden over de vloer. Maar dat is me bijgebleven. Naar mijn gevoel was de dood eigenlijk nooit eerder op die manier samengevat: als een eindeloze toestand van verlangen zonder de kans iets te ontvangen. Ik werd bijna bang van de gelijkmoedigheid waarmee je iets wat zo uitzichtloos was tegemoet trad. Hoe je ernaar keek, er naar beste kunnen je gedachten over liet gaan en een vorm van helderheid vond die het je mogelijk maakte het te accepteren. Misschien leg ik te veel betekenis in de woorden van een driejarige. Maar hoe terloops ze misschien ook zijn geweest, ze bevatten iets moois: in het leven zitten we aan tafel en weigeren we te eten, en in de dood hebben we eeuwig honger.

Hoe moet ik het uitleggen? De manier waarop je me een beetje bang maakte. De manier waarop je net een fractie dichter bij de kern van de dingen leek te zitten dan wij, de anderen. Ik kwam een kamer in en zag dat je ergens naar zat te staren, iets in de hoek. Wat is daar zo interessant? wilde ik van je weten. Maar dan was je concentratie verbroken en draaide je je naar me om met een rimpel in je voorhoofd, een vage blik van verbazing over het feit dat je gestoord werd. Als je dan uit de kamer wegging, nam ik zelf een kijkje. Een spinnenweb? Een mier? Een weerzinwekkende, door Joëlla opgehoeste haarbal? Maar er was nooit iets. Wat mankeert hem? vroeg ik aan je moeder. Heeft hij geen vriendjes? In die tijd was Joeri al dikke maatjes met de hele buurt. Er stroomde een eindeloze stoet kinderen het huis in en uit, speciaal voor hem. Joeri was alleen maar in die hoek te vinden wanneer hij er met zijn armen om zich heen geslagen stond te kronkelen alsof hij aan het tongzoenen was. Dan ging hij met zijn handen op en neer over zijn rug, kneep in zijn eigen kont, slaakte een ijl kreetje en draaide heen en weer met zijn hoofd, een imitatie waarbij iedereen het in zijn broek deed. Maar tussen al die lachers was jij nergens te bekennen. Toen ik later bezig was de tomaten te dieven, stuitte ik op een stukje van de tuin waar je om een geheimzinnige reden bergjes aarde had gemaakt, in rijen, afgewisseld met vierkantjes of rondjes die je met een stok in de aarde had getekend. Wat stelt dit nou weer voor? vroeg ik je moeder. Met scheefgehouden hoofd bleef ze staan kijken. Het is een stad, verklaarde ze zonder een spoor van twijfel in haar stem. Hier heb je de poort, wees ze aan, en de wallen, en dat daar is een spaarbekken. Toen liep ze weg en bleef ik weer ontmoedigd achter. Waar ik zielige bergjes aarde had gezien, zag zij een hele stad. Vanaf het begin had je haar de sleutels tot jezelf overhandigd. Maar mij niet. Mij nooit, mijn zoon. Ik zag je gehurkt bij de tuinslang zitten. Kom eens hier, schreeuwde ik. Je sjokte op korte beentjes op me af met een gezicht vol malle ijslollyvlekken. Wat stelt dit voor? vroeg ik, gebarend met de snoeischaar. Je keek naar beneden en snoof. Toen liet je je op je hurken zakken en voerde een paar bliksemsnelle verbouwingen uit – een gehaast aanvegen, bijkloppen, het bijwerken van een kluit aarde. Je ging staan om alles van boven af te inspecteren en hield daarbij je hoofd net zo scheef als je moeder had gedaan. Dus dat was het geheim, dacht ik. Je moet je hoofd in een speciale hoek houden om er wijs uit te kunnen! Nauwelijks had ik deze aanwijzing verwerkt of je tilde je voet op, sloopte de hele handel met een paar snelle trappen en verdween in huis.

Wat gebeurde er het eerst? Was ik degene die afstand nam of jij? Een vreemd kind met geheime kennis die wrevel bij me opwekte, een kind dat opgroeide tot een jongeman wiens wereld voor mij was afgegrendeld. Wil je de waarheid weten, Dov? Toen je me kwam vertellen over het boek dat je wilde gaan schrijven, was ik overdonderd. Ik kon niet begrijpen waarom je had besloten er bij mij mee aan te komen – bij mij, nota bene, aan wie je altijd maar heel weinig over jezelf had verteld, met wie je alleen maar sprak in het uiterste geval, als het echt niet anders kon. Ik was te traag om te reageren zoals ik het liefst had gewild. Ik kon niet zo snel veranderen. Ik verviel in mijn oude gedrag. Een bepaalde toon, een ruwheid waarmee ik me altijd heb verdedigd tegen alles wat ik bij jou niet kon begrijpen. Om je af te wijzen voordat je mij kon afwijzen. Naderhand had ik er spijt van. Het moment dat je uit de kamer liep, besefte ik dat mijn kans was verkeken. Ik begreep dat je me een wapenstilstand had aangeboden en dat ik het verknald had. En ik wist dat het aanbod niet nog een keer gedaan zou worden.

Een haai die een vergaarbak is voor menselijk verdriet. Waarin alles wordt opgenomen wat de dromers niet kunnen verdragen, waarin alle geweld van hun opeengehoopte gevoelens terechtkomt. Hoe vaak heb ik niet aan dat beest en mijn verloren kans bij jou gedacht. Soms had ik het idee dat ik nu bijna begreep waar die grote vis allemaal voor stond. Op een dag zocht ik in je kamer naar een schroevendraaier die je had geleend, en zag ik op je bureau de eerste paar bladzijden liggen. Mijn eerste gevoel was opluchting dat jij je ondanks alles niet door mij had laten ontmoedigen. Er was niemand thuis, maar toch deed ik de deur dicht en ging zitten lezen over het verschrikkelijke dier dat met ontblote tanden in een bassin hangt dat opgloeit in een verder donkere kamer. Met elektroden en draden aan zijn groenige lichaam bevestigd. Zoemende apparatuur, op alle uren van de dag en nacht. En ergens ook nog het aanhoudende geluid van een pomp waarmee de haai in leven werd gehouden. Het beest trilde en schommelde, en over zijn gezicht trokken in hoog tempo allerlei uitdrukkingen – kan een haai een gezichtsuitdrukking hebben? vroeg ik me af – terwijl er in raamloze kamertjes patiënten lagen te slapen en te dromen.

Ik hoef je niet te vertellen dat ik nooit een grote lezer ben geweest. Het was juist je moeder die van boeken hield. Het kost mij veel tijd, bij mij gaat dat heel traag. Soms stellen de woorden me voor een raadsel en moet ik ze twee of drie keer lezen voordat ik de betekenis kan ontcijferen. Tijdens mijn rechtenstudie zat ik altijd langer achter de boeken dan de anderen. Ik had een scherpe geest en een nog scherpere tong, in het debat was ik tegen iedereen opgewassen, maar bij mijn boeken moest ik veel meer mijn best doen. Toen jij zo vlot leerde lezen, bijna uit jezelf, was ik verbaasd. Het was haast onvoorstelbaar dat een kind als jij uit mij was voortgekomen. Dat was weer een ander moeiteloos onderling begrip tussen jou en je moeder waar ik buiten stond en niet tussen mocht komen. En toch, zonder jouw medeweten of toestemming, las ik je boek. Las ik het zoals ik nog nooit een boek had gelezen en sindsdien niet meer heb gelezen. Voor het eerst had ik toegang tot je gekregen. En ik was diep onder de indruk, Dovvik. Ik werd beangstigd en overweldigd door wat ik zag staan. Toen je in dienst ging en naar je opleidingskamp vertrok, werd ik radeloos bij de gedachte dat er een eind aan mijn geheime lectuur zou komen, dat de deuren tot jouw wereld voor mij weer dicht zouden gaan. En toen, warempel, begon je om de paar weken pakketjes naar huis te sturen, omwikkeld met bruin plakband en getooid met de woorden: PRIVÉ! NIET OPENEN!, met uitdrukkelijke instructies aan je moeder om ze in je bureaula te leggen. Ik was blij. Ik maakte mezelf wijs dat je het wist, dat je het altijd had geweten en dat die geheimzinnige poespas van je domweg een methode was om mij – om ons allebei – de nodige verlegenheid te besparen.

In het begin las ik de inhoud op jouw kamer. Altijd als je moeder boodschappen aan het doen was, vrijwilligerswerk voor de zionistische vrouwenvereniging deed of bij Iriet op bezoek ging. Na verloop van tijd werd ik wat brutaler en ging ik in de keuken zitten of maakte het me gemakkelijk in een tuinstoel onder de acacia. Een keer werd ik door haar verrast toen ze eerder thuiskwam dan verwacht. Omdat ik geen argwaan wilde wekken, bleef ik gewoon doorlezen en deed alsof het een stuk voor een van mijn rechtszaken was. Een verhuurder die tot uitzetting wil overgaan, mompelde ik en keek haar aan over mijn bril. Ze knikte alleen maar met het glimlachje dat ze tevoorschijn toverde wanneer ze door andere gedachten in beslag werd genomen – gedachten aan Iriet misschien, en haar zielige aandachttrekkerij en haar lawaaiige crisistoestanden, waar je moeder altijd op af snelde alsof ze een ambulance was. Dat liep gesmeerd, dacht ik, maar omdat ik verder geen risico wilde nemen, sloop ik terug naar je kamer en borg de losse vellen weg in je bureau.

Wat je schreef, begreep ik niet altijd. Ik geef toe dat ik in het begin gefrustreerd raakte doordat je het vertikte dingen duidelijk te benoemen. Wat eet hij bijvoorbeeld, die haai? Waar staat dat gebouw, die instelling, dat ziekenhuis, bij gebrek aan een beter woord, met dat enorme bassin? Waarom slapen die mensen zoveel? Hoeven zij ook niet te eten? Eet er dan niemand in dat boek? Ik moest mijn uiterste best doen geen opmerkingen in de kantlijn te schrijven. Vaak raakte ik ook de draad kwijt. Net toen ik een beetje de weg leerde kennen in de kamer van Beringer, de conciërge, met alleen dat piepkleine raampje heel hoog (en waarom regent het buiten altijd zo?) en zijn schoenen die als soldaten in het gelid staan onder zijn kleine harde bed, net toen ik er een beetje thuis begon te raken, de geur rook die opstijgt van een man wanneer hij in zijn eentje in een kleine kamer slaapt, gooide je me opeens naar buiten en sleurde me door het bos waar Hanna zich als klein meisje voor iedereen verstopt hield. Maar ik deed mijn best om mijn klachten te onderdrukken. Ik zette mijn vragen opzij en zag af van redactionele suggesties. Ik vertrouwde mezelf aan je toe. En met het omslaan van de bladzijden deden mijn bezwaren zich steeds minder gelden. Ik gaf me over aan je verhaal en werd erdoor gegrepen en meegesleurd, terwijl de arme Beringer met zijn vinger langs de barst in het bassin ging, en in de kleine kamertjes de dromers lagen te dromen, aan draden verbonden met de grote zaal waarin het bassin stond, de jongen Benny, en Rebecca, die van haar vader droomde (vertel eens, Dovvik, heb ik model gestaan voor hem? Heb je me echt zo gezien? Zo harteloos, arrogant en wreed? Of ben ik net zo egoïstisch als hij om te denken dat ik een plaats in je werk had?). Ik kreeg een zwak voor die kleine, ongedurige Benny en zijn nimmer aflatende geloof in magie, en ik raakte bijzonder geïnteresseerd in de dromen van Noa, de jonge schrijfster die me van iedereen het meest aan jou deed denken. Ik voelde zelfs een vreemd medelijden met die grote, lijdende haai, god weet waarom. Wanneer het stapeltje vellen opraakte, werd ik altijd een beetje verdrietig. Hoe zou het verdergaan? En hoe zat het met het beangstigende lek waar Beringer zo hulpeloos naar staat te kijken, en het geluid waarmee het water, *drup drup drup*, 's nachts doorsijpelt in al hun dromen, erin doordringt, een geluid dat uitgroeit tot honderd uiteenlopende echo's van allerlei verschrikkelijke narigheid? Soms moest ik weken, maanden zelfs, op de volgende aflevering wachten wanneer het soldatenleven je te zeer opeiste. Dan bleef ik in het onzekere, wist ik niet wat er verder zou gebeuren. Alleen dat de haai steeds zieker werd. Ook wist ik wat Beringer al wist, maar wat hij onthield aan de dromers in hun raamloze kamertjes: dat de haai niet het eeuwige leven had. En daarna, Dovvik? Waar gingen ze naartoe, die mensen? Hoe bleven ze in leven? Of waren ze al dood?

Ik ben het nooit te weten gekomen. Het laatste deel dat je naar huis stuurde, kwam drie weken voordat je naar de Sinaï werd gestuurd. Daarna kwam er niets meer.

Op die zaterdag in oktober waren je moeder en ik thuis toen we de luchtsirenes hoorden. We zetten de radio aan, maar omdat het Jom Kipoer was, hoorden we alleen maar stilte. Hij stond een halfuur in de hoek van de kamer te suizen totdat er ten slotte een stem klonk die meldde dat de sirenes geen vals alarm waren geweest; als we ze nog een keer hoorden, moesten we naar de schuilkelder gaan. Daarna speelden ze Beethovens Mondscheinsonate – hoezo? om ons gerust te stellen? – en op een gegeven moment kwam de omroeper terug om te zeggen dat we waren aangevallen. Dat gaf een ontzettende schok: we waren ervan overtuigd geraakt dat het afgelopen was met oorlogvoeren. Daarna nog meer Beethoven, onderbroken door gecodeerde mobilisatieoproepen voor de reservisten. Joeri belde vanuit Tel Aviv en sprak daarbij met luide stem, als tegen iemand die bijna doof was; zelfs halverwege de kamer kon ik horen wat hij tegen je moeder zei. Hij maakte grapjes met haar; het leek haast wel of hij op weg was om in Egypte een goochelvoorstelling te geven. Zo was Joeri. Daarna belde het leger om te vragen waar jij was. We dachten dat je met je eenheid ergens op de Hermon zat, maar ze vertelden dat je op weekendverlof was. Ik noteerde op welke locatie je je moest melden, binnen een paar uur.

We belden iedereen maar niemand wist waar je was, zelfs je vriendinnetje op de universiteit niet. Je moeder raakte in alle staten. Denk nou niet meteen het ergste, zei ik tegen haar. Ik, die al jaren op de hoogte was van je middernachtelijke omzwervingen, die vertrouwd was met je manier om aan andere mensen te ontsnappen, om een poosje in een wereld te leven die niet door mensen werd verontreinigd. Ik vond het fijn dat ik iets over je wist wat je moeder niet wist.

Toen hoorden we sleutels in de voordeur en je stormde naar binnen, druk en opgewonden. We vroegen niet waar je was geweest en je vertelde het ook niet. Het was al een tijdje geleden dat ik je voor het laatst had gezien en ik stond ervan te kijken hoe breed je was geworden, bijna imposant. Je was gebruind door de zon, wat je een nieuwe stevigheid had gegeven, of misschien wel iets anders, een soort dynamiek die ik niet eerder bij je had opgemerkt. Toen ik naar je keek, voelde ik een steek van verdriet om mijn eigen verloren jeugd. Je moeder, één bonk zenuwen, rende heen en weer door de keuken om eten klaar te maken. Eet nou maar, drong ze aan, je weet niet wanneer je je volgende maaltijd krijgt. Maar je wilde niet eten. Je liep telkens naar het raam om de lucht af te speuren naar vliegtuigen.

Ik reed je met de auto naar het verzamelpunt. Herinner je je die autorit nog, Dov? Daarna kwamen er dingen die je je niet kon herinneren, dus ik weet niet of die rit je wel is bijgebleven. Je moeder kwam niet mee. Ze kon zich er niet toe zetten. Of misschien wilde ze je niet met haar angst aansteken. Je geweer lag schuin over je knieën, naast een tasje eten van haar. We wisten allebei dat je het zou weggooien of weggeven, zelfs zij wist dat. Zodra we op de grote weg reden, ging je uit het raam zitten kijken en maakte je duidelijk dat je niet in de stemming was voor een gesprek. Mooi, dan praten we maar niet, dacht ik bij mezelf. Het zal niet voor het eerst zijn. En toch was ik teleurgesteld. Op een of andere manier dacht ik dat de omstandigheden, de zich steeds verder uitbreidende noodsituatie, het feit dat ik je naar de oorlog bracht – dacht ik dat de druk van de hele toestand de kurk wel los zou wrikken en er iets van jou naar buiten zou sijpelen. Maar het mocht niet zo zijn. Door meteen uit het raam te kijken maakte je heel duidelijk wat je wilde. En hoewel ik me teleurgesteld voelde, was ik eerlijk gezegd ook een tikje opgelucht. Want ik, die altijd iets te zeggen had, die altijd het eerste woord moest hebben en net zolang doordouwde tot hij ook het laatste had – ik zat erbij met een mond vol tanden. Ik zag hoe je lichaam vergroeid was met je geweer. Hoe achteloos je het vasthield, hoe vertrouwd het aanvoelde voor jouw handen. Alsof je het mechaniek ervan had geabsorbeerd – alles wat het van je eiste, zijn macht en zijn tegenstrijdigheden – tot diep in je vlees. De jongen wiens eigen armen en benen ooit vreemd voor hem waren geweest, bestond niet meer en in zijn plaats zat er een man naast me, met een donkere zonnebril op en zijn mouwen opgerold zodat je zijn gebronsde onderarmen zag. Een soldaat, Dovvele. Mijn jongen was uitgegroeid tot een soldaat, en ik bracht hem naar de oorlog.

Ja, er waren dingen die ik wilde zeggen, maar op dat moment kon ik het niet, dus reden we in stilte verder. Er stond al een enorm konvooi vrachtwagens, vol gretige en rusteloze soldaten. We namen afscheid – zo eenvoudig was het, een soort haastige klap op elkaars schouder – en ik zag je in de zee van uniformen verdwijnen. Op dat moment was je mijn zoon niet meer. Mijn zoon was zich ergens een tijdje gaan verbergen. Waar je ook mocht zijn geweest voordat je thuiskwam – in je eentje op een wandeltocht door de heuvels – het leek wel alsof je wist wat er zou gebeuren en er daarom vandoor was gegaan om jezelf ergens in een gat te begraven. Om daar weg te schuilen, onder de koele aarde, net zolang tot het gevaar was geweken. En wat er resteerde nadat je jezelf uit de vergelijking had weggecijferd, bleek een soldaat te zijn die was opgegroeid met Israëlisch fruit op het menu, met de aarde van zijn voorvaderen onder zijn nagels, die nu vertrok om zijn vaderland te verdedigen.

Die week heeft je moeder amper geslapen. Om de lijn vrij te houden voerde ze geen telefoongesprekken meer. Maar wat we het meest vreesden, was de deurbel. Aan de overkant van de straat kwamen ze bij de Biletski's om te zeggen dat Jitschak, kleine Jitsi met wie jij en Joeri als kind hadden gespeeld, op de Golanvlakte was gesneuveld. Hij was levend verbrand in een tank. Daarna verdwenen de Biletski's in hun huis. Het onkruid schoot er omhoog, de gordijnen waren altijd dicht en soms, 's avonds heel laat, ging er binnen een licht aan en hoorde je iemand telkens twee noten op de piano spelen, *pling plong pling plong pling plong*. Op een dag, toen ik er een poststuk ging brengen dat per ongeluk bij ons was bezorgd, zag ik een lichte plek op de deurpost waar de mezoeza had gezeten. Dat had ons ook kunnen overkomen. Er was geen reden waarom het met hun zoon was gebeurd en niet met die van ons, waarom Biletski twee noten zat te spelen en niet ik. Elke dag werden er zonen opgeofferd. Een andere jongen uit de buurt werd aan stukken gereten door een granaat. Op een avond gingen we naar bed en deden we het licht uit. Als ik een van hen kwijtraak, zei je moeder tegen mij met zachte, trillende stem, zal ik niet meer verder kunnen. Ik had kunnen zeggen: Maar je zúlt wel verder gaan, of ik had kunnen zeggen: We zullen ze niet kwijtraken. We zullen ze niet kwijtraken, zei ik en hield haar stevig vast bij haar dunne polsen. Ze zei niet: Ik zal het je niet vergeven, maar dat hoefde ze niet te zeggen. Joeri was gestationeerd op een berg met uitzicht over de Jordaanvallei. Het lukte hem een keer ons te bellen, dus we wisten dat hij daar zat. Veel later, jaren later, vertelde hij me dat hij via het radionetwerk de wanhopige Israëlische tankeenheden kon horen die op de Golanvlakte in gevecht waren. Een voor een verdwenen ze zomaar uit de ether, voor eeuwig het zwijgen opgelegd, maar hij kon niet ophouden met luisteren, in de wetenschap dat hij de laatste woorden van die soldaten zat aan te horen. We wisten van hem dat jouw legereenheid naar de Sinaï was gestuurd. Elke dag wachtten we of we de deurbel zouden horen, maar er werd niet aangebeld en elke ochtend die aanbrak zonder dat er was aangebeld, was een nieuwe nacht waarin je was blijven leven. Er waren veel dingen die je moeder en ik tijdens die dagen niet tegen elkaar zeiden. Onze angsten dreven ons steeds verder in een diep verschanst zwijgen. Ik wist dat als er iets met jou of Joeri gebeurde, zij me niet het recht zou hebben gegund evenveel verdriet te hebben als zij, en dat nam ik haar kwalijk.

Die avond, twee weken nadat de oorlog was begonnen, ging de telefoon, vlak tegen elven. Daar zul je het hebben, dacht ik, en diep in me gaapte opeens een afgrond. Je moeder was in slaap gevallen op de bank in de andere kamer. Met doffe blik en statisch haar stond ze nu in de deuropening. Ik kwam overeind uit mijn stoel alsof ik me door cement verplaatste, en nam op. Mijn ogen en longen brandden. Er klonk een stilte die zo lang duurde dat ik me het ergste begon voor te stellen. Toen kwam jouw stem door. Ik ben het, zei je. Dat was alles: Ik ben het. Maar in die drie lettergrepen hoorde ik dat je stem een tikje anders klonk, alsof er binnenin een klein maar essentieel onderdeel was stukgegaan, zoals de gloeidraad van een gloeilamp. En toch deed dat er niet toe, op dat moment. Ik maak het goed, zei je. Ik kon niet praten. Ik geloof niet dat je me al eens had horen huilen. Je moeder begon te gillen. Het is hem, zei ik. Het is Dov, zei ik met verstikte stem. Ze vloog op me af en we drukten allebei ons oor tegen de telefoon. Met aaneengeklonken hoofden luisterden we naar je stem. Ik kon wel een eeuwigheid naar je blijven luisteren. Al zou je het nergens over hebben, het deed er niet toe. Net zoals we vroeger naar je luisterden toen je lag te babbelen in je ledikantje voordat je om ons begon te roepen. Maar je had geen zin om veel te praten. Je vertelde dat je in een ziekenhuis lag, vlak bij Rechovot. Dat je tank was geraakt en dat je verwondingen aan je borst had opgelopen door granaatscherven. Het valt wel mee, zei je. Je vroeg naar Joeri. Ik kan nu niet lang praten, zei je. We komen je ophalen, zei je moeder. Nee, zei je. Natuurlijk komen we wel, zei ze. Nee zei ik toch, snauwde je terug, bijna boos. En daarna, weer iets zachter: Ze brengen me morgen of overmorgen wel thuis.

Die avond lagen je moeder en ik dicht tegen elkaar aan in bed. Nu ons gratie was verleend, hielden we elkaar stevig vast en vergaven we elkaar alles.

Toen je eindelijk thuiskwam, was je niet de soldaat die ik in de menigte had zien verdwijnen, noch de jongen die ik kende. Je was een soort lege huls, waar die twee mensen uit verwijderd waren. Je zat zwijgend in een stoel in de hoek van de woonkamer, een kopje thee onaangeroerd op het bijzettafeltje, en verkrampte toen ik je aanraakte. Dat kwam door je verwonding, maar ook, zo begreep ik, omdat je dat soort contact niet kon verdragen. Geef hem de tijd, fluisterde je moeder in de keuken, druk in de weer met pillen, thee en watten. Ik zat bij je in de woonkamer. We keken naar het nieuws en spraken maar heel weinig. Wanneer er geen nieuws was, keken we naar tekenfilms, katten en muizen die elkaar achternazaten, Hou je soms van sterren kijken? met daarna de klap met de houten hamer. Na verloop van tijd kwam eruit – niet tegen mij natuurlijk, alleen tegen haar – dat twee anderen in de tank waren gesneuveld. De boordschutter, die pas twintig was, en de commandant, die net een paar jaar ouder was. De boordschutter was op slag dood, maar de commandant had een been verloren en wierp zich uit de tank. Jij klom hem achterna. Het communicatiesysteem was uitgevallen, overal was rook en verwarring, en de tankbestuurder, die in alle consternatie misschien niet had begrepen dat de anderen het voertuig hadden verlaten, startte de tank opnieuw, zette hem in zijn achteruit en reed weg door het zand. Misschien handelde hij in paniek, wie weet; je bent hem nooit meer tegengekomen.

Jij en de gewonde commandant bleven alleen achter in de duinen. Hoe vaak heb ik niet geprobeerd me dat voor de geest te halen alsof ik het was geweest. Niets anders dan de eindeloze duinen en de draden op de grond, achtergelaten door Egyptische, draadgeleide raketten. Het geluid van explosies. Je pogingen om de gewonde man op je rug mee te nemen, maar de onmogelijkheid om vooruit te komen door het mulle zand. De in shock verkerende commandant, die je smeekt hem niet achter te laten. Als je bleef, zouden jullie allebei doodgaan. Als jij vertrok om hulp te zoeken, ging hij misschien dood. Het was je bijgebracht nooit een andere soldaat gewond te velde achter te laten. Dat was een basisregel die het leger er bij je had ingehamerd. Wat moet je met jezelf geworsteld hebben. Alleen was er niets meer van je over om mee te worstelen. De verbijsterde blik op zijn gezicht toen hij besefte dat je zou gaan. De moeizame manier waarop hij zijn horloge afdeed en het je toestak: Deze is van mijn vader. Kijk je ervan op dat ik het me heb voorgesteld, dat ik heb geprobeerd, echt heb geprobeerd me in je positie te verplaatsen? Er was niemand meer in je over en dus, als een wandelend lijk, liet je de commandant achter. Legde je hem voorzichtig neer op het zand, werd je het laatste wat hij ooit zou zien, op het zich eindeloos herhalende zandpatroon na, en liep je weg. Je liep en liep. Door de woestijn, door de hitte, met explosies in de verte en raketten in de lucht. Steeds duizeliger, steeds minder bij zinnen, hopend dat je de juiste richting had ingeslagen. Totdat er ten slotte, als een fata morgana, een reddingseenheid verscheen en je tussen dode en nog amper levende soldaten werd getild. De vrachtwagen lag vol gewonden en stervenden, zodat de tankcommandant niet meer kon worden opgehaald, kreeg je te horen, ze zouden later wel terugkomen. Óf ze zijn teruggegaan en konden hem niet vinden, óf ze zijn helemaal niet meer teruggegaan. Er is niets meer van hem vernomen en hij werd als vermist opgegeven. Zelfs na de oorlog hebben ze zijn lichaam nooit gevonden.

Het horloge lag dagen op je bureau. Toen je eindelijk het adres van zijn ouderlijk huis in Haifa kreeg, leende je de auto en reed er zelf heen. Wat daar is gebeurd weet ik niet. Toen je die avond terugkwam, liep je meteen naar je kamer en trok je zonder een woord te zeggen de deur achter je dicht. Tijdens de afwas vocht je moeder tegen haar tranen, bijtend op haar onderlip. Het enige wat ik weet is dat die tankcommandant enig kind was en dat je het horloge naar zijn ouders hebt teruggebracht. We dachten dat het daarmee was afgelopen. In de daaropvolgende weken ging het wat beter met je. Joeri kwam je om de paar dagen opzoeken, en jullie gingen samen een eind wandelen. Maar ongeveer drie weken later kwam er een brief van de vader van de dode soldaat. Ik zag hem in de stapel post liggen en legde hem voor je opzij. Ik keek amper naar het afzendadres, ik was volkomen onwetend van de inhoud, maar ik was degene die hem aan je gaf en die uiteindelijk verwikkeld raakte in de beschuldigingen die erin stonden. Een vader die aan een zoon schreef, alleen was hij niet jouw vader en was jij niet zijn zoon, en desondanks, door onderlinge verbanden waartegen ik machteloos was, werd ik er ook bij betrokken.

Het was geen welsprekende brief, maar hij werd nog erger door zijn grofheid. De vader verweet je de dood van zijn zoon. *Je pakte zijn horloge*, schreef hij in hanenpoten, *en liet mijn zoon gewoon doodgaan. Hoe durf jij nog in de spiegel te kijken?* Hij had Birkenau overleefd en bracht dat ter sprake. Hij wees op de moed van de Joodse gevangenen onder het regime van de ss en noemde je een lafaard. In de laatste regel van de brief, zo hard neergekrast dat de pen door het papier was gepriemd, schreef hij: *Was jij het maar geweest.*

De brief had een verwoestend effect. Het wankele evenwicht dat je had weten te bewaren werd volkomen verstoord toen je hem las. Je lag in bed met je gezicht naar de muur, je wilde niet opstaan en je wilde niet eten. Je weigerde iemand te zien en verdoofde jezelf met het opiaat van het zwijgen. Of misschien probeerde je je laatste restantje zelfbesef uit te hongeren. Je moeder stond nu nieuwe doodsangsten om je uit. (Hoeveel soorten doodsangsten kun je om je kind uitstaan? Zet het van je af.) In het begin kwam je vriendin nog langs, maar je stuurde haar weg en in tranen liep ze de deur uit. Ze had lang donkerblond haar, scheve tanden en droeg een mannenoverhemd, en door dat alles werden haar vitaliteit en schoonheid alleen maar versterkt. Je zult wel denken dat ik te veel over de schoonheid van je vriendinnetjes doorga, maar dat is niet zonder reden: ondanks al het lijden wat je deed, was je tot dan toe nooit blind voor schoonheid, men zou haast kunnen stellen dat je er een bepaalde bescherming bij zocht. Maar nu niet meer – nu stuurde je haar weg, het mooie meisje dat om je gaf. Je wilde niet eens met je moeder praten. Als ik eerlijk ben, moet ik toegeven dat ik het best een beetje fijn vond om te zien dat ze dezelfde behandeling onderging als ik. Dat ze voelde wat ik mijn hele leven van jou te voelen heb gekregen. Dat ze een poosje aan mijn kant van het hek moest leven en ervaren hoe het is om jezelf tegen die ondoordringbare barrière te werpen. Het was alsof ze mijn tevreden gevoel bespeurde. Alles wat er aan zachtheid tussen ons was ontstaan nadat we gehoord hadden dat je nog leefde, elk voordeel van de twijfel dat we elkaar stilzwijgend gunden, begon nu op te drogen. Onze gesprekken over jou – op gedempte toon in de keuken of 's avonds in bed – werden gespannen. Je moeder wilde de vader in Haifa opbellen, tegen hem schreeuwen, jou verdedigen. Maar dat stond ik niet toe. Ik pakte haar hand en wrong de telefoon los. Zo is het genoeg, Eva, zei ik. Zijn zoon is dood. Zijn ouders werden vermoord en nu heeft hij zijn enige zoon verloren. En jij verwacht dat hij eerlijk is? Redelijk? Haar blik werd hard. Je hebt meer begrip voor hem dan voor je eigen zoon, spuwde ze eruit en ze liep weg.

We schoten tegenover elkaar tekort. We schoten tekort terwijl we elkaar juist hadden moeten steunen. We trokken ons terug in onze eigen angst, die bijzondere, unieke hel van zien hoe je kind lijdt zonder dat je bij machte bent iets voor hem te doen. Misschien had ze gelijk, in zekere zin. Niet over mijn gebrek aan begrip – je was mijn kind, verdomme, zelfs nu ben je nog steeds mijn kind. Maar misschien wél over het gebrek aan mildheid waarmee ik aankeek tegen je reactie op het drama dat je was overkomen. Je hield op met leven. Je moeder geloofde dat er iets van je was afgepakt. Maar voor mijn gevoel had je dat iets verbeurd. Alsof je al je hele leven zat te wachten tot het leven je zou verraden, al je verdenkingen zou bewijzen, namelijk dat het je weinig te bieden had, alleen teleurstelling en pijn. En nu had je een puntgave reden om het leven de rug toe te keren, er eindelijk mee te breken, net zoals je met Sjlomo had gebroken, met zoveel andere vrienden en vriendinnen, en lang geleden met mij.

Er overkomen mensen verschrikkelijke dingen, maar niet iedereen gaat eraan kapot. Hoe komt het dat sommige mensen wel en andere mensen niet aan hetzelfde kapotgaan? Er is zoiets als de wil – wat blijft is een onvervreemdbaar recht, het recht van interpretatie. Iemand anders zou hebben gezegd: Ik ben niet de vijand. Uw zoon is doodgegaan door hun toedoen, niet het mijne. Ik ben een soldaat die voor mijn land vocht, niets meer en niets minder. Een ander zou de deur naar de kwelling van zelftwijfel hebben dichtgeslagen. Maar jij hebt hem open laten staan. En ik geef toe dat ik dat niet begreep. Toen het na twee of drie maanden nog steeds niet beter met je ging, sloeg de pijn van je te zien lijden om in frustratie. Hoe kun je iemand helpen die zichzelf niet helpt? Op een gegeven moment krijgt het voor een ander toch iets van zelfmedelijden. Je deed afstand van alle ambitie. Als ik langs de dichte deur van je kamer liep, bleef ik weleens in de gang staan. Hoe zit het met die haai, jongen? Hoe zit het met Beringer en zijn dweil en het voortdurend druppelende lek in het bassin? Hoe zit het met de dokter, en Noa, en de kleine Benny? Wat moet er zonder jou van hen worden? Maar wanneer ik je dan met gebogen rug voor een bord eten zag zitten waarvan je het verdomde een hap te nemen, wilde ik van je weten: Wie zit je nou eigenlijk te straffen? Denk je nou echt dat het leven zich er iets van aantrekt als het door jou wordt verloochend?

Overal waar je ging, rammelde de pijn in je, vermengden zich de oude verwondingen met de nieuwe. Bij dit alles werd ik diep betrokken. Vanuit elke hoek werd me alleen je rug gegund. Mijn wrevel nam toe, zowel ten opzichte van jou als van je moeder, jullie die samen een exclusief kamp vormden waar ik, de bruut, buiten werd gehouden – om me te straffen voor mijn enorme wanbegrip en de vele andere dingen waaraan ik schuldig was. Hij voelt zich door je gekwetst, zei ze toen ik tijdens een nodeloze ruzie tekeerging over haar medeplichtigheid aan jouw stilte, die speciale glazen stilte die alleen voor mij bestemd was. En jij vindt dat hij die gevoelens terecht heeft? vroeg ik. Vind jij dat hij gelijk heeft dat – wat? Dat ik hem niet eerlijk behandel? Dat ik niet op de juiste manier van hem houd? Aaron, zei ze vinnig en ze slaakte een gefrustreerde zucht. Ik heb op mijn eigen manier van hem gehouden! schreeuwde ik, me ervan bewust dat ik al schreeuwend alleen maar iets toevoegde aan haar steeds hoger wordende stapel bewijzen, die van jou en van haar. Misschien heb ik wel een schaaltje door de kamer gesmeten – een schaaltje met aardbeien was het – en viel het glas in stukken. Het kan best dat ik dat gedaan heb. Als mijn geheugen me niet bedriegt. Het is waar dat mijn drift me soms de baas werd. Het glas vloog aan stukken en in het spoor van die knal sloop haar gerechtvaardigde zwijgen de kamer in. Ik had graag met nog meer gesmeten.

Ik hoefde mijn mond maar open te doen of je deed boos en keek pijnlijk getroffen. Hij is nu een slachtoffer in alles, zei ik tegen je moeder. Hij slooft zich uit om zijn recht op lijden te cultiveren. Maar zoals altijd koos ze partij tegen mij. Op een avond werd ik het zat en schreeuwde ik tegen haar: Dus nu ben ik opeens verantwoordelijk voor de dood van die tankcommandant? Dat was oneerlijk, ja, en ik had er meteen spijt van. Even later hoorde ik de voordeur dichtslaan en wist ik dat je me had gehoord. Ik ging je achterna en probeerde je terug te halen. Op straat stond je te huilen en probeerde je me verwoed van je af te duwen. Ik pakte je beet en drukte je hoofd tegen mijn borst tot je ophield met spartelen. Ik had mijn armen om je heen geslagen terwijl jij stond te snikken, en als ik had kunnen spreken, zou ik hebben gezegd: Ik ben niet de vijand. Ik ben niet degene die je die brief heeft geschreven. Ik zou liever hebben dat er duizend anderen sneuvelden dan jij.

Er gingen maanden voorbij zonder dat er iets veranderde. Toen verscheen je een keer bij me op kantoor. Ik kwam terug van een afspraak met een cliënt en daar zat jij aan mijn bureau met een somber gezicht een tekeningetje op mijn blocnote te krassen. Ik was verbaasd. Je zette al zo lang bijna geen stap buiten de deur en nu zat je als een levende dode tegenover me. Ik kon me niet herinneren wanneer je me voor het laatst op mijn werk had opgezocht. Ik kon niets anders bedenken om te zeggen dan: Ik wist niet dat je zou komen. Ik ben gekomen om te vertellen dat ik een beslissing heb genomen, zei je ernstig. Mooi zo, zei ik, nog staande, prachtig, hoewel ik geen idee had wat die beslissing inhield. Alleen het idee dat je je langzaamaan een toekomst was gaan voorstellen was al genoeg. Je bleef zwijgen. En? vroeg ik. Ik ga weg uit Israël, zei je. Waarheen? vroeg ik en probeerde mijn oplaaiende woede de baas te blijven. Londen. Met wat voor doel? Je had tot dan toe mijn blik niet beantwoord, maar je hief het hoofd en keek me strak aan. Ik ga rechten studeren, zei je.

Ik was met stomheid geslagen. Niet alleen omdat je nooit eerder blijk van juridische belangstelling had gegeven, maar omdat je er van jongs af aan een punt van had gemaakt om mij niet als voorbeeld te nemen. Nee, meer dan dat – om jezelf als mijn tegendeel op te werpen. Als ik hard sprak, was jij degene die altijd zachtjes sprak, als ik van tomaten hield, had jij er de pest aan. Ik was verbijsterd om deze plotselinge ommezwaai en deed mijn best om te begrijpen wat de bedoeling kon zijn. Als je niet zo'n serieus iemand was geweest, had ik gedacht dat je de spot met me wilde drijven. Ik geef toe dat ik jou niet echt als advocaat zag, maar eigenlijk was het in die tijd heel lastig je überhaupt als iets te zien.

Ik wachtte tot je verder zou gaan, maar je zweeg. Abrupt stond je op en zei dat je met een vriend had afgesproken. Jij die het al maanden verdomde iemand te zien. Toen je was vertrokken, belde ik je moeder. Wat moet dat allemaal voorstellen? vroeg ik. Wat bedoel je? vroeg ze. De ene dag ligt hij catatonisch op zijn kamer, zei ik, en de volgende dag gaat hij rechten studeren in Londen. Hij heeft het er al een poosje over, zei ze. Ik dacht dat je dat wist. Wist? Wíst? Hoe moet ik dat nou weten? In mijn eigen huis is er geen mens die mij iets vertelt. Hou toch op, Aaron, zei ze. Stel je niet zo aan. Dus nu was ik niet alleen een bruut, maar ook nog eens een aansteller. Een malloot waar iedereen mee vergat te praten, op dezelfde manier als je een humeurige en lastige kat zonder eten buiten zet in de hoop dat hij de kuierlatten neemt en een ander gezin vindt dat voor hem wil zorgen.

Je ging. Ik kon me er niet toe brengen je naar het vliegveld te rijden. Ik bracht je wel naar de oorlog, maar ik kon je niet afzetten bij het vliegtuig waarmee je je eigen land zou verlaten. Ik had een rechtszaak. Misschien had ik moeten afzeggen, maar dat deed ik niet. De avond ervoor bleef je moeder op om de trui af te maken die ze voor je had gebreid. Heb je hem ooit aangehad? Zelfs ik zag dat hij niet erg flatteus was, stijf stond van haar angst dat je misschien zou doodvriezen. We stelden het afscheid nemen uit tot 's ochtends. Maar toen het tijd werd dat ik naar mijn werk vertrok, lag je nog te slapen.

Van meet af aan haalde je geweldige cijfers. Je schaarde je probleemloos onder de besten van je jaar. Je lijden verdween niet, maar leek minder te worden. Je hield het verstopt onder eindeloze, obsessieve arbeid. Toen je afstudeerde, dachten we dat je thuis zou komen, maar je kwam niet. Je trad aan als advocaat en werd opgenomen in een prestigieuze praktijk. Je werkte onmogelijke uren, zodat er geen ruimte voor iets anders overbleef, en wist snel naam te maken in de wereld van het strafrecht. Je vervolgde en verdedigde, hield de weegschaal van het recht in evenwicht, de jaren verstreken, je trouwde, ging scheiden, werd tot rechter benoemd. En pas later ging ik begrijpen wat je die dag van lang geleden waarschijnlijk had willen vertellen: dat je niet bij ons terug zou komen.

Dat alles was lang geleden. En toch denk ik er tegen mijn zin aan terug. Alsof ik voor het laatst, bij wijze van ritueel, elke blijvende pijnplek wil aanraken. Nee, de krachtige emoties van de jeugd worden met de tijd niet minder heftig. Je krijgt er greep op, laat de zweep knallen, dwingt ze op de knieën. Je verschanst je. Dringt aan op discipline. De kracht van het gevoel neemt niet af, het wordt domweg in bedwang gehouden. Maar nu beginnen de muren uit het lood te raken. Ik merk dat ik weer aan mijn ouders denk, Dovvi. Aan bepaalde beelden van mijn moeder in het schimmige avondlicht, in de keuken, en ik zie dat haar gezichtsuitdrukking op iets anders wijst dan ik als kind had begrepen. Ze sloot zich op in de badkamer, zodat ze alleen nog maar bestond als geluid. Gedempt, door de deur heen, mijn oor ertegenaan. Voor mij was mijn moeder op de eerste plaats een geur. Een onbeschrijfelijke geur. Zet het van je af. Daarna een gevoel, haar handen op mijn rug, de zachte wol van haar jas tegen mijn wang. Daarna het geluid dat ze maakte en als verre vierde in de reeks, helemaal achteraan, haar aanblik. Hoe ze er voor mij uitzag, alleen in delen, nooit als geheel. Zo groot, en ik zo klein dat ik op elk willekeurig moment alleen een ronding in me opnam, opbollend vlees over een ceintuur, de besproete glooiing naar haar boezem, haar in kousen gestoken benen. Nog meer was onmogelijk. Te veel. Na haar overlijden heeft mijn vader nog bijna een decennium geleefd. Waarin hij de ene bibberende hand met de andere ondersteunde. Ik trof hem vaak aan in zijn ondergoed, ongeschoren, met neergelaten luxaflex. Een verzorgde, zelfs ijdele man, in een onderhemd vol vlekken. Het duurde een vol jaar voor hij weer normale kleren aantrok. Andere dingen kwamen nooit meer goed. Er kieperde iets in hem omver. In zijn gesprekken vielen grote gaten. Een keer trof ik hem op handen en voeten aan, bezig een kras in de houten vloer te inspecteren. Al mompelend paste hij er Talmoedische kennis op toe die hem in zijn jeugd was bijgebracht en die hij als nutteloos van zich had afgezet, tot op dit moment. Ik heb geen idee, geen enkel idee, hoe hij over het hiernamaals dacht. Wij spraken niet over persoonlijke dingen. We begroetten elkaar van over een grote afstand, van bergtop naar bergtop. Een lepeltje dat rinkelde in een kopje, een keel die werd geschraapt. Een gesprek over de beste soort wol, waar die wol vandaan kwam, van welk type dier, hoe hij werd geweven, als er al sprake was van een gesprek. Hij stierf vreedzaam in zijn bed, zonder ook maar één vuil bord in de gootsteen. Als hij een glas water had gepakt, veegde hij de gootsteen droog, zodat het staal getrouw aan zijn benaming roestvrij zou blijven. Een paar jaar heb ik voor allebei een gedenkkaars opgestoken, maar daarna is die gewoonte bij mij in het slop geraakt. Ik kan het aantal keren dat ik hun graf heb bezocht op de vingers van één hand tellen. De doden zijn dood, als ik bij hen op bezoek wil, heb ik mijn herinneringen, en zo keek ik ernaar, als ik er al naar keek. Maar zelfs die herinneringen hield ik op afstand. Schuilt er niet altijd een lichte, maar onmiskenbare berisping in de dood van je naasten? Ga jij dat nou ook van mijn dood maken, Dov? De laatste aflevering van de lange berisping waarvoor je mijn leven hebt aangezien?

Mijn einde was nabij en toen kwam je thuis. Je stond met je koffer in de gang en ik dacht: een begin, althans daar leek het op. Ben ik te laat? Waar zit je? Je had al uren thuis moeten zijn. Waar blijf je toch? Er klopt iets niet, dat voel ik gewoon. Nu je moeder er niet meer is, ben ik aan de beurt om me ongerust te maken. Tien dagen achtereen zag ik je na het wakker worden hier aan deze tafel zitten. Zo kort, en toch was ik er helemaal op gaan rekenen. Maar vanochtend, de ochtend dat ik de trap af kwam met het voornemen de stilte te doorbreken en ten slotte maar een wapenstilstand aan te bieden, was de tafel leeg.

Er is een toenemende druk in mijn borst. Dat uit mijn hoofd zetten kan ik niet. Al tien dagen wonen we onder hetzelfde dak, en je hebt amper een woord gezegd, Dov. We bewegen ons door de dag als twee wijzers van een klok: soms overlappen we elkaar even, komen dan weer los en vervolgen ieder afzonderlijk onze eigen cyclus. Elke dag precies hetzelfde: de thee, de verbrande toast, de kruimels, het zwijgen. Jij in jouw stoel, ik in de mijne. Behalve vandaag, toen ik wakker werd en ik mijn eerste kuchje in de gang liet horen, de keuken binnenkwam en daar niemand zat. Je stoel was leeg. De krant lag nog in een plastic hoesje voor de deur.

Ik heb mezelf beloofd dat ik zou wachten tot je er klaar voor was, dat ik niets zou forceren. Gisteren kwam ik je tegen in de tuin, met iets vreemd stijfs in je houding alsof je een houten juk droeg, net als de Nederlanders vroeger; alleen was het bij jou geen water dat je probeerde niet te morsen, maar grote voorraden gevoel. Ik deed mijn best je niet te storen. Bang het verkeerde te zeggen zei ik helemaal niets. Maar elke dag besta ik een stukje minder. Een miniem stukje, bijna onmeetbaar, en toch voel ik het leven uit me wegglijden. Wat je me niet over je leven wilt vertellen hoef je me echt niet te vertellen. Ik zal je niet vragen wat er is gebeurd, waarom je ontslag hebt genomen, waarom je plotseling het enige hebt opgegeven wat je al die jaren aan het leven gebonden heeft gehouden. Ik kan best leven zonder dat te weten. Maar wat ik per se wil weten is waarom je bij mij bent teruggekomen. Ik moet het vragen. Kom je niet eens een keer bij me op bezoek wanneer ik ben overleden? Kom je niet eens af en toe bij me zitten? Het is onzinnig, er zal niets meer van me over zijn, slechts een handjevol inert materiaal, en toch heb ik het gevoel dat mijn heengaan wat makkelijker zou verlopen als ik wist dat je zo nu en dan zou komen. Om de boel rond de grafsteen aan te vegen en een steen te pakken en die daar bij de andere te leggen. Als er andere zouden liggen. Gewoon het idee dat je zou komen, al was het maar eens per jaar. Ik weet hoe dat klinkt, gegeven de vergetelheid die me ongetwijfeld wacht. Toen ik voor het eerst mijn kleine omzwervingen door de vallei van de dood begon en die wens bij mezelf ontdekte, was ook ik daar verbaasd over. Ik weet nog precies hoe het gebeurde. Joeri kwam me op een ochtend ophalen om naar de oogarts te gaan. Van de ene dag op de andere had zich een klein plekje duisternis in het zicht van mijn rechteroog genesteld. Het was gewoon een stipje, maar dat kleine lege vlekje dreef me tot waanzin, alles waar ik naar keek, werd erdoor ontsierd. Ik begon in paniek te raken. Stel dat er een ander plekje verscheen, en dan nog een? Alsof ik levend begraven werd onder de ene schep aarde na de andere, totdat er alleen links een stipje licht was en daarna niets meer. Na mezelf helemaal overstuur te hebben gemaakt, belde ik Joeri. Een uur later belde hij terug dat hij een afspraak had gemaakt en me zou ophalen. We hadden een gesprek met de dokter, dat is verder allemaal niet belangrijk, en na onze afspraak stapten we in de auto om naar huis te rijden. We hadden al een stuk gereden toen de voorruit vanuit het niets werd getroffen door een kei. Het gaf een ontzettende klap. We schrokken ons allebei te pletter en Joeri stond meteen op de remmen. Zwijgend bleven we zitten, amper ademhalend. De weg was leeg, er was geen mens in de buurt. Door een wonder dat pas even later volledig tot ons doordrong, was het glas niet gebroken. Het enige spoor was een graspol ter grootte van een vingerafdruk, bijna precies tussen mijn ogen. Een ogenblik later zag ik de kei in de uitsparing voor de ruitenwissers liggen. Als hij door het glas was gegaan, had hij me misschien het leven gekost. Op trillende benen stapte ik uit de auto en pakte de steen. Hij lag in mijn handpalm en toen ik er mijn vingers omheen sloot, paste hij perfect in mijn vuist. Hier heb je de eerste, dacht ik. De eerste steen om mijn graf te markeren. De eerste steen die als een punt aan het eind van mijn leven wordt gezet. Nog even en mijn nabestaanden leggen de ene steen na de andere neer om de lange zin te verankeren die mijn leven is geweest, tot zijn laatste, gesmoorde lettergreep –

En toen, mijn kind, dacht ik aan jou. Ik besefte dat het me niet kon schelen of de anderen kwamen. Dat jij de enige was, Dov, van wie ik een steen wilde. De steen die voor een Jood zoveel dingen kan betekenen, maar in jouw hand slechts één betekenis kon hebben.

Mijn kind. Mijn liefde en mijn spijt, zoals je was toen ik je voor het eerst aanschouwde, een klein oud mannetje dat nog geen tijd had gehad de eeuwenoude uitdrukking van zijn gezichtje te laten verdwijnen, naakt en misvormd in de armen van de verpleegster. Dokter Bartov, mijn oude vriend, die de regels overtrad zodat ik erbij kon zijn, draaide zich naar me om en vroeg of ik de navelstreng wilde doorknippen, opgezwollen, witachtig blauw en gedraaid, heel veel dikker dan ik ooit had gedacht, eerder een touw om een boot mee vast te leggen, en zonder na te denken ging ik op zijn voorstel in. Kijk, op deze manier, zei hij, hij die het al duizend keer eerder had gedaan. Zo gezegd zo gedaan, en opeens begon de streng als een slang in mijn handen te dansen en spoot het bloed de kamer rond, bespatte het de muren als op de plaats van een gruwelijk misdrijf en deed jij je ogen open, ik zweer het, je deed je kleine natte oogjes open en keek me aan, alsof je het gezicht van degene die jou van haar had gescheiden voorgoed in je geest vast wilde leggen. Op dat moment voelde ik me gevuld worden. Het was alsof ik letterlijk onder spanning was gezet, met een druk die alles deed uitdijen, inwendig tegen de wanden duwde, alsof ik van binnenuit werd bestormd, als dat tenminste mogelijk is, en ik dacht dat ik zou ontploffen van dat alles, van liefde en spijt, Dov, liefde en spijt zoals ik nooit voor mogelijk had gehouden. Op dat moment begreep ik verrast dat ik je vader was geworden. Die verrassing duurde nog geen minuut, want je moeder begon te bloeden en de ene verpleegster tilde je op en liep haastig met je weg terwijl de andere me de deur uit werkte en in de wachtkamer neerpootte, waar de mannen die hun kinderen nog niet hadden gezien naar mijn bebloede schoenen en trillende onderlip keken en begonnen te kuchen en te beven.

Ik wil dat je weet dat ik het nooit heb opgegeven je vader te zijn, Dovvik. Soms, wanneer ik naar mijn werk reed, zat ik hardop met je te praten. Deed ik een beroep op je, ging met je in discussie. Of won je advies in over een extra moeilijke zaak. Of vertelde je gewoon over de bladluis die mijn tomaten bestookte of de eenvoudige omelet die ik op een ochtend voor mezelf had gemaakt voordat je moeder wakker werd en die ik in mijn eentje had opgegeten in de klaarlichte stilte van de keuken. En toen ze ziek werd, praatte ik met je terwijl ik op een harde plastic stoel zat te wachten totdat ze uit de zoveelste procedure, de zoveelste behandeling, de zoveelste test tevoorschijn kwam. Ik maakte een kleine vogelverschrikker van je in mijn hoofd en ik sprak alsof je me kon horen. De tweede keer dat ze lijn 18 opbliezen, was ik twee straten verderop. Bloed, heel veel bloed, Dovvi. De menselijke resten lagen overal. Ik zag de speciale groepering orthodoxe Joden arriveren om de uiteengespatte doden op te halen, ze met een pincet bij stukjes en beetjes van de stoep te schrapen, een ladder te bestijgen om de flarden van een oor los te trekken van een hoge tak, om de duim van een kind weg te halen van een balkon. Daarna kon ik er met niemand over praten, zelfs niet met je moeder, maar ik praatte met jou. Ware Barmhartigheid, zo noemen ze zichzelf, degenen die arriveren met een kipa op hun hoofd en een fluorescerend geel hesje aan hun lijf, altijd als eersten daar om de stervenden vast te houden wanneer ze in een geschokte stilte overlijden, om het kind zonder ledematen van de grond te tillen. Ware Barmhartigheid, omdat de doden deze dienst niet kunnen vergoeden. Ja, met jou sprak ik als ik wakker werd uit een nachtmerrie. Tot jou richtte ik me als ik mezelf bij het scheren in de spiegel aankeek. Ik vond je overal, verborgen op de meest onwaarschijnlijke plekjes, en hoewel ik me aanvankelijk afvroeg waarom, besefte ik al snel dat het was omdat ik meende iets van je te kunnen leren, van jouw voorbeeld. Jij die altijd zo'n groot talent had voor loslaten, jezelf steeds lichter maken, steeds minder, met telkens een vriend, een vader minder, een vrouw minder, en nu heb je zelfs het rechterschap eraan gegeven, is er bijna niets meer om je aan de wereld gekluisterd te houden, ben je als een paardenbloem met nog maar een of twee pluisjes, wat zou het je weinig moeite kosten om met een licht kuchje, een licht zuchtje het laatste pluisje weg te blazen –

Opeens ben ik bang, Dov. Voel ik een rilling, verspreidt zich een kilte door mijn aderen. Voor één keer denk ik het nu wél te begrijpen. En wat begrijp ik dan? Kan het zijn dat je bent gekomen om weer afscheid te nemen? Dat je van plan bent er een eind aan te maken – uiteindelijk dan toch?

Wacht, Dovvik. Ga niet weg. Weet je nog dat je me 's avonds, als ik je naar bed bracht, altijd één vraag extra wilde stellen? Waar gaat de zon 's nachts heen? Wat eten de wolven? Waarom is er maar één iemand zoals ik?

Nog één vraag, Dovvik. Nog één liedje. Nog vijf minuutjes.

Wat zou zij doen?

Waar ben je? Al jouw hele leven stel ik die vraag.

Ik zal mijn schoenen aantrekken. Ik zal door de knieën gaan. Ik zal het er nooit meer over hebben.

Ik zal doen wat je moeder zou hebben gedaan. Ik zal elk ziekenhuis bellen.

Recht van spreken

Edelachtbare, in de donkere, stenen koelte van mijn kamer sliep ik als de overlevende van een orkaan. Aan de rand van mijn dromen fladderde een nerveuze onrust, het besef dat me iets ergs was overkomen, maar ik was te moe om het nader te onderzoeken. Tijdens lange uren slaap hoopte het zich steeds verder op tot aan het moment dat ik mijn ogen opsloeg en het zich als een bezeten doodsangst manifesteerde. Vlak buiten mijn bereik bevond zich een dringende vraag die antwoord behoefde, maar wat was die vraag? Ik had vreselijke dorst en graaide in het donker naar de kleine glazen flesjes koud water. Ik had geen idee hoe laat het was, maar door de spleet onder de luiken zag ik dat het buiten nog licht was, of weer licht was geworden. De vraag werd steeds opdringeriger, alleen kreeg ik hem maar niet te pakken. Ik tastte naar de sleutel van de verandadeur en gooide daarbij een flesje om, dat op de grond kapotviel. Het slot wilde eerst niet open, maar gaf even later toegang tot het paarsblauwe licht van Jeruzalem. Ik werd diep ontroerd door het uitzicht op de muren van de Oude Stad, maar de vraag was er nog steeds en mijn gedachten gingen er constant naartoe als een tong die de pijnlijke plek van een getrokken kies onderzoekt: het deed pijn maar ik moest het weten. Toen de zon onderging en het duister als een kap over de heuvels neerdaalde, werd alles in mijn hoofd versterkt als in een theater met een perfecte akoestiek en kwam dat vervelende kleverige gevoel weer terug, de prangende vraag die zich opdrong, maar wat was die toch, wat... totdat hij met een schok van walging eindelijk bovenkwam:

Stel dat ik het mis had?

Zolang ik me kan herinneren, Edelachtbare, heb ik mezelf als anders beschouwd. Of liever gezegd, ik dacht dat ik anders was dan de rest, dat ik was uitverkoren. Ik zal u niet vermoeien met de trauma's uit mijn jeugd, met mijn eenzaamheid, met de angst en het verdriet tijdens de jaren dat ik in de bittere cocon van mijn ouders' huwelijk verkeerde, onder het bewind van mijn vaders toorn, want zijn we tenslotte niet allemaal de schipbreukelingen van onze jeugd? Ik heb er geen behoefte aan het wrak van mijn kindertijd te beschrijven; het enige wat ik wil zeggen is dat ik die donkere, vaak angstaanjagende overtocht in mijn leven heb overleefd door mezelf bepaalde eigenschappen toe te dichten. Ik gaf mezelf geen toverkracht, geloofde evenmin dat ik door een goedgunstige kracht werd beschermd – zo concreet was het niet – en bovendien was ik me steeds bewust van de vaststaande realiteit van mijn situatie. Ten eerste geloofde ik dat de feitelijke omstandigheden van mijn leven min of meer een toevalligheid waren en niet uit mijn eigen ziel voortkwamen, en ten tweede dat ik iets unieks bezat, een speciale kracht en een gevoelsrijkdom die me heelhuids door leed en onrecht zouden slepen. In tijden van nood hoefde ik mezelf alleen maar onder water te trekken, omlaag te duiken naar de plek in mij waar zich die raadselachtige gave bevond en zolang ik die plek kon vinden, wist ik dat ik op een goede dag uit hun wereld zou ontsnappen en in een andere wereld met mijn eigen leven zou beginnen. In ons flatgebouw was een trapluik dat toegang gaf tot het dak en dikwijls rende ik de vier trappen op en klauterde op een muurtje om te kijken naar de fel schitterende bovenkruising waar de metro's elkaar passeerden, en daar, onvindbaar voor iedereen, gleed dan koeltjes een heimelijke trilling van vreugde door mijn aderen en gingen mijn nekharen rechtovereind staan, omdat ik besefte dat de wereld, in de rauwe stilte van het moment, een stukje van zichzelf aan mij alleen onthulde. Als ik niet op het dak kon, verstopte ik me weleens onder het bed van mijn ouders, en hoewel daar niets te zien was, ervoer ik dezelfde opwinding, hetzelfde gevoel van exclusieve toegang tot de grondslag van alles, tot de gevoelsstromen waarop het menselijk bestaan zo wankel rust, tot de haast onverdraaglijke schoonheid van het leven, niet dat van mij of van een ander, maar het leven op zich, onafhankelijk van wie het leven met hun geboorte betreden en wie het met hun overlijden verlaten. Ik sloeg het moeizame geploeter van mijn zusjes gade, de een die leerde liegen, stelen en bedriegen, de ander die zichzelf kapotmaakte met haar zelfhaat, die zichzelf openreet tot ze niet meer wist hoe ze de stukken aan elkaar moest lijmen, maar ik, Edelachtbare, hield stand, ja, ik geloofde dat ik op een of andere manier was uitverkoren. Ik had niet zozeer het gevoel dat ik ergens door beschermd werd, eerder dat ik een uitzondering was, gezegend met een talent dat me overeind hield maar in feite slechts een latent vermogen was dat ik pas zou aanwenden als de tijd rijp was, en na verloop van tijd werd dat geloof een wet, en die wet ging op den duur mijn leven bepalen. Om kort te gaan, Edelachtbare, is dit het verhaal over hoe ik schrijfster ben geworden.

Begrijp me goed: het is niet zo dat ik geen onzekerheid kende. Mijn leven lang word ik daardoor achtervolgd, een knagend gevoel van twijfel en de daarbijbehorende walging, een speciale walging die ik alleen voor mezelf bewaarde. Soms stond dat gevoel op gespannen voet met mijn idee van uitverkorenheid, de ene keer erger dan de andere, en bracht het me in verwarring, maar uiteindelijk kreeg mijn heimelijke geloof in wat ik werkelijk was altijd weer de overhand. Ik weet nog dat ik me bijna had bedacht toen de verhuizers lang geleden Daniel Varsky's bureau naar binnen sjouwden. Het was zoveel groter dan ik me herinnerde, alsof het was gegroeid of zich had voortgeplant (had het echt zoveel laden?), sinds ik het twee weken daarvoor bij hem thuis had gezien. Ik dacht dat het nergens zou passen maar ik wilde ook niet dat de verhuizers weggingen, want ik was bang, Edelachtbare, bang om alleen te blijven met de schaduw waarin het de kamer hulde. Het was net of mijn appartement in stilte was gedompeld, of misschien was het eerder zo dat de stilte van aard was veranderd, zoals de stilte van een leeg toneel anders is dan de stilte van een toneel waarop iemand één enkel glimmend instrument heeft gelegd. Ik voelde me overdonderd en het liefst was ik een potje gaan huilen. Hoe kon ik nou aan zo'n bureau schrijven? Het bureau van een grote geest, zoals S. opmerkte toen ik hem jaren later voor het eerst naar mijn huis meenam, misschien verdorie wel het bureau van Lorca zelf? Als het omviel, kon je eronder verpletterd worden. Mijn appartement was toch al niet erg groot, maar nu vond ik het helemaal minuscuul. Geïntimideerd zat ik op de grond naast het bureau en ik moest ineens denken aan een film die ik een keer had gezien, over Duitsers na de Tweede Wereldoorlog. Ze hadden niets meer te eten en moesten alle bossen leegkappen om aan brandhout te komen zodat ze niet zouden doodvriezen, en toen er geen bomen meer waren, zetten ze de bijl in hun meubels – bedden, tafels, kleerkasten, erfstukken, niets werd gespaard –, ja, opeens doemden die mensen voor me op, met jassen als vuil verband om zich heen, lustig erop los hakkend in tafelpoten en stoelleuningen, terwijl er een bescheiden hongerig vuurtje aan hun voeten knetterde, en ik voelde een lach in mijn buik opborrelen: denk je eens in wat zij met zo'n bureau zouden hebben gedaan. Ze zouden zich erop hebben gestort, als aasgieren op het karkas van een leeuw – wat een enorm vuur zou dat hebben gegeven, genoeg hout voor dagen – en ik moest er zelfs om grinniken, bijtend op mijn nagels en me haast verkneukelend om dat arme, uit zijn krachten gegroeide bureau dat ternauwernood aan de asdood was ontsnapt en het vervolgens helemaal tot Lorca had geschopt, in ieder geval tot Daniel Varsky, en nu was overgeleverd aan iemand als ik. Ik ging met mijn vingers over het gekraste schrijfblad en streelde met mijn hand de grepen van het grote aantal laden van het bureau, dat gebukt onder het plafond stond, want inmiddels zag ik het in een ander licht en vond ik de schaduw bijna uitnodigend. Kom maar, leek die schaduw te zeggen, als een onhandige reus die zijn enorme hand uitsteekt zodat het muisje erin kan springen, waarna ze samen op avontuur gaan, over heuvels en vlaktes, door bossen en dalen. Ik sleepte een stoel over de vloer (dat geluid herinner ik me nog goed, een lang schrapen dat de stilte uitholde) en was verbaasd over hoe klein die naast het bureau leek, als het stoeltje van een kind of van het jonge beertje uit het verhaal van Goudhaartje; hij zou vast en zeker doorzakken als ik erop ging zitten, maar nee, hij was precies goed. Ik legde mijn handen op het bureau, eerst de ene en toen de andere, terwijl de stilte aan de ramen en de deuren rukte. Ik sloeg mijn blik op en toen voelde ik het, Edelachtbare, die heimelijke trilling van vreugde, en vanaf dat moment, of misschien enige tijd later, werd ik door het onwrikbare feit van dat bureau – het eerste dat ik zag als ik wakker werd – opnieuw van het besef doordrongen dat er een gave in mij erkend was, een speciale eigenschap die me onderscheidde van de rest en waar ik aan verplicht was.

Soms bleef de twijfel maandenlang of zelfs jarenlang weg, maar kwam dan des te heftiger terug, zo erg dat ik erdoor werd verlamd. Anderhalf jaar na de komst van het bureau belde Paul Alpers me op een avond op: Wat ben je aan het doen? vroeg hij. Ik zit Pessoa te lezen, antwoordde ik, hoewel ik in werkelijkheid op de bank in slaap was gevallen, en onder het uitspreken van deze leugen viel mijn oog toevallig op een donker plekje kwijl. Ik kom er zo aan, zei hij, en een kwartier later stond hij voor de deur, met een bleek gezicht en een bruine, gekreukelde zak in zijn hand. Het moest toch wel een tijd geleden zijn dat ik hem voor het laatst had gezien, want hij had veel minder haar dan vroeger, viel me op. Varsky is verdwenen, zei hij. Wat? zei ik, al had ik hem heel goed verstaan, en we draaiden ons precies tegelijk om naar het enorme bureau, alsof onze lange, magere vriend met de grote neus elk moment lachend uit een van de vele laden tevoorschijn kon springen. Maar er gebeurde niets, er was alleen verdriet, dat langzaam de kamer in sijpelde. Heel vroeg in de ochtend stonden ze bij hem voor de deur, fluisterde hij. Mag ik binnenkomen? en zonder op antwoord te wachten, stevende hij langs me heen, deed het keukenkastje open en kwam met twee glazen terug waarin hij whisky schonk uit de fles in de papieren zak. We brachten een dronk uit op Daniel Varsky en toen schonk Paul nog eens bij en toostten we opnieuw, dit keer op alle ontvoerde dichters in Chili. Toen de fles leeg was en Paul ineengedoken in zijn jas op de stoel tegenover me zat, met een harde, wezenloze blik in zijn ogen, werd ik overmand door twee gevoelens: één, het spijtige gevoel dat niets hetzelfde blijft, en twee, het besef dat de last waaronder ik gebukt ging oneindig veel zwaarder was geworden.

Daniel Varsky begon me te achtervolgen en ik kon me niet goed meer concentreren. In gedachten ging ik steeds terug naar de avond dat ik hem had ontmoet en naar de vastgeprikte plattegronden had staan kijken van alle steden waar hij had gewoond. Hij had me verhalen verteld over plaatsen waar ik nog nooit van had gehoord – een blauwgroene rivier buiten Barcelona waar je door een gat onder water kon duiken om weer naar boven te komen in een tunnel die half onder water stond, en dan kilometers kon lopen en luisteren naar de echo van je eigen stem, of de tunnels in de heuvels van Judea die zo smal waren als een mensenmiddel en waar de volgelingen van Bar Kochba gek waren geworden terwijl ze de Romeinen in een hinderlaag opwachtten, en door deze gangen had Daniel, met alleen een lucifer om hem bij te lichten, zich heen gewurmd – en intussen had ik, met mijn licht claustrofobische neigingen, maar braaf geknikt, en daarna had hij zijn gedicht voorgedragen, zonder met zijn ogen te knipperen of weg te kijken. *Vergeet alles wat ik ooit heb gezegd.* Het was echt heel goed, Edelachtbare, de eerlijkheid gebiedt te zeggen dat het een verbluffend gedicht was en ik ben het dan ook nooit vergeten. Het had iets ongekunstelds en nu pas besefte ik dat ik een dergelijke ongekunsteldheid nooit zou bezitten. Het was pijnlijk om toe te geven, maar ik had altijd al vermoed dat onder het oppervlak van wat ik schreef iets leugenachtigs schuilging, dat ik de woorden maar opstapelde alsof ze ter decoratie dienden, terwijl het voor hem juist een kwestie was van eindeloos schrappen en uitbenen totdat hij er volkomen weerloos bij lag, spartelend als een kleine witte larf (het had allemaal iets obsceens, waardoor het extra opwindend werd). Daar zat ik tegenover de inmiddels slapende Paul over te peinzen toen ik ineens, vlak onder mijn hart, een pijnscheut in mijn maag voelde, alsof iemand een klein zakmesje diep in me had gestoken, en ik kromp ineen op zijn bank, de bank waarop ik zo vaak in slaap was gevallen, mijmerend over niets, onbeduidende dingetjes, over op welke dag mijn verjaardag viel, dat ik een nieuw stuk zeep moest kopen, terwijl ergens in de woestijn, op de vlaktes of in de kelders van Chili Daniel Varsky werd doodgemarteld. En vanaf dat moment kon ik wel huilen wanneer ik 's ochtends het bureau zag staan, niet alleen omdat het de belichaming was van de gewelddadige dood van mijn vriend, maar ook omdat het me met mijn neus op het feit drukte dat het bureau nooit echt van mij was geweest en het ook nooit zou zijn, en dat ik slechts de toevallige bewaarder was die zo dom was te denken dat ze iets bezat, een welhaast magische eigenschap, maar die in feite nooit had gehad, en dat de enige echte dichter die aan dit bureau mocht zitten naar alle waarschijnlijkheid dood was. Op een nacht droomde ik dat Daniel Varsky en ik op een smalle brug boven de East River zaten. Om een of andere reden had hij een ooglapje voor, net als Mosje Dajan. Maar voel je dan niet diep vanbinnen dat je iets bijzonders hebt? vroeg hij aan me, nonchalant met zijn benen zwaaiend terwijl in de diepte zwemmers, of misschien waren het honden, tegen de stroom in zwoegden. Nee, fluisterde ik en slikte mijn tranen weg. Nee, dat voel ik niet, waarop Daniel Varsky me met een mengeling van verbijstering en medelijden aankeek.

Een maand lang schreef ik bijna niets. Indertijd was een van mijn vele bijbaantjes het vouwen van origamivogels voor een Chinees cateringbedrijf, eigendom van de oom van een vriend van me. Ik vouwde als een bezetene kraanvogels in alle kleuren van de regenboog, totdat mijn handen eerst gevoelloos werden en daarna zo stijf dat ik mijn vingers niet meer om een glas kreeg en ik het water rechtstreeks uit de kraan moest drinken. Toch vond ik het niet erg, het had haast iets rustgevends om te zien hoe elk voorwerp op de wereld in feite een variatie was op de elf vouwen waaruit een kraanvogel bestond, de zwerm kraanvogels van duizend stuks die ik in dozen verpakte en wegzette in het kleine beetje ruimte dat niet door het bureau in beslag werd genomen. Om de matras waarop ik sliep te bereiken moest ik me langs de dozen en het bureau wringen, zodat mijn hele lichaam er eventjes tegenaan werd gedrukt en ik de geur van hout rook, ondefinieerbaar en pijnlijk vertrouwd tegelijk, en dan werd ik door zo'n akelig rotgevoel overvallen dat ik de matras liet voor wat die was en op de bank ging slapen, tot aan de dag dat de man de dozen met kraanvogels kwam ophalen (hij liet van verbazing een laag gefluit horen en telde vervolgens het geld uit) en mijn appartement weer leeg was. Liever gezegd, leeg op het bureau, de bank, de dekenkist en de stoelen van Daniel Varsky na. Vanaf dat moment deed ik mijn best om het bureau te negeren, maar hoe minder aandacht ik eraan besteedde hoe groter het leek te worden en al snel kreeg ik last van claustrofobie, waarop ik, ondanks de kou, besloot met open ramen te slapen, met als gevolg dat ik merkwaardig sobere dromen had. Toen ik op een avond langs het bureau liep, viel mijn oog op een zin op een bladzij die ik een paar maanden eerder had geschreven. Op weg naar de badkamer dacht ik aan het zinnetje, er klopte iets niet aan, en zittend op de wc viel me plotseling in welke woordcombinatie het moest zijn. Ik liep terug naar het bureau, streepte door wat er stond en schreef de nieuwe zin op. Ik ging zitten en begon een andere zin te herschrijven, en nog eentje, de gedachten buitelden in mijn hoofd over elkaar heen, de woorden klikten als magneten aan elkaar en weldra kon ik, zonder toestanden, weer totaal in mijn werk opgaan. Wist ik weer wie ik was.

En zo ging het iedere keer opnieuw, de stille innerlijke overtuiging kwam altijd terug en won het van de tergende onzekerheid. Hoewel in de loop der jaren het ene na het andere boek onder de maat bleef, elk een nieuwe vorm van mislukking, bleef ik me vastklampen aan het onuitgesproken idee dat ik op een goede dag mijn belofte eindelijk zou waarmaken, totdat ik opeens met grimmige helderheid besefte, alsof ik een klap op mijn hoofd had gekregen waardoor mijn kijk op de dingen veranderde en alles op zijn plaats viel: *Stel dat ik het mis had*? Al jarenlang mis had, Edelachtbare. Vanaf het begin. Ineens leek me dat volkomen logisch. Maar ook volkomen onverdraaglijk. Die kwellende vraag liet me niet meer los. Ik lag te woelen en te draaien in mijn bed, greep me vast aan mijn matras als aan een reddingsvlot, terwijl ik werd meegezogen in de draaikolk van de nacht, verteerd door een koortsachtige paniek, wanhopig wachtend op het eerste teken dat de hemel boven Jeruzalem begon op te lichten. 's Ochtends zwierf ik dan doodop, half dromend, door de straten van de Oude Stad met het gevoel dat ik op het punt stond een lucide inzicht te krijgen, alsof ik bij het omslaan van de volgende hoek eindelijk de kern van alles zou ontdekken, dát wat ik mijn leven lang al had willen zeggen, en vanaf dat moment zou ik geen reden meer hebben nog iets te schrijven, niet eens iets te zeggen, en dan kon ik net als de non die een paar passen voor me uit liep en door een deur in de muur verdween, gehuld in het mysterie van God, de rest van mijn dagen in volledige stilte slijten. Even later lag die illusie echter alweer aan diggelen en was ik terug bij af, verder nog dan af, en was het gevoel van mislukking overweldigender dan ooit. Ik zag mezelf als anders dan de rest, geloofde dat ik het wezen der dingen begreep, niet het mysterie van God, dat een uitgemaakte zaak is, maar – hoe moet ik het anders noemen, Edelachtbare? – het mysterie van het bestaan. En nu liep ik hier onder de genadeloze zon door het zoveelste smalle straatje, struikelend over de oneffen keitjes, en werd ik langzaam overmeesterd door het schrikbeeld dat ik me had vergist. En als dat zo was, dan waren de gevolgen van die vergissing zo ingrijpend dat niets overeind bleef, alle pilaren zouden omvallen, het dak zou instorten en er zou zich een groot gapend gat openen waarin alles verdween. Ik had mijn hele leven aan dat idee gewijd, snapt u, Edelachtbare? Ik heb er alles en iedereen voor opgegeven, en nu is het nog het enige wat ik heb.

Zo is het niet altijd geweest. Er was ook een tijd dat ik me kon voorstellen dat mijn leven anders zou lopen. Het is wel zo dat ik er van jongs af aan aan gewend was uren alleen te zijn. Ik had ontdekt dat ik niet zo'n grote behoefte had aan gezelschap als andere mensen. Na een hele dag schrijven kostte het me echt moeite om een gesprek aan te knopen; het leek wel alsof ik door cement moest waden, en vaak besloot ik dan helemaal geen gesprek te beginnen, maar in mijn eentje met een boek in een restaurant te gaan eten of een lange wandeling te maken, om de lange dag in mijn eentje van me af te schudden met lopen door de stad. Aan eenzaamheid, echte eenzaamheid, raak je nooit gewend, en toen ik nog jong was had ik ook de hoop en het geloof dat ik iemand zou ontmoeten op wie ik verliefd zou worden en met wie ik mijn leven zou delen, ieder vrij en onafhankelijk, maar door onze liefde aan elkaar verbonden. Ja, er was een tijd dat ik me nog niet voor anderen afsloot. Toen R. me zoveel jaar geleden in de steek liet, had ik nog geen idee. Wat wist ik nou van echte eenzaamheid? Ik was jong en enthousiast, borrelde over van gevoel, barstte van lust en verlangen; ik leefde toen dichter aan de oppervlakte van mezelf. Op een avond kwam ik thuis en vond hem als een bal opgerold op bed liggen. Toen ik hem wilde aanraken, kromp hij ineen en de bal werd nog compacter. Laat me met rust, fluisterde hij met een verstikte stem die van onder uit een put leek te komen. Ik hou van je, zei ik en streelde zijn haar, maar de bal werd nog compacter, zoals bij een bange of zieke egel. Wat begreep ik in die tijd weinig van hem, ik wist toen nog niet dat hoe meer je je verbergt, hoe sterker je behoefte wordt om je terug te trekken, waardoor het weldra vrijwel onmogelijk is nog met anderen om te gaan. In mijn hoogmoed probeerde ik hem op andere gedachten te brengen, ik dacht dat mijn liefde hem wel kon redden, zolang ik hem er maar van kon overtuigen hoe belangrijk, hoe mooi en hoe goed hij was, kom naar buiten, kom naar buiten, uit je huisje, zong ik in zijn oor, totdat hij op een dag opstond en vertrok, met medeneming van al zijn meubels. Is het op dat moment voor mij begonnen? De ware eenzaamheid? Begon ik me toen ook, net als hij, terug te trekken in plaats van me te verbergen, op zo'n geleidelijke manier dat ik het aanvankelijk niet eens doorhad, zoals op die stormachtige avonden waarop ik met mijn moersleutel in de aanslag zat te wachten om de raamlijsten vast te zetten, om mezelf af te sluiten voor de gierende wind? Ja, dat kan best het begin zijn geweest, of ongeveer, dat is moeilijk te zeggen, maar het duurde jaren voordat de innerlijke reis was afgelegd, voordat ik alle vluchtwegen had afgesloten, want er waren eerst nog een paar relaties en de bijbehorende beëindiging, en daarna mijn tien jaar durende huwelijk met S. In de tijd dat ik hem ontmoette, had ik al twee boeken gepubliceerd, was mijn leven als schrijver een vaststaand feit en hetzelfde gold voor het verbond dat ik met mijn werk had gesloten. De eerste avond dat ik hem mee naar huis nam, vrijden we op het berberkleed, terwijl het bureau een meter verder ineengedoken in het donker stond. Het is een jaloers monster, zei ik voor de grap, en ik meende het werkelijk te horen grommen, maar het was S.

maar, die op dat moment misschien iets voorvoelde, of doorhad dat de grap een kern van waarheid bevatte, dat mijn werk het altijd van hem zou winnen, me steeds terug zou lokken, zijn enorme zwarte muil zou opensperren en me zou opslokken totdat ik uiteindelijk in het monster zelf terechtkwam, waar het stil was, zo ontzettend stil. En toch dacht ik dat het mogelijk was om me aan mijn werk te wijden en tegelijk mijn leven met iemand te delen, had ik niet het gevoel dat die twee zaken elkaar uitsloten, al wist ik misschien ergens diep vanbinnen dat ik nooit partij tégen mijn werk zou kiezen, dat was namelijk hetzelfde als partij tegen mezelf kiezen. Nee, als me het mes op de keel werd gezet en ik een keus moest maken, zou ik niet voor hem kiezen, zou ik niet voor óns kiezen, en als S. dat vanaf het begin niet al voorvoelde, dan kwam hij het snel genoeg te weten, erger nog, het mes is me nooit op de keel gezet, Edelachtbare, en het was eerder wreed dan tragisch dat ik allengs steeds minder mijn best deed om onze relatie in stand te houden, minder moeite deed voor ons leven samen. Want het eindigt zelden met verliefd worden. Integendeel. Maar dat hoef ik u niet te vertellen, Edelachtbare, ik heb het idee dat u wel weet wat ware eenzaamheid is. Je wordt verliefd en daarmee begint het werk pas: dag in dag uit, jaar in jaar uit moet je jezelf opgraven, de inhoud van je geest en ziel opdelven zodat de ander die kan uitpluizen teneinde jou te leren kennen, en ook jij moet je dagenlang, jarenlang door alles heen worstelen wat hij speciaal voor jou heeft opgegraven, de archeologie van zijn persoon, wat een uitputtingsslag was dat, het opgraven en het doorworstelen, terwijl mijn eigen werk, mijn échte werk, op me lag te wachten. Ja, ik had altijd gedacht dat ik nog alle tijd had, dat wij nog alle tijd hadden, ook nog alle tijd voor ons toekomstige kind, maar ik had nooit het gevoel dat mijn werk wel even kon blijven liggen, zoals ik dat wel had met mijn man en het idee van ons kind, een jongetje of een meisje dat ik soms in gedachten voor me zag, maar zo vaag dat het een schimmige afgezant van onze toekomst bleef. Zo zag ik bijvoorbeeld alleen haar rug terwijl ze met blokken op de grond zat te spelen, of alleen zijn voetjes die onder de deken van ons bed uit kwamen, twee piepkleine voetjes. Hoe dan ook, voor hen was nog alle tijd, voor het leven dat zij vertegenwoordigden, het leven dat ik nog niet bereid was te leiden omdat ik mijn taak in mijn huidige leven nog niet had volbracht.

Op een dag – we waren drie of vier jaar getrouwd – werden S. en ik door een bevriend stel uitgenodigd om Pesach bij hen te komen vieren. Ik weet niet eens meer hoe ze heetten: ze waren het soort mensen dat snel je leven in komt en er even snel weer uit verdwijnt. De seider begon pas laat, en omdat het stel eerst hun twee jonge kinderen naar bed bracht, zaten wij, de gasten, vijftien in totaal, om de lange tafel te praten en te lachen op die stuntelige, gegeneerde manier en met die overdreven scherts van Joden die een traditie in stand houden waarmee ze zich niet meer verbonden voelen en zich dat pijnlijk bewust zijn, maar aan de andere kant ook nog niet in staat zijn die traditie op te geven. Opeens komt er een kind deze luidruchtige kamer vol grote mensen binnen. We waren allemaal zo druk bezig met elkaar dat we niet meteen doorhadden dat ze er was; ze was hooguit drie en had zo'n pyjama met voetjes aan, om haar billen hing een uitgezakte luier en in haar handje had ze een lapje of doekje, een aan flarden gescheurd dekentje, geloof ik, dat ze tegen haar wang hield. We hadden haar wakker gemaakt. En opeens, geschrokken van die zee van vreemde gezichten en al die luide stemmen, slaakte ze een gil. Een enorme angstkreet die de lucht doorkliefde en de hele kamer tot stilte bracht. Niets bewoog meer en intussen hing die gil als een vraag boven ons en maakte een eind aan alle vragen die door deze bepaalde avond, van alle avonden, werden opgeworpen. Een vraag waarop geen antwoord is, omdat ze niet onder woorden is gebracht en dus voor eeuwig moet worden gesteld. Misschien duurde hij maar een seconde, maar in mijn beleving ging die gil eindeloos door en gaat hij nog steeds ergens door, al kwam er op die bewuste avond een einde aan de gil toen de moeder haastig van haar stoel opsprong, die meteen omviel, en in één vloeiende beweging op haar dochter af stormde, haar oppakte en hoog boven zich tilde. Het kind was op slag rustig. Ze hield haar hoofd achterover en keek omhoog naar haar moeder, met een gezichtje dat oplichtte van verwondering en opluchting dat ze de enige troost, de onuitputtelijke troost die ze op de hele wereld had, weer gevonden had. Ze stopte haar gezichtje in haar moeders hals, in de geur van haar moeders lange, glanzende haar, en geleidelijk aan werd haar gesnik minder en kwam het tafelgesprek weer op gang, totdat het meisje uiteindelijk helemaal stil was en zich in de vorm van een vraagteken tegen haar moeder aan vlijde – het restant van de vraag die nu niet meer gesteld hoefde te worden – en in slaap viel. De maaltijd werd voortgezet en op een gegeven moment stond de moeder op en droeg het slappe lijfje van het slapende kind door de gang naar haar kamer. Ik had amper oor voor het aanzwellende gesprek om me heen, omdat ik volkomen gebiologeerd was door de uitdrukking van het meisje vlak voordat ze haar gezicht in haar moeders haar had verstopt, een uitdrukking die me zowel met verwondering als verdriet vervulde, omdat ik wist, Edelachtbare, dat ik dat nooit voor iemand zou kunnen zijn: de persoon die met één enkel gebaar kon redden en kalmeren.

Ook S. was ontroerd door het voorval en toen we die avond weer thuis waren, begon hij opnieuw over kinderen krijgen. Zoals gewoonlijk kwam het gesprek terecht op de aloude obstakels, waarvan ik me de naam en vorm niet meer voor de geest kan halen, behalve dan dat we ze allebei goed kenden en wisten dat die obstakels eerst uit de weg moesten worden geruimd voordat we ons kind op de wereld konden zetten, het kind waarvan we ons apart en samen een voorstelling hadden gemaakt. Maar onder de betoverende invloed van die moeder met haar dochtertje deed S. die avond extra zijn best om me over te halen. Misschien is het wel nooit de juiste tijd ervoor, zei hij, maar ondanks het verdriet dat de gezichtsuitdrukking van het meisje in me had losgemaakt, of misschien juist daardoor, was ik nog steeds huiverig en probeerde het hem net zo hard uit zijn hoofd te praten. De kans is groot dat we er een puinhoop van maken, zei ik, dat we het kind kapotmaken zoals wij op onze beurt door onze ouders kapot zijn gemaakt. Als we een kind nemen, moeten we er klaar voor zijn, beweerde ik, en we waren er nog niet klaar voor, bij lange na niet, en om mijn argument kracht bij te zetten – het was inmiddels al tegen de ochtend, slapen kwam er toch niet meer van – liep ik weg, trok de deur van mijn werkkamer dicht en ging achter mijn bureau zitten.

Hoeveel ruzies, lastige gesprekken en zelfs momenten van grote hartstocht waren er al niet op deze manier geëindigd? Ik moet werken, zei ik altijd, terwijl ik me uit de lakenkluwen loswikkelde, me uit zijn armen en benen bevrijdde of van tafel opstond, en dan voelde ik hoe zijn verdrietige ogen me volgden, totdat ik de deur achter me had dichtgetrokken en ineengedoken voor mijn bureau zat, met mijn knieën tegen mijn borst, gebogen over mijn werk, mezelf uitstortend in die laden, negentien laden, groot en klein. Wat was het makkelijk om me aan die laden over te geven en wat vond ik het moeilijk om dat aan S. te doen, wat was het simpel om mezelf op te bergen; soms vergat ik hele delen van mezelf, die ik had weggestopt voor het boek dat ik op een goede dag zou schrijven, het boek waarin alles zou komen te staan. De uren verstreken, een hele dag was zomaar voorbij; opeens was het al donker buiten en werd er voorzichtig op de deur geklopt, het zachte geschuifel van zijn sloffen, zijn handen op mijn schouders, die zonder dat ik het wilde onder zijn aanraking verstijfden, zijn wang vlak bij mijn oor, Nada, fluisterde hij, zo noemde hij me altijd, Nada, kom naar buiten, kom naar buiten, uit je huisje, totdat hij op een dag opstond en vertrok, met medeneming van zijn boeken, zijn droevige glimlach, de geur van zijn slaap, zijn filmkokertjes met de buitenlandse munten en ons denkbeeldige kind. En ik liet ze gaan, Edelachtbare, zoals ik ze jarenlang had laten gaan, mezelf voorhoudend dat ik voor iets anders was bestemd, troost zoekend in al het werk dat nog gedaan moest worden, verdwaald in mijn zelfgemaakte labyrint zonder dat ik merkte dat ik langzaam werd ingesloten, dat de zuurstof opraakte.

Bijna een week, waarin ik 's nachts radeloos wakker lag en overdag door de stad zwierf, was ik onafgebroken bezig met de vraag waar geen antwoord op was, net zomin als op de impliciete vraag die het kind met haar ijzingwekkende gil had gesteld, alleen was er voor mij geen troost, geen weldadige, liefhebbende kracht die me opbeurde en de vraaghonger stilde. In mijn gedachten is die tijd in Jeruzalem tot één lange nacht en één lange dag samengevloeid, en ik herinner me alleen nog dat ik op een middag in het restaurant van pension Misjkenot Sja'ananniem zat, met hetzelfde uitzicht als vanaf de veranda achter mijn kamer: de stadsmuren, de Zion, het dal van Hinnom waar de volgelingen van Moloch hun kinderen aan het vuur offerden. Ik at er elke dag, soms zelfs twee keer op een dag, aangezien het gemakkelijker was dan ergens in de stad te gaan eten (hoe meer honger ik kreeg, hoe kleiner de kans dat ik een restaurant in durfde), zo vaak zelfs dat de gezette ober die er werkte belangstelling voor me kreeg. Als hij de kruimels van de lege tafels veegde, wierp hij me steelse blikken toe en al snel deed hij geen poging meer zijn nieuwsgierigheid te verbergen en stond hij tegen de bar geleund naar me te kijken. Wanneer hij mijn tafeltje kwam afruimen, deed hij dat heel langzaam en vroeg hij of alles naar wens was, een vraag die niet zozeer over het eten leek te gaan, dat ik vaak niet eens aanroerde, maar over andere, minder tastbare dingen. Die middag, toen de meeste gasten weg waren, kwam hij naar me toe en hield me een doos met verschillende soorten theezakjes voor. Neem, zei hij. Ik had geen thee besteld, maar ik voelde wel aan dat ik geen keus had. Ik pakte er willekeurig eentje uit. De laatste tijd smaakte niets me meer en hoe sneller ik iets koos, hoe eerder hij me weer met rust zou laten. Maar hij liet me niet met rust. Hij bracht een theepot met heet water, haalde zelf het theezakje uit de verpakking en liet het in de pot zakken. Daarna ging hij in de stoel tegenover me zitten. Amerikaans? vroeg hij. Ik knikte, perste mijn lippen opeen, in de hoop dat hij zou aanvoelen dat ik liever alleen was. Ik heb gehoord u bent schrijfster, ja? Ik knikte weer, al kwam er dit keer ook een onbedoeld piepgeluid uit mijn mond. Hij schonk thee in mijn kopje. Drink, zei hij, dat is goed voor u. Ik glimlachte even beleefd, meer een grimas. Daar, waar u naar keek, zei hij terwijl hij met een kromme vinger naar het uitzicht wees. Die vallei onder de stadsmuren was vroeger niemandsland. Dat weet ik, zei ik, mijn servetje ongedurig verfrommelend. Hij knipperde even en ging weer door. Toen ik hier in 1950 aankwam, ik ging vaak naar de grens om te kijken. Aan de andere kant, vijfhonderd meter verderop, zag ik bussen en auto's, Jordaanse soldaten. Ik was in de stad, in de hoofdstraat van Jeruzalem, en ik keek naar een andere stad, een Jeruzalem dat ik dacht nooit te kunnen aanraken. Ik was nieuwsgierig, ik wilde weten, hoe was het daar? Maar het had ook iets moois om te geloven dat ik die andere kant nooit zou bereiken. Toen kwam de oorlog van '67. Alles werd anders. Eerst vond ik het niet erg, het was spannend om eindelijk door die straten te lopen. Maar later kreeg ik een ander gevoel. Ik miste de tijd dat ik alleen kon kijken zonder te weten hoe het was. Hij zweeg en wierp een blik op mijn nog volle kopje. Drink, spoorde hij me aan. Een schrijfster, hè? Mijn dochter is dol op lezen. Er verscheen even een verlegen lachje om zijn dikke lippen. Ze is nu zeventien. Leert Engels. Ik kan uw boeken hier kopen? Misschien kunt u iets voor haar schrijven, dat kan ze lezen. Ze is slim. Slimmer dan ik, zei hij, met een onbedwingbare glimlach waardoor een spleet tussen zijn voortanden en terugtrekkend tandvlees zichtbaar werd. Hij had zware oogleden, als die van een kikker. Toen ze nog klein was, zei ik altijd tegen haar: Vooruit, ga toch buiten spelen met je vriendinnetjes, die boeken wachten wel op je, maar op een dag is je jeugd voorgoed voorbij. Maar ze luisterde niet, de hele dag zat ze met haar neus in een boek. Het is niet normaal, zegt mijn vrouw, wie wil er nu met haar trouwen, jongens vinden zulke meisjes niet leuk, en ze geeft Dina een tik tegen haar hoofd en zegt dat als ze zo doorgaat ze nog een bril moet, en wat dan? Ik heb nooit tegen haar gezegd dat als ik weer jong was, ik misschien zo'n meisje wel leuk zou vinden, een meisje dat slimmer is dan ik, die dingen over de wereld weet, die een bepaalde blik in haar ogen krijgt als ze aan al die verhalen in haar hoofd denkt. Misschien kunt u in een van uw boeken voor haar schrijven: Aan Dina, succes met alles. Of misschien: Blijf lezen, zoiets, u bent de schrijfster, u bedenkt wel de juiste woorden.

Het werd duidelijk dat hij aan het eind was gekomen van het lange woordensnoer dat in hem lag opgerold en dat hij nu verwachtte dat ik iets terugzei. Maar ik had in geen dagen met iemand gesproken en het was net of er een gewicht aan mijn tong hing. Ik knikte en mompelde iets vaags, zelfs ik verstond het niet. De ober keek omlaag naar het tafelkleed en veegde met een behaarde onderarm het zweet van zijn bovenlip. Ik vond het vervelend dat hij zich opgelaten voelde, maar ik was niet bij machte om ons te redden uit de penibele stilte die als cement om ons heen hard werd. Is de thee niet goed? vroeg hij ten slotte. Jawel, hoor, zei ik en dwong mezelf nog een slokje te nemen. Dat is geen lekkere, zei hij. Toen u die koos, wilde ik het nog zeggen. Niemand vindt die thee lekker. Aan het eind van de dag zitten er in alle vakjes nog maar een of twee zakjes, maar het vakje met die thee is altijd nog vol. Ik weet niet waarom we die nog steeds inkopen. De volgende keer moet u de gele kiezen, zei hij. Iedereen houdt van de gele. Toen stond hij met een kuchje op, pakte mijn kopje en verdween naar de keuken.

Dat had het einde van het verhaal kunnen zijn, Edelachtbare, en dan zou ik hier niet in het halfduister voor me uit zitten te praten en zou u niet in een ziekenhuisbed liggen, als ik die avond niet was teruggegaan naar het restaurant met een boek van mezelf, een uur eerder gekocht en voorzien van een opdracht aan Dina, omdat ik het beteuterde gezicht van die ober maar niet van me af kon zetten en het mezelf bleef voorhouden als bewijs dat alles me altijd koud liet, behalve mijn werk. Het was tegen halfacht, de zon was in ieder geval al onder en de stad gloeide nog na als een smeulend vuur, maar toen ik in het restaurant kwam, zag ik de ober nergens en vreesde al dat zijn dienst erop zat, totdat een van de andere obers naar het terras gebaarde. Buiten, onder de rij tafeltjes, was een weg, een verlenging van de oprit van het pension waarvoor je eerst langs een slagboom moest. Daar, op de stoep, stond de gezette ober een verhit gesprek te voeren met de bestuurder van een nog draaiende motorfiets, of misschien hadden ze wel ruzie.

De ober stond met zijn rug naar me toe en het gezicht van de motorrijder was door het donkere vizier van zijn helm niet zichtbaar, alleen zijn magere lijf in een leren jack. Maar hij zag mij wel, kapte meteen het luidruchtige gesprek af, klikte behendig het kinriempje los, zette zijn helm af, schudde zijn zwarte haar los en wees met zijn kin in mijn richting om de ober op mijn aanwezigheid te attenderen. Bij de aanblik van zijn jonge gezicht, zijn grote neus, volle mond en lange haar, waarvan ik wist dat het naar een vuile rivier zou ruiken, ging er een enorme schok door me heen, alsof de jongen die ik lang geleden één avond had gekend opeens na vijfentwintig jaar, perfect geconserveerd, uit zijn schuilplaats in de ondergrondse tunnels van Bar Kochba tevoorschijn was gekomen. Er ging een pijnscheut door me heen en mijn adem stokte. De ober draaide zich met een ruk om. Toen hij zag dat ik het was, voegde hij de motorrijder nog snel een paar waarschuwende woorden toe waarna hij op me afliep. Dag, mevrouw, wilt u iets bestellen? Gaat u alstublieft zitten, ik zal u de kaart brengen. Nee, zei ik en intussen kon ik mijn ogen niet afhouden van de schrijlings op zijn motor zittende jonge man die een flauw, ondeugend lachje om zijn mond had. Ik kwam alleen even dit aan u geven, zei ik en stak hem het boek toe. De ober deed een stapje naar achteren, sloeg overdreven verrast zijn hand voor zijn mond, kwam naar voren alsof hij het boek van me wilde aannemen, maar haalde toen zijn hand weg en deed weer een stapje naar achteren, wrijvend over de stoppels op zijn kaak. Dat meent u niet, zei hij, heeft u echt een boek meegenomen? Ik geloof het gewoon niet. Hier, zei ik, terwijl ik hem het boek in handen duwde, voor Dina. Op dat moment sperde de jonge man zijn neusgaten open, alsof hij een bepaalde geur had opgevangen. Kent u Dina? De ober draaide zich om en riep hem nijdig weer iets toe. Let maar niet op hem, hij gaat weg. Kom toch zitten, hoe kan ik u bedanken, wilt u thee? Maar de jonge man maakte geen aanstalten om op te stappen. Wat is dat? vroeg hij. Wat is dat vraagt hij, moet je hem horen, wat een barbaar, het is een boek, waarschijnlijk nog nooit eentje gelezen, waarna hij op een andere toon weer wat tegen de motorrijder snauwde, die met zijn ene voet op het pedaal en de andere op de straat de motor in bedwang hield. Hebt u dat geschreven? vroeg de jonge man bedaard. De avondlucht geurde zoet alsof ergens een nachtbloem was opengegaan. Ja, zei ik, want op het nippertje had ik mijn stem weer terug. Het spijt me, mevrouw, kwam de ober tussenbeide, hij valt u lastig, kom toch binnen, daar is het rustiger, maar de motorrijder had al met zijn hak de standaard uitgeklapt en was in drie snelle passen bij ons. Van dichtbij was hij het exacte evenbeeld van Daniel Varsky, zodat het me bijna verbaasde dat hij me ondanks de vele tussenliggende jaren niet scheen te herkennen. Laat eens zien, zei hij. Donder op, gromde de ober, die het boek bij hem weghield, maar de jonge man was vlug en een kop groter dan de kleine, gedrongen ober en griste het boek met één haal uit zijn handen. Voorzichtig sloeg hij het open op de titelpagina, terwijl hij van mij naar de ober keek en daarna weer naar het boek. Voor Dina, las hij hardop. Ik wens je veel succes, hartelijke groeten, Nadia. Wat aardig, zei hij. Ik zal het aan haar geven.

Nu stortte de ober een hele waterval van nijdige woorden over hem uit, waarbij de aderen in zijn nek tot barstens toe opzwollen, en de jonge man week naar achteren, met een gezicht dat heel even gepijnigd vertrok, een amper waarneembare huivering, die mij echter niet ontging. Met sierlijke vingers bladerde hij op zijn gemak door het boek. Zonder te letten op de uitgestrekte hand van de ober gaf hij het ten slotte aan mij terug. Ik geloof dat ik hier niet welkom ben, zei hij. Misschien kun je me nog een keertje vertellen waar het over gaat – zijn lippen krulden zich tot een glimlach – Nadia. Met alle genoegen, fluisterde ik, en in de kamer van mijn leven was een deur opengegaan. Zonder de ober nog een blik waardig te keuren zette hij zijn helm weer op, klom op zijn motor, trapte hem aan en scheurde weg, het donker tegemoet.

Even later zette de ober me aan een tafeltje en begon bedrijvig een couvert voor me te dekken. Ik bied u mijn excuses aan, zei hij, die jongen is een bezoeking. Een aangetrouwde neef van me, een onruststoker, wil nergens voor deugen. Maar zijn ouders zijn dood, hij heeft niemand meer, hij komt naar ons toe. Hij hangt wat rond en we kunnen hem niet wegsturen. Hoe heet hij? vroeg ik. De ober keek naar mijn glas, hield het tegen het licht, zag een vlekje en ruilde het om met een glas van een andere tafel. Wat een cadeau, ging hij verder, kon u Dina's gezicht maar zien als ik het boek aan haar geef. Ik wil graag weten hoe hij heet, zei ik nog een keer. Hoe hij heet? Adam, hoe sneller hij uit mijn leven verdwijnt hoe beter. Wat kwam hij net doen? vroeg ik. Mij tot waanzin drijven, anders niet. Vergeet hem, wat dacht u van een omelet, of misschien pasta primavera? Kiest u wat van de kaart, maakt niet uit wat, het is van het huis. Ik heet Rafi. Ik zal u zo thee brengen, neem de gele dit keer, iedereen vindt namelijk de gele het lekkerst, u zult het wel merken.

Maar ik ben hem niet vergeten, Edelachtbare. Ik ben de lange, magere jonge man in het leren jack die Adam heette niet vergeten, want ik wist dat hij ook mijn vriend was, de verdwenen dichter Daniel Varsky. Vijfentwintig jaar geleden woonde hij in het New Yorkse appartement dat eruitzag alsof er een storm had huisgehouden en had hij een betoog over poëzie afgestoken, heen en weer wippend op zijn voeten, alsof hij elk moment als een piloot uit zijn schietstoel gelanceerd kon worden, en het volgende moment was hij ineens verdwenen, door een gat weggeglipt, in een afgrond gevallen om hier, in Jeruzalem, weer op te duiken. Waarom? Het antwoord leek me zonneklaar: om zijn bureau terug te halen. Het bureau dat hij als onderpand had achtergelaten, dat hij speciaal aan mij had toevertrouwd, het bureau dat al die jaren op mijn geweten had gedrukt, waaraan ik mijn geweten had uitgebeeld en waarvan hij niet had gewild dat het in andere handen overging, net zomin als ik had gewild dat ik er niet meer aan kon werken. Dit was althans de voorstelling die ik er in mijn verwarde geest van had gemaakt, ook al wist ik op een dieper niveau dat zo'n verhaal niet meer dan zinsbedrog was.

Die avond, op mijn kamer, verzon ik voor Rafi, de ober, allerlei redenen waarom ik Adam nog een keer moest zien: ik wilde een motorrit naar de Dode Zee-vallei maken en had een chauffeur en gids nodig, ja, het moest per se een motor zijn en ik was bereid een ruime vergoeding voor deze dienst te betalen. Of ik had iemand nodig die met spoed een pakje bij mijn nichtje Ruthie in Herzlia kon bezorgen, een pakje dat ik niet aan de eerste de beste wilde meegeven; ik had mijn nichtje vijftien jaar niet gezien en ik had haar nooit gemogen, en of hij Adam alsjeblieft kon sturen, een kleine tegenprestatie voor het boek voor Dina, al was ik natuurlijk bereid hem er royaal enzovoorts enzovoorts. Ik overwoog zelfs om Rafi aan te bieden hem te 'helpen' met de afgedwaalde neef van zijn vrouw, het zwarte schaap van de familie, wat goede raad van een welwillende buitenstaander, de schrijfster uit Amerika, die aanbood hem een tijdje onder haar vleugels te nemen, om hem wat verstand bij te brengen, hem op het rechte pad zien te krijgen. De hele nacht en de rest van de volgende dag zat ik te peinzen hoe ik Adam nog een keer zou kunnen zien, maar dat bleek niet nodig: de volgende avond liep ik in gedachten verzonken door Keren Hajesod en wachtte op de wisseling van het licht, toen er een motor langs de stoep stilhield. Aanvankelijk werd ik door het gebrul van de motor wreed uit mijn gemijmer opgeschrikt, maar ik bracht het geluid nog niet in verband met de jonge man die de hele dag door mijn hoofd spookte, totdat hij, nog voorovergebogen op zijn motor, het donkere vizier van zijn helm opklapte en me doordringend aankeek met ogen waarin iets geamuseerds blonk – of dat ging om een binnenpretje of iets van ons tweeën was kon ik nog niet zeggen – en ondertussen begon het verkeer achter hem ongeduldig te toeteren en passeerde hem met een boog. Hij zei iets wat ik door het kabaal van de motor niet kon verstaan. Ik voelde mijn ademhaling sneller gaan en ik liep naar hem toe; ik zag zijn lippen bewegen: Wil je een lift? Het pension was nog maar tien minuten lopen, maar ik aarzelde geen moment, althans niet in gedachten, al wist ik niet goed hoe ik op de motor moest klimmen, toen ik eenmaal ja had gezegd. Hulpeloos bleef ik maar wat staan kijken naar het stukje zadel dat niet door Adam werd ingenomen, ik wist in de verste verte niet hoe ik mezelf erbovenop moest hijsen. Hij stak zijn hand uit en ik gaf hem mijn linkerhand, maar die liet hij los om mijn rechterhand te pakken en me met één sierlijk, geoefend gebaar moeiteloos op het zadel te tillen. Hij zette zijn helm af, zodat ik dezelfde ondoorgrondelijke glimlach om zijn lippen zag spelen als de vorige avond, en hij schoof de helm voorzichtig over mijn hoofd, terwijl hij mijn haar teder opzij streek om het riempje te kunnen vastmaken. Toen pakte hij mijn hand en legde die vastberaden om zijn middel, en de tinteling die in mijn kruis was begonnen, verspreidde zich omhoog en wekte mijn hele lichaam met een schok tot leven. Hij lachte, met wijdopen mond, een lach die hem moeiteloos afging, en daarna maakte de motor een slingerbeweging en schoten we de straat op. Hij reed in de richting van het pension, maar toen we bij de afslag kwamen riep hij me over zijn schouder iets toe. Wat? riep ik vanuit de gedempte binnenkant van de helm, en hij brulde iets terug, waarvan ik alleen kon horen dat het een vraag was, en toen ik niet vlug genoeg antwoord gaf, scheurde hij gewoon de ingang van het pension voorbij. Even werd ik door de duistere twijfel besprongen of het niet naïef van me was geweest om me aan deze onruststoker over te leveren, die zich ophield aan de periferie van Rafi's gezin, maar toen draaide hij zich om en lachte naar me, en het was Daniel Varsky die zich omdraaide, en ik was weer vierentwintig, de hele nacht lag voor ons, en het enige wat anders was geworden, was de stad.

Ik klampte me vast aan zijn middel, de wind golfde door zijn haar en zo reden we door de straten langs de onaardse stadsbewoners die me inmiddels welbekend waren: de chareidiem in hun stoffige zwarte jassen en hoeden, de moeders met daarachter de schare kinderen in kleren met honderden losse draadjes alsof de kinderen zelf onaf van het weefgetouw waren geplukt, de troep jesjiva-jongens die bij een stoplicht op een holletje overstaken, knipperend tegen het zonlicht alsof ze net uit een grot waren losgelaten, de oude man gebogen over zijn looprek terwijl het Filippijnse meisje hem bij de slobberige elleboog van zijn trui ondersteunde, trekkend aan een losse draad wol die ze om haar hand had gewikkeld, alsof ze hem uithaalde totdat zijn laatste woorden als een knoop uit hem getrokken waren, hij en zij en de Arabische straatveger waren zich er geen van allen van bewust dat wij die zojuist voorbijvlogen slechts geestverschijningen waren, spoken uit een andere dimensie dan zij. Het liefst was ik doorgereden, de ruige woestijn in, maar al snel sloegen we een zijstraat in en stopten op een parkeerplaats met een panoramisch uitzicht over het noorden van de stad. Adam zette de motor uit en met tegenzin liet ik zijn middel los, waarna ik met veel moeite de helm van mijn hoofd wist te krijgen. Toen ik omlaagkeek naar mijn gekreukte broek en stoffige sandalen ontwaakte ik uit mijn dromerij en voelde ik me opgelaten. Maar Adam scheen niets te merken en gebaarde dat ik hem moest volgen naar de promenade, waar groepjes toeristen en wandelaars bijeen waren gekomen om naar het prachtige spel van de zonsondergang boven Judea te kijken.

We leunden tegen de balustrade. De wolken werden koperkleurig, daarna paars. Mooi, hè? zei hij, zijn eerste woorden van die avond die ik verstond. Ik keek in de verte naar de opeengepakte daken van de Oude Stad, de Zion, de Scopus in het noorden, de Berg van de Boze Raad in het westen, de Olijfberg in het oosten, en misschien kwam het door het blauwige licht, de zuiverende wind of de verademing van een ononderbroken uitzicht, misschien was het de geur van pijnbomen, of van stenen die hitte afgaven alvorens de nacht op te nemen, misschien was het de nabijheid van de geest van Daniel Varsky, hoe het ook zij, ik werd er volkomen door overdonderd, Edelachtbare, en op dat moment voelde ik me één met hen, als ik dat al niet was, met al die mensen die al drieduizend jaar lang naar deze stad toe stroomden en bij aankomst de macht over zichzelf verloren, doordraaiden, de droom werden van een dromer die probeert het licht uit het donker te zeven en in een gebarsten kommetje op te vangen. Ik kom hier graag, zei hij. Soms met vrienden, soms in mijn eentje. We stonden zwijgend naar het uitzicht te kijken. Heb jij dat boek geschreven? vroeg hij. Dat boek voor Dina? Ja. Is dat je werk? Je beroep? Ik knikte. Daar dacht hij even over na, terwijl hij met zijn tanden een ingescheurde nagel afbeet en uitspuugde, en ik kromp ineen, denkend aan de nagels die uit de lange vingers van Daniel Varsky waren getrokken. Hoe ben je dat geworden? Heb je dat ergens geleerd? Nee, zei ik. Ik ben ermee begonnen toen ik jong was. Waarom wil je dat weten? Schrijf jij ook? Hij schoof zijn handen in zijn zakken en zijn kaken verstrakten. Ik weet daar allemaal niets van, zei hij. Er volgde een pijnlijke stilte en nu zag ik dat hij degene was die zich opgelaten voelde, misschien omdat hij zo vrijpostig was geweest me zomaar mee te nemen. Ik ben blij dat je me hiernaartoe hebt gebracht, zei ik, het is prachtig. Een glimlach verzachtte zijn trekken. Je vindt het dus mooi? Dat dacht ik al. Weer een stilte. Om het gesprek gaande te houden zei ik maar: Je neef Rafi houdt ook van uitzichten. Zijn gezicht betrok. Die eikel? Maar daar liet hij het bij. Vindt Dina je boeken mooi? vroeg hij. Ik denk niet dat ze ze ooit gelezen heeft, zei ik. Haar vader vroeg of ik een boek voor haar wilde signeren. O, zei hij teleurgesteld. Mijn oog viel op een klein littekentje boven zijn lip, en dat minieme streepje, hooguit twee centimeter lang, ontketende een stortvloed aan bitterzoete gevoelens. Ben je beroemd? vroeg hij met een glimlach. Rafi beweert van wel. Ik was verrast, maar ik nam niet de moeite hem te corrigeren. Het kwam me wel goed uit dat hij me aanzag voor iemand anders dan ik was. En wat schrijf je precies? Detectives? Liefdesverhalen? Soms. Maar niet alleen. Schrijf je over mensen die je kent? Soms. Er verscheen een grijns op zijn gezicht, zodat je zijn tandvlees zag. Misschien ga je ook nog wel over mij schrijven. Misschien, zei ik. Hij stak zijn hand in zijn jaszak, haalde een sigaret uit een gekreukt pakje en stak die op, met zijn hand er beschermend omheen tegen de wind. Mag ik er ook eentje? Rook je dan?

De rook schroeide mijn keel en longen, de wind werd frisser. Ik huiverde en hij leende me zijn jack, dat naar oud hout en zweet rook. Hij wilde nog meer weten over mijn werk en hoewel dat soort vragen me anders altijd mateloos irriteerden (Heb je weleens een whodunit geschreven? Nee? O, wat dan wel? Schrijf je over dingen die je zelf hebt meegemaakt? Over je leven? Zeggen anderen soms waarover je moet schrijven? Ben je ergens in dienst? Bij een, hoe heet het ook alweer, een uitgever?), vond ik het helemaal niet erg dat hij zulke dingen aan me vroeg, hier in het toenemende duister. Toen ook hij het koud kreeg en de stilte tussen ons te diep werd, was het tijd om op te stappen en onwillekeurig bedacht ik alweer een nieuwe smoes om hem nog een keer te kunnen zien. Hij gaf me de helm, al bood hij dit keer niet aan me te helpen. Hoor eens, zei ik, rommelend in mijn tas, ik moet morgen ergens naartoe. Ik haalde het verfrommelde briefje eruit dat van mijn koffer naar mijn nachtkastje, van tussen de bladzijden van mijn boeken naar de bodem van mijn tas was verhuisd, maar dat ik nog steeds niet kwijt was. Dit is het adres, zei ik. Kun je me erheen brengen? Ik heb misschien een tolk nodig, ik weet niet of ze Engels spreken. Hij trok een verbaasd maar blij gezicht en pakte het papiertje van me aan. Ha-orenstraat? In Een Kerem? We keken elkaar aan. Ik zei dat daar een bureau was dat ik wilde bekijken. Heb je een bureau nodig om aan te schrijven? vroeg hij geïnteresseerd, haast opgetogen. Zoiets, antwoordde ik. En daar staat er eentje, zei hij prikkend in het briefje, in de Ha-orenstraat. Ik knikte. Hij streek nadenkend met zijn hand door zijn haar terwijl ik wachtte. Hij vouwde het papiertje op en stopte het in zijn achterzak. Ik kom je om vijf uur halen, zei hij. Goed?

Die nacht droomde ik over hem. Althans, soms was het hem en soms weer Daniel Varsky, en soms waren ze het allebei tegelijk, zoals dat in de overvloed van dromen gaat, en we liepen samen door Jeruzalem, al wist ik dat het eigenlijk Jeruzalem niet was, maar ergens geloofde ik van wel, een Jeruzalem waar steeds rokende, grijze velden opdoemden die we moesten oversteken om terug naar de stad te komen; zoals je soms naar een liedje van vroeger terug probeert te gaan. Om een of andere reden had Adam of Daniel een klein koffertje in zijn hand, een koffertje met een instrument waarop hij iets voor me zou gaan spelen als we op onze bestemming waren aangekomen, een soort hoorn of zo, al had het ook een wapen kunnen zijn. Op het laatst speelde de droom zich in een kamer af. Het koffertje was inmiddels verdwenen en terwijl ik toekeek trok Adam of Daniel langzaam zijn kleren uit en vouwde ze op op het bed met de bezeten netheid van iemand die jarenlang onder streng gezag heeft geleefd, misschien wel in een gevangenis, waar hem precies was opgedragen hoe hij zijn kleren moest opvouwen. De aanblik van zijn naaktheid was kwellend, triest en aangenaam, en ik werd wakker met een gevoel van genegenheid en verlangen.

De volgende middag zat ik om kwart voor vijf bij de receptie te wachten, nadat ik veel te lang voor de spiegel had gestaan en uiteindelijk had gekozen voor een rood kralensnoer en zilveren oorhangers. Hij was twintig minuten te laat en ik begon zenuwachtig rond te lopen, doodsbenauwd voor wat me op mijn kamer wachtte als hij zich had bedacht en niet kwam, de eindeloze nacht die zich voor me uitstrekte, ik werd al gek bij de gedachte. Maar eindelijk hoorde ik zijn motor in de verte en daar verscheen hij om de hoek, en het onheilsgevoel zonk weg in een effen meer van glanzend genot, het liet zich nergens meer door temperen, ook niet door de reservehelm die hij me aanreikte, een glinsterend rode waarvan ik heus wel wist dat die doorgaans het hoofd bedekte van meisjes van zijn eigen leeftijd, die naar dezelfde bands luisterden en dezelfde taal spraken, meisjes die zich in het daglicht konden uitkleden, met voeten zo gaaf als die van een baby.

Zigzaggend reden we in rustig tempo de heuvel af en ik was gelukkig, Edelachtbare, gelukkiger dan ik in maanden of jaren was geweest. Wanneer hij overhelde in een bocht, voelde ik zijn middel onder mijn handen meebewegen, en dat was genoeg, meer dan genoeg voor iemand die nog maar zo weinig overhad, en ik maakte me niet druk over wat ik moest zeggen als we bij het huis van Lea Weisz kwamen, het meisje dat vijf weken eerder het bureau had laten weghalen. Toen we in het slaperige dorpje Een Kerem waren aangekomen, stopte Adam om de weg te vragen. We gingen in een café zitten en in zijn grove, rappe Hebreeuws bestelde hij iets voor ons, maakte grapjes met de jonge serveerster, liet zijn vingerkootjes knakken en gooide zijn mobieltje op het tafeltje. Een schurftige hond liep hinkend naar de overkant van de straat, maar zelfs dat kon mijn stemming niet bederven of me van de schoonheid van het dorp afleiden. Adam deed suiker in zijn koffie en zong mee met het popnummer dat zachtjes uit de caféspeakers opklonk. Het zonlicht scheen in zijn gezicht en ik zag hoe jong hij was. Achter het eigenwijze, valse meezingen ging de nerveuze schaduw van onzekerheid schuil en ik besefte dat hij niet goed wist wat hij tegen me moest zeggen. Vertel eens wat over jezelf, zei ik. Hij ging rechtop zitten, stak een sigaret op, grinnikte en likte over zijn lippen. Dus je gaat toch over me schrijven? vroeg hij. Dat hangt ervan af, zei ik. Van wat? Wat ik van je te weten kom. Hij hield zijn hoofd achterover en blies een rookzuil omhoog. Ga je gang maar, zei hij. Je mag me in je boek gebruiken, ik kost niks. Wat wil je weten?

Wat wilde ik weten? Hoe het huis eruitzag waar hij 's avonds heen ging. Wat er aan de muren hing en of hij een fornuis had dat je met een lucifer moest aansteken, of er tegels of zeil op de vloer lagen en of hij schoenen aanhad als hij eroverheen liep, en wat voor uitdrukking hij op zijn gezicht had als hij zich voor de spiegel aan het scheren was. Waar zijn raam op uitkeek en hoe zijn bed eruitzag, ja, Edelachtbare, ik fantaseerde al over zijn bed, met de verfomfaaide lakens en de goedkope kussens, zijn bed waarop hij, als hij 's nachts alleen was, soms overdwars sliep. Maar ik stelde geen van deze vragen. Ik kon wachten, ik had alle tijd. Omdat hij aan het zingen was, snapt u, en het zou al snel avond worden en ik zag nu dat er iets veranderd was, ja, hij had zijn haar gewassen.

Hij was twee jaar geleden uit dienst gekomen, vertelde hij. Eerst had hij bij een beveiligingsbedrijf gewerkt, maar toen de baas hem van bepaalde dingen verdacht (hij zei niet waarvan) was hij opgestapt, en daarna was hij als huisschilder gaan werken bij een vriend die een eigen zaak was begonnen, maar omdat hij niet tegen de verfdampen kon, was hij ermee opgehouden. Nu werkte hij in een beddenwinkel, maar wat hij het liefst wilde, was bij een timmerman in de leer gaan, want hij was altijd handig geweest en maakte graag dingen. En je familie? vroeg ik. Hij drukte zijn sigaret uit, keek afwezig om zich heen, checkte zijn mobieltje. Die had hij niet, zei hij. Zijn ouders waren overleden toen hij zestien was. Hij zei niet waar of hoe. Hij had een oudere broer die hij in geen jaren had gesproken. Soms overwoog hij hem op te zoeken, alleen kwam het er nooit van. En Rafi dan? vroeg ik. Dat heb ik toch gezegd, zei hij, dat is een eikel. De enige reden dat ik nog met hem omga is Dina. Als je haar ziet, begrijp je niet hoe het kan dat zo'n lomperik zo'n mooie meid heeft voortgebracht. Vertel eens wat over haar, zei ik, maar hij zweeg en wendde zich af om de gepijnigde uitdrukking op zijn gezicht te verbergen, een fractie van een seconde waarin zijn normale trekken verdwenen en er een ander gezicht voor in de plaats kwam, een gezicht dat hij vlug met zijn mouw wegveegde. Hij stond op en gooide wat kleingeld op het tafeltje, riep een groet naar de serveerster, die naar hem glimlachte. Toe, zei ik, naar mijn portemonnee grijpend, laat mij betalen. Maar hij klakte met zijn tong, zette met een zwaai zijn helm op en trok hem over zijn hoofd, en op dat moment moest ik zomaar opeens aan zijn dode moeder denken, hoe ze hem als kind in bad moest hebben gedaan, hoe ze hem midden in de nacht uit zijn ledikantje getild moest hebben en zijn natte mondje tegen haar wang had gevoeld, zijn vingertjes van haar lange haar had losgemaakt, liedjes voor hem had gezongen, zich een voorstelling van zijn toekomst had gemaakt, en toen gleed de kompasnaald van mijn geest weg en was het Daniel Varsky's moeder die ik voor me zag, en nu was het de zoon die dood was en de moeder die was blijven leven, als in spiegelbeeld. Voor het eerst in de zevenentwintig jaar dat ik aan zijn bureau had zitten schrijven, besefte ik de volle omvang van wat zijn moeder had doorgemaakt: er zwaaide een raam open en ik keek uit op de gruwelijke verschrikking van haar verdriet. Ik stond naast de motor. Het was windstil. Het rook naar jasmijn. Hoe moet het zijn, vroeg ik me af, om na de dood van je kind verder te leven? Ik klom op de motor en omklemde voorzichtig zijn middel, en mijn beide handen waren de handen van die moeders, de ene moeder die haar eigen kind niet meer kon aanraken omdat ze dood was, en de andere moeder die haar kind niet meer kon aanraken omdat ze was blijven leven, en toen waren we in de Ha-orenstraat.

We konden het huis niet meteen vinden, omdat het nummer schuilging achter een wirwar van klimop waarmee de omringende muur begroeid was. Er was een ijzeren hek dat met een ketting op slot zat, maar achter de bomen zagen we vaag een groot natuurstenen huis met groene luiken, die bijna allemaal dicht waren. Het idee dat het meisje, Lea, hier woonde, gaf haar een heel nieuwe dimensie, een diepte die ik eerst niet had gevoeld. Ik tuurde de stoffige tuin in en werd bevangen door een droefheid vanwege het griezelige gevoel dat ik op een plek was die was aangeraakt door Daniel Varsky, al was het dan indirect: in dat huis met de luiken woonde een vrouw, dat dacht ik althans, die hem ooit had gekend en hoogstwaarschijnlijk van hem had gehouden. Wat had Lea's moeder van haar dochters zoektocht gevonden, en hoe had ze gereageerd toen het bureau van de man, de vader van haar kind, die zo wreed uit het leven was gerukt, als een reusachtig houten lijk bij haar thuis werd bezorgd? En alsof dat niet genoeg was, kwam ik nu zijn geest afleveren. Ik overwoog nog om een smoes te verzinnen en Adam te vertellen dat dit niet het goede huis was, maar voordat ik dat kon doen had hij de bel al onder de bladeren gevonden en ingedrukt. Er klonk een metalig elektrisch gezoem. Ergens sloeg een hond aan. Toen er niemand kwam opendoen, belde hij nog een keer aan. Heb je misschien een telefoonnummer? vroeg hij, maar dat had ik niet, dus belde hij voor de derde keer aan, en het ontbreken van zelfs de geringste beweging – de totaal verlamde stenen, de luiken, zelfs de roerloze bladeren – wekte een indruk van koppige onverzettelijkheid. Wisten ze dat je zou komen? Ja, loog ik, en Adam schudde aan de spijlen van het hek om te kijken of de ketting open zou springen. Dan moet ik maar een andere keer terugkomen, begon ik, maar op dat moment verscheen er een oude man, of liever gezegd, achter de muur zag je een schaduw met een elegante wandelstok langer worden. *Ken? Ma attem rotsiem?* Adam gaf hem antwoord, gebarend naar mij. Ik vroeg of hij Engels sprak. *Yes*, zei hij terwijl hij het zilveren handvat van zijn stok vastpakte en nu pas zag ik dat het een ramskop was. Woont Lea Weisz hier? Weisz? vroeg hij. Ja, zei ik. Lea Weisz, een maand geleden was ze bij me in New York om een bureau op te halen. Een bureau? herhaalde de oude man nietbegrijpend, maar Adam begon onrustig te worden en zei nog wat in het Hebreeuws tegen de man. *Lo*, zei de oude man hoofdschuddend, *lo, ani lo jodea kloem al sjoem sjoelchan.* Hij weet niets van een bureau, zei Adam, en de oude man leunde op zijn stok en maakte geen aanstalten om het hek open te maken. Misschien hebben ze je het verkeerde adres gegeven, zei Adam. Hij haalde Lea's verkreukelde papiertje uit zijn spijkerbroek en stak het hem door de spijlen toe. Op zijn dooie akkertje tastte de man in zijn borstzakje, vouwde een bril open en zette die op zijn neus. Het duurde lang voordat hij begreep wat er stond. Toen hij het briefje had gelezen, draaide hij het om. Hij zag dat er niets op de achterkant stond en draaide het nog eens om. *Ze ze o lo?* vroeg Adam op hoge toon. De oude man vouwde het briefje netjes op en gaf het door de spijlen terug. Dit is Ha-orenstraat nummer negentien, maar er woont hier niemand die zo heet, zei hij, en ik was verrast door zijn Engels, dat vloeiend en verzorgd was.

De gedachte kwam bij me op dat Lea Weisz iets doortrapts had wat me op het eerste gezicht was ontgaan. Dat ze me misschien expres een vals adres had opgegeven voor het geval ik me bedacht en het bureau terug wilde. Maar waarom had ze me überhaupt een adres gegeven? Ik had er niet om gevraagd en het feit dat ze het toch had gedaan, had ik min of meer als een uitnodiging beschouwd, besefte ik nu. De oude man stond daar in zijn onberispelijk gestreken hemdsmouwen terwijl achter hem het huis onder de bladeren zijn adem inhield. Hoe zou het er binnen uitzien, vroeg ik me af. Hoe zag de fluitketel eruit, was die oud en gebutst, het kopje voor de thee, stonden er boeken, wat hing er in de sombere gang, iets Bijbels, een kleine ets van het heilige verbond van Isaak wellicht? De oude man nam me met doordringende blauwe ogen op, de ogen van een tamme adelaar, en ik merkte dat hij ook nieuwsgierig naar mij was, alsof er een vraag was die hij wilde stellen. Zelfs Adam leek dat door te hebben, hij keek van de oude man naar mij en weer terug naar de oude man, en gedrieën balanceerden we op de weegschaal van stilte die het huis omgaf, totdat Adam op het laatst zijn schouders ophaalde, nog een stukje nagel met zijn tanden afscheurde, het uitspuugde en terug naar zijn motor liep. Succes, zei de oude man, die de kromme zilveren ramshoorn steviger omklemde, ik hoop dat u vindt wat u zoekt. Ik weet niet wat me bezielde, Edelachtbare, maar ineens flapte ik eruit dat ik het niet terug wilde, het bureau, dat ik alleen maar wilde... maar ik maakte mijn zin niet af omdat ik niet durfde te zeggen wat ik echt wilde, en het gezicht van de oude man vertrok even van pijn. Achter me trapte Adam de motor aan. Kom op, zei hij. Ik wilde nog niet weg, maar er leek niets anders op te zitten. Ik klom op de motor. De oude man hief bij wijze van groet zijn stok en we reden weg.

Adam had honger. Het maakte mij niet uit waar we heen gingen, zolang hij me maar niet naar het pension bracht. Ik probeerde te begrijpen wat er zojuist was gebeurd. Wie was Lea Weisz? Waarom had ik klakkeloos alles aangenomen wat ze zei, zonder enkel concreet bewijs? Zonder slag of stoot had ik het bureau waarop ik mijn leven had afgestemd, weggegeven en je zou haast denken dat ik blij was, opgelucht om er eindelijk van verlost te zijn. Inderdaad, ik had mezelf altijd als tijdelijke bewaarder gezien en was ervan uitgegaan dat iemand het vroeg of laat kwam opeisen, zo had ik mezelf althans voorgehouden, maar in werkelijkheid was dat vooral een handige uitvlucht voor mezelf, een van de vele uitvluchten die ik verzon om maar niet verantwoordelijk voor mijn eigen besluiten te hoeven zijn, uitvluchten die aan mijn besluiten een zweem van het onvermijdelijke verleenden, maar intussen was ik ervan overtuigd dat ik zou sterven aan dat bureau, mijn erfenis en mijn bruidsbed, dus waarom ook niet mijn lijkbaar?

Adam nam me mee naar een restaurant in de Salomon Mall, waar hij een paar obers goed kende. Ze sloegen hem op de rug en namen mij taxerend op. Hij grijnsde en zei iets waar ze hartelijk om moesten lachen. We gingen bij het raam zitten. Buiten, op een balkon dat boven de smalle straat hing, zat een man op een oude matras met zijn zoontje te knuffelen en te kletsen. Ik vroeg wat Adam tegen zijn vrienden had gezegd. Met lippen die zich tot een flauw lachje hadden geplooid keek hij om zich heen naar de andere gasten om hun reactie te peilen, alsof hij met een beroemdheid naar binnen was gekomen, hoe idioot dat ook leek. Met plotse gewetenswroeging besefte ik dat ik hem eigenlijk voor de gek hield, maar het was te laat. Wat had ik moeten zeggen? Niemand leest mijn boeken, misschien willen ze me binnenkort niet eens meer uitgeven? Ik zei dat je iets over mij gaat schrijven, zei hij met een brede grijns. Daarna knipte hij met zijn vingers, waarop zijn vrienden lachend met schalen vol eten aan kwamen zetten, en daarna nog meer schalen. Met een geamuseerde blik in hun ogen namen ze me op, alsof ze mijn wanhoop aanvoelden en iets wisten over hun vriend wat ik niet wist. Van achter in het restaurant sloegen ze ons gade, blij voor hun vriend dat hij een oudere vrouw aan de haak had geslagen, een rijke, beroemde Amerikaanse, althans dat dachten ze, totdat Adam nogmaals met zijn vingers knipte en zij weer met een fles wijn aan kwamen lopen. Hij schrokte zijn eten naar binnen alsof hij in geen dagen iets had gegeten, en het was leuk om naar hem te kijken, Edelachtbare, om rustig met een glas wijn in de hand achterover te leunen en van zijn schoonheid en zijn honger te genieten. Toen het eten op was (hij had het grootste deel ervan naar binnen gewerkt), legden zijn vrienden de rekening voor mij neer en ik zag dat ze de duurste fles wijn voor ons hadden uitgekozen. Terwijl ik klungelig in mijn portemonnee tastte en de juiste briefjes probeerde uit te tellen, stond Adam op en ging grapjes makend en kauwend op een tandenstoker bij ze staan. Toen ik van mijn stoel kwam, voelde ik de wijn in mijn hoofd. Ik liep achter hem aan het restaurant uit en ik wist dat hij mijn ogen in zijn rug voelde en ik wist dat hij wist dat ik hem begeerde, al wil ik graag ter verdediging aanvoeren, Edelachtbare, dat ik niet alleen lust voor hem voelde, maar ook een soort tederheid, alsof ik in staat was de pijn te verzachten die ik had gezien op het gezicht dat hij snel met zijn mouw had weggewist. Met een knipoog gooide hij me de helm toe, maar wie ik mee naar mijn kamer wilde nemen was de onhandige, onzekere jonge man achter het stoere masker. We kwamen bij de ingang van het pension en ik zocht naarstig naar de juiste woorden, maar voordat ik iets kon zeggen merkte hij op dat een vriend van een van de obers een bureau had dat we morgen eventueel konden gaan bekijken. Toen gaf hij me een kuise zoen op mijn wang en reed weg zonder te zeggen hoe laat hij zou komen.

Die avond zocht ik het nummer van Paul Alpers op in mijn adresboekje. Ik had hem in geen jaren gesproken en toen hij na twee keer overgaan de telefoon opnam, had ik bijna opgehangen. Met Nadia, zei ik, en omdat me dat niet toereikend leek, voegde ik eraan toe, ik bel uit Jeruzalem. Het was even stil, alsof hij probeerde terug te gaan naar de omstandigheden waar die naam – die van mij of van de stad – hem iets zei. Opeens barstte hij in lachen uit. Ik vertelde dat ik was gescheiden. Hij vertelde dat hij een paar jaar met een vrouw in Kopenhagen had gewoond, maar dat die relatie voorbij was. In de haast van het gesprek, over zo'n lange afstand, weidden we niet te veel uit over ditjes en datjes. Nadat we de bijzonderheden van ons leven hadden afgehandeld, vroeg ik of hij nog weleens aan Daniel Varsky dacht. Ja, zei hij. Een paar jaar terug had ik je nog willen bellen. Ze hadden ontdekt dat hij een tijdlang op een boot gevangen was gehouden. Een boot? herhaalde ik. In het ruim, zei Paul, samen met andere gevangenen. Een van hen heeft het overleefd en een paar jaar later kwam hij iemand tegen die Daniels ouders kende. Volgens hem hebben ze hem daar nog een paar maanden in leven gehouden, zij het ternauwernood. Paul, zei ik ten slotte. Ja, zei hij, en ik hoorde de klik van een aansteker, daarna het zuigen aan zijn sigaret. Had hij een kind? Een kind? vroeg Paul. Nee. Een dochter, vroeg ik, bij een Israëlische vrouw met wie hij kort voor zijn verdwijning iets had? Ik heb nooit iets over een dochter gehoord, zei Paul. Eerlijk gezegd betwijfel ik het ook. Hij had een vriendinnetje in Santiago, en daarom ging hij steeds terug, al had hij dat beter niet kunnen doen. Zij heette volgens mij Inès. Ze was Chileens, dat weet ik nog wel. Vreemd, zei Paul, ik heb haar nooit ontmoet maar opeens herinner ik me dat ik een poosje geleden over haar heb gedroomd.

Terwijl Paul aan het vertellen was, bedacht ik ineens met enige verbazing dat als Pauls dromen niet zo'n speciale logica hadden, ik nooit Daniel Varsky zou hebben ontmoet en er iemand anders al die jaren aan het bureau zou hebben zitten schrijven. Na het telefoongesprek lag ik wakker, of misschien wilde ik niet gaan slapen, bang om het licht uit te doen en geconfronteerd te worden met wat het donker zou brengen. Om mezelf af te leiden van de gedachte aan Daniel Varsky, of erger nog, aan mijn leven en de vraag die me kwelde zodra ik niet meer gericht nadacht, concentreerde ik me op Adam. Ik stelde me zijn lichaam tot in de weelderigste details voor, wat ik ermee zou doen en ook wat hij met mij zou doen, al bedeelde ik mezelf in deze fantasieën een ander lichaam toe, het lichaam dat ik had voordat het begon uit te dijen en te verzakken en een andere richting uit ging dan ikzelf, het lichaam dat nog steeds ergens in mij zat. De volgende ochtend stond ik al vroeg onder de douche en om zeven uur precies zat ik al in het restaurant, dat net openging. Rafi's gezicht betrok toen hij mij zag en hij liep naar de bar, waar hij glazen begon te drogen terwijl hij een andere ober opdracht gaf mij te bedienen. Ik deed lang over mijn koffie en merkte dat mijn eetlust weer terug was, want ik ging wel twee keer naar het ontbijtbuffet. Maar Rafi bleef mijn blik ontwijken. Pas toen ik opstapte, kwam hij me achterna gerend. Mevrouw! riep hij. Ik draaide me om. Hij wreef in zijn brede handen en keek snel achterom of niemand ons zag. Alstublieft, zei hij kreunend, ik smeek het u. Ga niet met hem om. Ik weet niet wat hij u allemaal vertelt, maar hij is een leugenaar. Een leugenaar en een dief. Hij gebruikt u om mij voor schut te zetten. Ik voelde me opeens kwaad worden en dat zag hij waarschijnlijk aan mijn gezicht, want haastig verklaarde hij zich nader. Hij stookt mijn eigen dochter tegen mij op. Ik heb haar verboden met hem om te gaan en hij wil – begon hij, maar op dat moment kwam de baas van het pension vanaf de andere kant van de gang aanlopen, en de ober boog zijn hoofd en ging er snel vandoor.

Vanaf dat moment legde ik me er volledig op toe om Adam te verleiden. Die ober was niet meer dan een rondzoemende vlieg rond een begeerte die ik niet langer in de hand had, die ik niet wénste in de hand te houden, Edelachtbare, omdat die nog het enige was dat in mij brandde, en zolang ik werd verteerd door die begeerte hoefde ik me niet bezig te houden met mijn leven, dat zich in al zijn naargeestigheid voor me uitstrekte. Ik vond het zelfs wel grappig dat een man half zo oud als ik, met wie ik niets gemeen had, zo'n enorme lust in me opriep. Ik ging naar mijn kamer en wachtte; ik had desnoods dag en nacht willen wachten. Tegen de avond ging de telefoon en ik nam meteen op. Over een uur zou hij bij me zijn. Misschien wist hij dat ik op hem zat te wachten, maar dat kon me niets schelen. Ik wachtte nog een poosje. Anderhalf uur later was hij er pas en bracht hij me naar een huis in een straatje in de buurt van Bezalel. In de vijgenboom hing een snoer van gekleurde lampjes en aan een tafel eronder zaten mensen te eten. Ik werd aan iedereen voorgesteld, er werden klapstoelen uit het huis gehaald, er werd ruimte aan de reeds volgepakte tafel vrijgemaakt. Een meisje in een dunne rode jurk en met hoge laarzen aan richtte zich tot mij. Gaat u over hem schrijven?

vroeg ze ongelovig. Ik keek over de tafel heen naar Adam, die een flesje bier dronk en ik pakte wat olijven en zoute, harde kaas. Ze leken me aardig, deze jongelui, mensen die geen leugenaar en dief in hun gezelschap zouden dulden; Rafi oordeelde veel te hard over hem. Het nagerecht kwam op tafel, daarna thee en uiteindelijk maakte Adam met een gebaar duidelijk dat het tijd was om op te stappen. We namen afscheid van de anderen en liepen mee met een jongen met lange blonde dreadlocks en een teer brilletje. Hij stapte in een oude zilverkleurige Mazda, draaide het raampje open en gebaarde dat we hem moesten volgen. Maar toen we bij zijn woning kwamen, bleek het bewuste bureau daar niet te zijn, en terwijl Adam en de jongen met de dreadlocks een jointje gingen roken in het piepkleine, groezelige keukentje, onder een kalender van vorig jaar met foto's van de Fuji, bleef ik geduldig wachten. In rap Hebreeuws bespraken ze iets met elkaar, waarna de jongen wegging en terugkwam met een bos rammelende sleutels aan een sleutelring met davidster die hij Adam toegooide. Hij liet ons uit, een hasjwolk de gang in wapperend, en wij reden naar de derde locatie, een aantal hoge flatgebouwen die uitkeken op het Sacherpark, uit dezelfde vaalgele steen opgetrokken als de rest van de stad. We gingen naar de vijftiende verdieping, tegen elkaar aan gedrukt in de piepkleine lift met spiegelwanden. Het was donker op de gang en toen hij naar het lichtknopje tastte, werd ik overmand door lust en had ik me bijna op hem gestort. Maar net op tijd knipperde de tl-verlichting zoemend aan en met een van de rammelende sleutels aan de kleine metalen davidster maakte Adam de deur van 15b open.

Binnen was het eveneens donker, maar de moed was me inmiddels in de schoenen gezakt en dus wachtte ik met mijn armen om mijn middel geslagen totdat het licht aanging; we bevonden ons in een flat die was ingericht met zware donkere meubels die niet bij het verblindende woestijnlicht pasten: mahoniehouten vitrinekasten met glas-in-loodruitjes, gotische rechte stoelen met uit hout gesneden pinakels en met gobelin beklede zittingen. De metalen rolluiken voor de ramen waren dicht, alsof degene die er woonde voor onbepaalde tijd weg was. Aan de muren was amper nog een leeg stukje te vinden, zo vol hing het er met pasteus geschilderde vruchten- en bloemenstillevens, zo donker dat het wel leek of ze rookschade hadden opgelopen, en etsen van kleine gebochelde bedelaars of kinderen. Contrasterend met de rest van de inrichting hingen er in goedkope plexiglazen lijsten ook uitvergrote panoramische foto's van Jeruzalem, alsof de bewoners niet wisten dat het echte Jeruzalem aan de andere kant van de rolluiken lag of een verbond hadden gesloten om de werkelijkheid daarbuiten te negeren en te blijven verlangen naar het Erets Jisrael, zoals ze dat ook hadden gedaan in het dorp in joods-Siberië waar ze vandaan kwamen, want ze waren te laat in hun leven hier komen wonen en wisten zich geen raad met deze nieuwe bestaansvrijheid. Terwijl ik de verbleekte kleurenfoto's van kinderen bekeek waarmee het dressoir vol stond – lachende peuters met roze wangen en slungelige jongens op hun bar mitswa, die nu waarschijnlijk zelf al kinderen hadden – verdween Adam een met tapijt gestoffeerde hal in. Na een paar minuten riep hij me. Ik volgde zijn stem naar een kleine kamer met een boekenkast vol paperbacks waarop zich in de loop der tijd een dikke laag stof had verzameld, die zelfs in het lamplicht zichtbaar was.

Dit is 'm dan, zei Adam met een armgebaar. Het was een cilinderbureau van blond hout en het stond open zodat je het ingewikkelde inlegwerk zag, waarvan de glans – tot dan toe beschermd door de democratiserende deken van stof – zo beangstigend was dat het wel leek of degene die eraan had gezeten net was opgestaan en weggelopen. En, vind je hem mooi? Ik ging met mijn vinger over het houten inlegwerk, dat zo glad aanvoelde alsof het uit één stuk bestond, niet uit de honderden stukjes van al die verschillende boomsoorten die er in totaal nodig waren geweest om het opvallende geometrische patroon van kubusjes en bolletjes te maken, de krimpende en uitdijende spiralen, van ruimte die implodeerde en zich dan opeens weer openvouwde om een glimp van oneindigheid te onthullen, een geometrisch patroon met een bepaalde betekenis die de maker achter een deklaag van vogels, leeuwen en slangen had verstopt. Toe maar, drong hij aan, ga er maar aan zitten. Ik geneerde me en wilde tegenwerpen dat ik net zomin aan zo'n bureau kon werken als ik mijn boodschappenlijstje kon opstellen met een pen die van Kafka was geweest, maar ik wilde hem niet teleurstellen en ging zitten op de stoel die hij had bijgetrokken. Van wie is dit bureau? vroeg ik. Van niemand, zei hij. Maar de mensen die hier wonen hebben toch... Die wonen hier niet meer. Waar zijn ze? Dood. Maar waarom staat alles er nog? Dit is Jeroesjalajim, smaalde Adam, misschien komen ze nog terug. Ik werd overmand door een claustrofobisch gevoel en wilde naar buiten, maar toen ik opstond van het bureau betrok Adams gezicht. Wat, vind je 'm niet mooi? Ja hoor, zei ik, erg mooi. Wat is er dan? vroeg hij. Het moet een vermogen hebben gekost, zei ik. Voor jou regelt hij wel een zacht prijsje, antwoordde hij met een grijns en ik zag iets roestigs maar scherps in zijn ogen opflitsen. Wie? Gad. Wie is Gad? De jongen die je net hebt ontmoet. Maar wat is zijn relatie met hen? Hun kleinzoon, zei hij. Waarom wil hij alleen het bureau verkopen? Adam haalde zijn schouders op en trok behendig de cilinderklep omlaag. Hoe moet ik dat weten? zei hij onverschillig. Hij is waarschijnlijk nog niet aan de andere meubels toegekomen.

Adam maakte een grondige rondgang door het huis, trok de laden van het dressoir open en draaide aan het tere sleuteltje van een pronkkast om de bescheiden verzameling judaïca te bekijken. Hij ging naar de wc en ontlastte zichzelf in een lange kletterende straal die ik door de openstaande deur hoorde. Daarna vertrokken we, terug naar het donker. In de lift naar beneden bleven we doorpraten over het bureau, en toen we ons gesprek in een schemerige bar voortzetten, hadden we het ook over andere dingen, maar we kwamen toch steeds weer terug op het bureau en allengs begon ik steeds meer opgewonden te raken over het onuitgesproken onderwerp, waarover we volgens mij eigenlijk aan het onderhandelen waren en waarvoor het bureau, met al zijn verborgen betekenissen, slechts een façade was.

De daaropvolgende dagen en nachten wil ik u besparen, Edelachtbare, maar zonder mezélf te sparen:

We zitten in een duur Italiaans restaurant en Adam, in het shirt en de spijkerbroek die hij al vier dagen achter elkaar aanheeft, klinkt met zijn biertje tegen mijn glas wijn en vraagt met een samenzweerderig lachje of ik al een verhaal heb bedacht waarin hij de held is. Wanneer we met twee lepeltjes van één tiramisu eten, waarvan hij de grootste portie mag hebben, keert hij als een orgeldraaier met een beperkt repertoire terug naar de kwestie van het bureau. Hij heeft de situatie gepolst en volgens hem kan hij Gad wel overhalen wat met de prijs te zakken, al moeten we niet vergeten dat dit een uniek antiek stuk is, het werk van een meester dat op een veiling vele malen meer zou opbrengen. Ik speel het spelletje mee, doe net of ik zwicht voor zijn overredingskracht terwijl ik onder de tafel op zoek ga naar zijn voet. Zolang ik min of meer in mijn eigen woorden geloof is er niets aan de hand, totdat me opeens weer met een misselijkmakende schok te binnen schiet dat ik niet weet of ik ooit nog iets zal schrijven.

We zitten te lunchen in het café van Beit Tikho, dat volgens een vriend van Adam het soort gelegenheid is waar schrijvers graag komen. Ik draag een wijde gebloemde jurk en heb een paars suède reticule met goudbrokaat bij me, allebei de vorige dag gekocht, nadat ik ze in de etalage van een boetiekje had zien liggen. Het is lang geleden dat ik iets nieuws voor mezelf heb gekocht en het is spannend en vreemd om deze spullen te dragen, alsof het heel eenvoudig kan zijn om een nieuw leven te beginnen. De schouderbandjes zakken steeds af en dat laat ik maar zo. Adam speelt met zijn mobieltje, staat op om te bellen, komt terug en schenkt de rest van de mousserende wijn in mijn glas. Iemand moet hem ergens de basisprincipes van hoffelijkheid hebben bijgebracht en die heeft hij naar zijn eigen onconventionele inzichten omgevormd. Hij loopt altijd ver voor me uit. Maar wanneer we bij een deur komen, houdt hij die voor me open en wacht net zolang totdat ik hem heb ingehaald en binnen ben. Vaak praten we helemaal niet met elkaar. Het gaat me ook niet om het praten.

We zijn in een kroeg op de Heleni Ha-malka. Er komen wat vrienden van Adam langs, dezelfde die ik aan de tafel onder de vijgenboom heb ontmoet, het meisje met de dunne rode jurk (die nu geel is) en haar vriendin met een donkere pony over haar voorhoofd. Ze begroeten me met zoenen op de wang, alsof ik erbij hoor. De band loopt zelfverzekerd het podium op, de drums beginnen te bonken, en bij de eerste paar noten van de gitaar klapt het verspreid staande publiek, er fluit iemand vanachter de bar en hoewel ik weet dat ik er niet bij hoor, dat ik in elk opzicht een vreemde in hun midden ben, voel ik me dankbaar dat ze me zo hartelijk opnemen. Ik zou wel de hand van het meisje in de gele jurk willen pakken en iets tegen haar fluisteren, alleen weet ik de juiste woorden niet. De muziek wordt harder en onwelluidender, de leadzanger krijst met een rauwe stem en hoewel ik me niet van de anderen wil onderscheiden, denk ik onwillekeurig dat hij een tikje overdrijft, dat hij zichzelf ietwat overschreeuwt, dus loop ik maar naar de bar om een drankje te bestellen. Als ik me omdraai, staat het meisje met de zwarte pony naast me. Ze roept iets tegen me, maar haar dunne stemmetje gaat verloren in het kabaal. Wat? roep ik terug terwijl ik haar lippen probeer te lezen, en ze herhaalt het proestend, iets over Adam, maar ik versta het nog steeds niet, dus de derde keer buigt ze zich dicht naar mijn oor en schreeuwt: Hij is verliefd op zijn nichtje, waarna ze naar achteren leunt, met haar hand voor haar lach, om te zien of ik het nu wel heb verstaan. Ik laat mijn ogen over het publiek gaan en wanneer ik Adam ontwaar, die met veel theater zijn aansteker omhooghoudt terwijl de zanger staat te kwelen, draai ik me glimlachend naar haar om en zeg met een bepaalde blik in mijn ogen dat ze het mis heeft als ze denkt het hele verhaal te kennen. Ik loop weg. Ik drink mijn glas leeg en bestel er nog eentje. De zanger begint weer als een gek te brullen, maar dit keer is de muziek ronder, vrolijker, en plotseling pakt Adam van achteren mijn hand en trekt me naar buiten, en ik weet dat ik niet veel langer hoef te wachten. We stappen op zijn motor – inmiddels is het een makkie voor me om achter hem op de motor te klimmen en me tegen hem aan te nestelen – en ik hoef niet te vragen waar we heen gaan omdat ik overal heen wil gaan.

We zijn weer terug in de macaber verlichte betonnen hal van Gads flatgebouw. We gaan de trap op en Adam zingt een vals deuntje, neemt de trap met twee treden tegelijk. Ik ben buiten adem. Binnen is alles hetzelfde, alleen is Gad niet thuis. Adam zoekt in de laden en op de boekenplanken naar iets en ik zet intussen de geluidsinstallatie aan en druk op play, want ik weet precies wat hij zoekt, wat er straks gaat gebeuren. De cd springt aan, de muziek zweeft uit de speakers; het is mogelijk dat ik heen en weer begin te wiegen of te dansen. Zet uit, zegt Adam, die me van achteren is genaderd, en nog voordat ik hem voel ruik ik hem, als een dier. Waarom? vraag ik en draai me om met een flirterig lachje. Daarom, zegt hij en ik denk bij mezelf: des te beter in stilte. Ik steek mijn handen omhoog en leg ze om zijn gezicht. Met een kreun druk ik mijn lichaam tegen hem aan, zoek met mijn kruis naar iets hards, ik doe mijn lippen uiteen en leg ze op de zijne, mijn tong glijdt naar binnen en proeft de warmte van zijn mond; ik was uitgehongerd, Edelachtbare, ik wilde alles in één keer.

Het duurt maar een paar tellen. Dan duwt hij me weg. Hou je handen thuis, snauwt hij. Ik begrijp het niet en wil hem weer strelen. Met zijn vlakke hand duwt hij me zo hard in mijn gezicht dat ik achterover op de bank val. Hij veegt zijn mond af met de rug van zijn hand, de hand waarin ik nu de sleutels zie van de flat die vol staat met de meubels van de overleden mensen. Van veraf begint het me te dagen dat die mensen helemaal niet dood zijn. Ben je soms gek geworden? sist hij en in zijn ogen blinkt iets vijandigs maar ook iets bekends, alleen kan ik dat nog niet goed plaatsen. Je kunt mijn moeder zijn, spuwt hij, en dan dringt het tot me door dat het walging is.

Ik lig languit op de bank, verbijsterd en vernederd. Hij wil er al vandoor, maar bij de deur blijft hij even staan. Het paars suède tasje ligt in het halletje, op de plek waar ik het had laten vallen toen we binnenkwamen. Hij raapt het op. In zijn handen wordt het zoals het er bij mij moet hebben uitgezien: lachwekkend en zielig. Met zijn blik strak op mij steekt hij zijn hand er diep in en begint rond te graaien. Als hij niet vindt wat hij zoekt, houdt hij het ondersteboven en schudt alles op de grond. Vlug bukt hij zich en pakt mijn portemonnee. Dan gooit hij het tasje neer, schopt het met zijn laars opzij en met een laatste blik van weerzin in mijn richting loopt hij naar buiten, de deur met een klap achter zich dichttrekkend. Mijn lippenstift rolt nog over de vloer en komt tot stilstand tegen de muur.

De rest doet er eigenlijk niet toe, Edelachtbare. Ik wil alleen nog kwijt dat hiermee mijn verwoesting compleet was en dat eindelijk het dak naar beneden kwam. Wat stelde hij nou helemaal voor? Niets meer dan een illusie die ik voor mezelf had verzonnen om het antwoord te bieden dat ik zelf niet kon geven, al had ik het steeds wel geweten. Na een tijdje wist ik mezelf van de bank te hijsen en toen ik in de keuken met trillende handen een glas water tapte, viel mijn blik op een schoteltje met losse munten en Gads autosleuteltjes. Ik aarzelde niet. Ik pakte de sleuteltjes, beende langs de losse inhoud van mijn tasje en liep het gebouw uit. De auto stond aan de overkant van de straat. Ik maakte het portier open en gleed achter het stuur. In het achteruitkijkspiegeltje zag ik dat mijn gezicht dik was van het huilen, dat er klitten in mijn haar zaten en dat het grijs erdoorheen schemerde. Ik ben nu een oude vrouw, dacht ik bij mezelf. Vandaag ben ik een oude vrouw geworden en ik moest bijna lachen, een kille lach die paste bij de kilheid binnen in me.

Ik stuurde de auto de weg op, waarbij de wielen over de stoeprand bonkten. Ik sloeg een paar wegen in en kwam toen bij een bekende kruising, waar ik de afslag naar Een Kerem nam. Ik dacht aan de oude man die in de Ha-orenstraat woonde. Ik was niet van plan erheen te gaan, maar ik reed als vanzelf naar hem toe. Het duurde niet lang voordat ik de weg kwijt was. De koplampen gleden over boomstronken, de weg liep naar het Bos van Jeruzalem en helde naar een kant sterk af, een afgrond in. Er was maar één ruk aan het stuur voor nodig om de auto in de donkere diepte te doen storten. Met witte knokkels omklemde ik het stuur en ik stelde me de buitelende koplampen in het donker voor, de omgekeerde wielen die in stilte ronddraaiden. Maar ik beschik niet over de eigenschap die nodig is om jezelf te vernietigen. Ik reed verder. Ik moest zomaar opeens aan mijn grootmoeder denken, die ik voor haar dood regelmatig op West End Avenue bezocht. Ik dacht aan mijn jeugd, aan mijn moeder en vader, die allebei dood zijn, maar van wie ik altijd het kind blijf, daar is geen ontsnappen aan, net zoals ik niet aan mijn overbekende, stomvervelende denkpatronen kan ontsnappen. Ik ben nu vijftig, Edelachtbare. Ik weet dat er voor mij niets meer zal veranderen. Dat binnenkort, misschien niet morgen of volgende week, maar toch op korte termijn de muren om me heen en het dak boven mijn hoofd hersteld zullen worden, in precies dezelfde staat als vroeger, en het antwoord op de vraag die alles deed instorten zal veilig in een la worden opgeborgen. Dan vat ik mijn oude leven weer op, met of zonder bureau. Begrijpt u, Edelachtbare? Snapt u dat het voor mij te laat is? Wat zou ik anders moeten worden? Wie zou ik moeten zijn?

Zo-even deed u uw ogen open. Donkergrijze ogen, volkomen alert, die heel even indringend contact met de mijne maakten.

Toen deed u ze weer dicht en soesde weg. Misschien voelt u al aan dat ik het einde nader, dat het verhaal dat vanaf het eerste begin op u afraasde eindelijk de bocht om is en zometeen met u in botsing komt. Ja, ik wilde wenen en mijn tanden knersen, Edelachtbare, u om vergiffenis smeken, maar het enige wat eruitkwam was een verhaal. Ik wilde beoordeeld worden op wat ik met mijn leven heb gedaan, maar nu word ik beoordeeld op hoe ik het heb beschreven. Misschien is dat uiteindelijk ook maar beter. Als u kon spreken, zou u misschien zeggen dat het is zoals het is. Alleen voor God verschijnen we zonder verhalen. Maar ik ben niet gelovig, Edelachtbare.

De verpleegster komt u zo nog een dosis morfine geven en raakt dan even uw wang aan met de liefdevolle ongedwongenheid van iemand wier leven in het teken staat van zorgen voor anderen. Ze zei dat ze u morgen wakker zullen maken, en nu is het al bijna morgen. Ze waste het bloed van mijn handen. Ze haalde een borstel uit haar tasje en haalde die door mijn haar, zoals mijn moeder vroeger ook deed. Ik legde mijn hand op de hare om haar tegen te houden. Ik ben degene die... begon ik, maar ik maakte mijn zin niet af.

U stond roerloos in de koplampen, zo onbeweeglijk dat ik dacht, in de fractie van een seconde dat ik nog kon denken, dat u op me wachtte. Daarna de gierende remmen, de klap tegen het lichaam. De auto raakte in een slip en kwam tot stilstand. Mijn hoofd raakte het stuur. Wat heb ik gedaan? De weg was leeg. Hoe lang tot ik het afgrijselijke kreunen van pijn hoorde en besefte dat u nog leefde? Tot ik u ineengekreukeld in de berm zag liggen en ik uw hoofd in mijn handen nam? Tot het janken van de sirene, de rode vlekken van lichten, het grijze ochtendgloren door het raampje waarin ik voor het eerst uw gezicht zag? Wat heb ik gedaan, wat heb ik gedaan?

Ze dromden om u heen. Ze hingen u terug aan het leven, als een jas die van de kapstok is gevallen.

Praat tegen hem, zei ze, terwijl ze de losgeraakte elektrode weer aan uw borst vastmaakte. Het is goed voor hem als hij u hoort. Goed? Ze zei: Het is goed voor u om te praten. Waarover? Gewoon, praten. Hoe lang dan? vroeg ik, al wist ik dat ik net zolang aan uw bed zou blijven zitten als me werd toegestaan, totdat uw echte vrouw of geliefde er was. Zijn vader is onderweg, zei ze en trok de gordijnen om ons heen. Duizend-en-een nacht lang, dacht ik. Meer.

Zwemvijvers

Tot op het allerlaatst wist Lotte nog wie ik was. Zelf had ik vaak het gevoel dat de vrouw die ze vroeger was voorgoed uit mijn geheugen was verdwenen. Haar zinnen kwamen vlot op gang, maar haperden al snel en zakten weg in de vergetelheid. Ook begreep ze me niet meer. Soms wekte ze de indruk van begrip, maar zelfs wanneer er bij een combinatie van woorden die ik toevallig gebruikte een sprankje besef in haar hersenen ontvonkte, was ze dat een ogenblik later weer kwijt. Ze stierf snel, zonder pijn. Op 25 november vierden we haar verjaardag. Ik kocht een taart bij de bakkerij in Golders Green waar ze graag kwam, en samen bliezen we met ons tweeën de kaarsjes uit. Voor het eerst in weken zag ik een blos van geluk op haar wangen. De volgende avond bleek ze hoge koorts te hebben en had ze moeite met ademhalen. Haar gezondheid was niet goed, en ze was toen ook al erg broos; in de laatste jaren van haar leven was ze sterk verouderd. Ik belde onze dokter, die op huisvisite kwam. Haar toestand verslechterde en een paar uur later brachten we haar naar het ziekenhuis. Ze viel snel ten prooi aan een longontsteking, die haar sloopte. In haar laatste uren smeekte ze te mogen sterven. De artsen deden er alles aan om haar te redden, maar toen er niets meer te doen viel, lieten ze ons met rust. Ik ging bij haar op het smalle bed liggen en streelde haar haren. Ik bedankte haar voor het leven dat ze samen met mij had geleefd. Ik zei tegen haar dat niemand gelukkiger had kunnen zijn dan wij met ons tweeën waren geweest. Ik vertelde haar nog eens over de eerste keer dat ik haar zag. Kort daarna verloor ze het bewustzijn en sliep stilletjes in.

Op de middag dat ik haar begroef kwamen er ongeveer veertig mensen naar de begraafplaats van Highgate. Lang geleden hadden we besloten daar samen begraven te worden, waar we zo dikwijls op de overwoekerde paadjes hadden gelopen, de namen op de scheefgezakte grafstenen hadden gelezen. Die ochtend was ik zenuwachtig, uit mijn doen. Pas toen de rabbijn de kaddisj begon te zeggen, besefte ik dat ik deels geloofde dat haar zoon misschien de plechtigheid zou bijwonen. Waarom had ik anders die kleine rouwadvertentie in de krant geplaatst? Lotte zou zoiets beslist hebben afgekeurd. Voor haar was het privéleven privé. Met een door tranen vertroebelde blik speurde ik tussen de bomen naar een gestalte in het landschap. Zonder hoed. Misschien ook zonder jas. Snel ingeschetst, zoals de grote meesters zichzelf soms portretteerden, verscholen in een donker hoekje van het doek of verborgen in een mensenmassa.

Drie of vier maanden na Lottes overlijden begon ik weer op reis te gaan, iets wat niet mogelijk was geweest in de tijd dat ze ziek was. Meestal in Engeland of Wales, en altijd met de trein. Ik ging graag ergens heen waar ik van het ene dorp naar het andere kon lopen en elke nacht op een andere plek door kon brengen. Door er zo op uit te trekken, met slechts een kleine rugzak, onderging ik een gevoel van vrijheid dat ik jarenlang niet had gekend. Vrijheid en rust. Het eerste reisje dat ik ondernam was naar het Lake District. Een maand later ging ik naar Devon. Vanuit het dorp Tavistock maakte ik een tocht over de woeste gronden van Dartmoor, waar ik verdwaalde tot ik in de verte de schoorstenen van de gevangenis zag oprijzen. Ongeveer twee maanden later ging ik met de trein naar Salisbury om Stonehenge te bezoeken. Samen met de andere toeristen stond ik onder de monsterlijke grijze lucht en probeerde ik me een voorstelling te maken van de neolithische mannen en vrouwen aan wier leven veelal een einde kwam doordat er met bot geweld zware verwondingen aan hun schedel werden toegebracht. Er lag wat troep op de grond, metaalachtig glanzende wikkels en zo. Ik raapte de rotzooi her en der op en toen ik weer overeind kwam, waren de stenen nog groter en angstaanjagender dan daarvoor. Ook begon ik te schilderen, een liefhebberij uit mijn jonge jaren waarmee ik was gestopt toen ik besefte dat het me aan talent ontbrak. Maar talent, dat wordt vereerd om alles wat het belooft wanneer je jong bent, leek er uiteindelijk helemaal geen zier toe te doen: er viel me tegenwoordig niets te beloven en bovendien hoefde dat voor mij ook niet meer. Ik kocht een kleine opvouwbare ezel, die ik meenam als ik op reis ging, en wanneer ik dan door een bepaald uitzicht werd getroffen, zette ik hem op. Soms bleef er iemand even staan kijken en ontstond er een gesprek, en het kwam bij me op dat ik dergelijke mensen niet de waarheid over mezelf hoefde te vertellen. Dan zei ik dat ik een plattelandsarts uit de buurt van Hull was, of een piloot die tijdens de Slag om Engeland in een Spitfire had gevlogen, en terwijl ik dat vertelde, zag ik dan inderdaad hoe het patroon van akkers en weiden zich onder me uitstrekte, zich naar alle kanten als een code ontvouwde. Er was niets sinisters aan, er was niets wat ik wilde verbergen, er was alleen maar het plezier waarmee ik afstand van mezelf nam en voor korte tijd iemand anders werd, met daarna een ander soort plezier, kijken naar de rug van zo'n vreemde die langzaam in de verte verdween, en geleidelijk weer mezelf worden. Iets dergelijks voelde ik ook wanneer ik 's nachts in het een of andere pensionnetje wakker werd en heel even was vergeten waar ik was. Totdat mijn ogen zich voldoende hadden aangepast om de lijnen van het meubilair te kunnen onderscheiden of totdat er een bepaalde gebeurtenis van de vorige dag bij me terugkwam, bleef ik in het onbekende zweven, het onbekende dat, nog losjes verbonden met het bewustzijn, heel makkelijk in het onkenbare overgaat. Slechts een fractie van een seconde, een fractie van een zuiver, monsterlijk bestaan dat vrij was van alle bakens, van een uiterst opwindende verschrikking, die bijna meteen werd uitgevlakt door een besef van de werkelijkheid dat ik op dergelijke ogenblikken als verblindend ging beschouwen, een hoed die je over de ogen werd getrokken, want hoewel ik wist dat het leven zonder dat besef bijna onleefbaar zou worden, toch stoorde ik me eraan, ondanks alles waar het me van vrijwaarde.

In zo'n nacht dat ik wakker werd voordat ik me kon herinneren waar ik was, ging er een alarm af. Of liever gezegd, ik werd wakker van het alarm, hoewel er tussen de onderbreking van mijn slaap en het besef van dat oorverdovende lawaai een bepaalde vertraging moet hebben gezeten. Ik sprong uit bed en maaide met mijn arm de lamp van het nachtkastje. Ik hoorde het peertje kapotvallen en herinnerde me dat ik ergens in Wales logeerde, in Brecon Beacons National Park. Met de geur van bijtende rook om me heen tastte ik naar het lichtknopje en trok mijn kleren aan. Op de gang was de brandlucht overweldigend en vanuit de ingewanden van het gebouw hoorde ik geschreeuw komen. Op een of andere manier vond ik de trap. Onderweg naar beneden kwam ik anderen tegen, in uiteenlopende staat van gekleedheid. Er was een vrouw die een kind met blote voetjes in haar armen droeg, een kind dat zich volkomen roerloos en stil hield, als het oog van een storm. Buiten had zich een kleine groep verzameld op het grasveld aan de voorkant van het gebouw, sommigen met een geconcentreerd, omhooggewend gezicht dat door het vuur werd verlicht, anderen die voorovergebogen stonden te hoesten. Pas toen ik in hun kring was opgenomen, draaide ik me om. Het dak werd al verteerd door vlammen die uit de ramen van de bovenste verdieping likten. Het gebouw moet meer dan honderd jaar oud zijn geweest en was in tudorstijl gebouwd, met aan het plafond dikke houten balken die waren gemaakt uit de oude masten van koopvaardijschepen, aldus de brochure van het hotel. Het brandde als een lier. Het uitdrukkingsloze kind keek stilletjes toe, met haar hoofd op de schouder van haar moeder. De nachtportier verscheen met een gastenlijst en begon namen op te noemen. De moeder van het kind reageerde op de naam Auerbach. Ik vroeg me af of ze Duits was, misschien zelfs wel Joods. Ze was alleen, zonder echtgenoot of vader, en terwijl het vuur woedde, er brandweerwagens kwamen aanrijden en mijn bezittingen, de ezel en mijn verf en wat ik aan kleren bij me had, in rook opgingen, stelde ik me heel even voor hoe ik mijn hand op de schouder van de vrouw zou leggen en haar en het kind van het brandende gebouw zou wegleiden. Ik verbeeldde me de dankbare blik waarmee ze me zou aankijken, en ook de vredige, aanvaardende uitdrukking van het kind, zich allebei bewust van het feit dat mijn zakken vol kruimels zaten en dat ik vanaf dat moment hun gids zou zijn, door het ene bos na het andere, hen zou beschermen en voor hen zou zorgen alsof ze van mij waren. Maar deze heldenfantasie werd onderbroken door een zich razendsnel verspreidend gemompel van opwinding: er ontbrak een gast. De portier nam de lijst nog eens door en riep daarbij elke naam met luide stem, en nu verstomden alle gasten, getroffen door de ernst van zijn taak en het geluk van hun lijfsbehoud. Toen de portier bij de naam Rush aankwam, gaf niemand antwoord. Mevrouw Emma Rush, riep hij opnieuw, maar zijn oproep werd met stilte beantwoord.

Het duurde nog een uur voordat de brand volledig was geblust en haar lichaam werd gevonden en afgedekt met een zwart zeil naar de oprijlaan werd overgebracht. Ze was van de bovenste verdieping gesprongen en had haar nek gebroken. Er was maar één andere gast die zich haar wist te herinneren, iemand die haar beschreef als van middelbare leeftijd, met altijd een verrekijker bij zich, die ze vermoedelijk gebruikte om vogels te observeren in de valleien, ravijnen en bossen van de Brecon Beacons. Een van de twee ambulances reed weg naar het mortuarium; in de andere werden mensen die een rookvergiftiging opgelopen hadden naar het ziekenhuis gebracht. Verder werden we verdeeld over diverse hotelletjes in de nabijgelegen plaatsen aan de rand van het natuurgebied. De vrouw Auerbach en haar kind werden toegewezen aan Brecon, en ik aan Abergavenny, precies de andere kant op. Het laatste wat ik van hen zag, was de verklitte haardos van het kind toen het in het busje verdween. De volgende dag stond er in de plaatselijke krant een stukje over de brand, waarin werd vermeld dat de brand was ontstaan door kortsluiting en dat de omgekomen vrouw onderwijzeres op een basisschool in Slough was geweest.

Een paar weken na Lottes overlijden was mijn oude vriend Richard Gottlieb op bezoek geweest om te kijken of ik me wel redde. Hij was jurist en jaren geleden had hij Lotte en mij zover gekregen dat we ons testament maakten – in dat opzicht zijn we geen van beiden ooit praktisch geweest. Hij had een paar jaar geleden zijn eigen vrouw verloren, maar inmiddels had hij iemand anders leren kennen, een acht jaar jongere weduwe die aandacht aan haar uiterlijk besteedde en zich niet had laten verslonzen. Een levensbron, zei hij over haar terwijl hij de melk door zijn thee roerde, en ik wist dat hij daarmee bedoelde dat het verschrikkelijk is om alleen te sterven, oud te worden en te rommelen met je pillen, uit te glijden in bad en een schedelfractuur op te lopen, dat ik over mijn toekomst moest nadenken, iets waarop ik antwoordde dat ik overwoog een beetje te gaan reizen als het wat warmer werd. Hoe dan ook, daarna liet hij dit zo kortstondig aangeroerde onderwerp weer met rust. Voordat hij vertrok, legde hij zijn hand op mijn schouder. Zou je dan nu niet eens nadenken over de herziening van je testament, Arthur? vroeg hij. Da's best, zei ik, natuurlijk, maar op dat moment was ik het eigenlijk niet van plan. Twintig jaar geleden, toen we ons testament opstelden, hadden Lotte en ik alles aan elkaar nagelaten. Voor het geval dat we tegelijk kwamen te overlijden, hadden we alles verdeeld onder diverse goede doelen, nichten en neven (die van mij, natuurlijk; Lotte had geen familie). De rechten van Lottes boeken, die slechts een schijntje opbrachten, lieten we na aan onze goede vriend Joseph Kern, een oud-student van me die had beloofd als haar executeur-testamentair op te treden.

Maar in de trein terug uit Wales, op een moment dat mijn kleren nog naar rook en as stonken en de foto van de dode onderwijzeres uit Slough naar me omhoog staarde uit de krant die dubbelgevouwen op mijn schoot lag, was het alsof de ijzeren deur van de dood was opengezwaaid en ik heel even een blik van Lotte opving. *Diep in zichzelf,* zoals het gedicht luidt, *Vervuld van haar immense dood, die heel erg nieuw was, begreep ze niet dat het was gebeurd.* En toen ik haar zo zag, sprong er iets in me kapot, een klepje dat niet meer tegen dergelijke druk bestand was, en begon ik te huilen. Ik dacht na over wat Gottlieb had gezegd. Misschien was het toch tijd voor een herziening.

Weer thuis bakte ik bij wijze van avondmaaltijd een paar eieren en terwijl ik ze opat, luisterde ik naar het nieuws. Eerder op die dag was generaal Pinochet gearresteerd in het London Bridge-ziekenhuis, waar hij lag te herstellen van een rugoperatie. Er werd een aantal Chileense ballingen geïnterviewd, slachtoffers van zijn martelpraktijken; op de achtergrond hoorde je mensen feestvieren. Heel even kwam die jongen, Daniel Varsky, in mijn gedachten terug, als een levendig beeld van hoe hij die avond bij ons op de stoep had gestaan. Ik zette de televisie aan om het hele verhaal te horen, en ook, denk ik, om te kijken of er nog melding werd gemaakt van de brand of de vrouw uit Slough, maar natuurlijk was dat niet zo. Beelden van Pinochet in militair uniform, die een parade afnam, op het balkon van La Moneda stond te zwaaien, werden afgewisseld met onscherpe opnamen van een oude man die gekleed in een kanariegeel shirt half achterover lag op de achterbank van een auto die werd bestuurd door een chauffeur van Scotland Yard.

Er was een oude, verwilderde kater, die soms door onze tuin sloop en wist dat er bij mij iets te eten te halen viel. 's Nachts krijste hij als een pasgeboren kind. Om hem te laten weten dat ik weer terug was, zette ik een bakje melk buiten. Maar die nacht kwam hij niet en 's morgens dreef er een dode vlieg op zijn rug in het bakje. Zodra de klok negen had geslagen, pakte ik ons oude adresboek, dat was volgeschreven in Lottes handschrift, en zocht Gottliebs nummer. Een en al vrolijkheid nam hij op. Ik vertelde hem over mijn reisje naar de Brecon Beacons, maar niet over de brand; ik wilde geen inbreuk maken op de stilte die eromheen hing, denk ik, of die stilte niet verraden door er een verhaal van te maken. Ik vroeg of ik langs kon komen voor een persoonlijk gesprek, hij reageerde enthousiast, riep naar zijn vrouw en nodigde me na een gedempte stilte die middag uit op de thee.

Ik zat de rest van de ochtend Ovidius te lezen. Ik lees tegenwoordig anders, aandachtiger, omdat ik besef dat ik de boeken waar ik van hou waarschijnlijk voor het laatst herlees. Kort na drieën ging ik dwars over de Heath op weg naar Well Walk, waar Gottlieb woonde. De ramen waren getooid met papieren knipsels van zijn kleinkinderen. Toen hij opendeed, lag er een gezonde kleur op zijn wangen en ademde het huis de geur van piment uit, net als van de reukzakjes die vrouwen vaak tussen hun ondergoed leggen. Fijn dat je er bent, Arthur, zei hij. Hij gaf me een klopje op mijn rug en nam me mee naar een zonnige kamer naast de keuken, waar de tafel al gedekt was voor de thee. Lucie kwam gedag zeggen en we spraken over een toneelstuk dat ze de vorige avond in het Barbican Theater had gezien. Daarna excuseerde ze zich met de woorden dat ze bij een vriendin op bezoek moest en liet ze ons alleen. Toen de deur achter haar dichtviel, haalde Gottlieb zijn bril uit een kleine, lederen koker en zette hem op; het was een bril die zijn ogen vele malen uitvergrootte, waardoor ze iets weg kregen van de ogen van een koboldmaki. Zodat hij me beter kon zien, dacht ik onwillekeurig, of door me heen kon kijken.

Wat ik je nu ga vertellen zal je misschien verrassen, zo begon ik. Toen ik erachter kwam, een paar maanden voordat Lotte overleed, was ik zelf ook heel verbaasd. Sindsdien ben ik nog steeds niet gewend aan het idee dat de vrouw met wie ik bijna vijftig jaar heb samengeleefd in staat was iets van deze omvang voor me verborgen te houden, een geheim dat al die jaren ongetwijfeld een intens en kwellend deel van haar innerlijke leven is geweest. Het is waar, zei ik tegen Gottlieb, dat Lotte maar zelden heeft gesproken over haar ouders, die in een kamp zijn vermoord, of over de jeugd in Neurenberg waaruit ze werd verbannen. Dat ze blijk gaf van de vaardigheid – het talent zelfs – om te verzwijgen, was iets waaruit ik had moeten afleiden dat er misschien andere hoofdstukken in haar leven waren die ze me willens en wetens onthield en diep in zich liet wegzinken, als een met man en muis vergaan schip. Maar weet je wat het is – ik was juist wél op de hoogte van het lot van haar ouders en het verlies van haar vroegere wereld. Op een bepaald punt aan het begin van onze relatie was ze erin geslaagd deze nachtmerrieachtige gedeelten van haar verleden kenbaar te maken in de vorm van een schaduwspel, zonder er ooit langdurig bij stil te staan of ze volledig te openbaren, en was het haar tegelijkertijd gelukt me duidelijk te maken dat ik niet hoefde te verwachten dat het onderwerpen waren die zij ooit zou aansnijden, en ook mocht ik ze zelf niet aansnijden. Dat haar geestelijk evenwicht, haar vermogen om overeind te blijven, zowel in haar eigen leven als in het leven dat wij gezamenlijk hadden opgebouwd, afhankelijk was van haar vermogen en mijn plechtige instemming om een cordon rond die nachtmerrieachtige herinneringen te leggen, hen als wolven in hun hol te laten slapen en niets te doen wat hun slaap zou kunnen verstoren. Dat ze deze wolven in haar dromen bezocht, dat ze bij hen sliep en zelfs over hen schreef, al hadden ze dan een veelvoudige gedaanteverandering ondergaan, daar was ik me heel goed van bewust. In haar zwijgen was ik een medeplichtige, zelfs gelijkwaardige deelgenoot. En als zodanig vielen de dingen waarover ze zweeg niet in de categorie 'geheimen'. Ik moet er ook bij zeggen dat ik, ondanks mijn aanvaarding van deze voorwaarden en mijn verlangen om haar te beschermen, ondanks het tedere begrip en de sympathie waar ik altijd naar streefde en ondanks mijn schuldgevoel over het feit dat ik een leven had geleid dat behoed was gebleven voor dit soort pijn en leed, niet altijd vrij van wantrouwen was. Ik geef toe dat er momenten zijn geweest waar ik niet trots op ben, momenten waarin ik me verlaagde tot de gedachte dat ze iets voor me verborgen hield en me moedwillig om de tuin leidde. Maar mijn vermoedens waren onbeduidend en kleinzielig, de verdenkingen van een man die vreest dat zijn vermogens (ik vertrouw erop dat ik openhartig met je over dergelijke dingen kan spreken, zei ik tegen Gottlieb, dat je niet onbekend bent met wat ik je duidelijk probeer te maken), zijn seksuele vermogens, waarvan wordt verwacht dat ze decennialang standhouden, in de beleving van zijn vrouw zijn afgenomen, dat zij, die door hem nog steeds beeldschoon wordt gevonden, die bij hem nog steeds lustgevoelens opwekt, niet meer opgewonden raakt van zijn uitgezakte en afgeleefde staat zoals die zich onder de dekens manifesteert, een man die, om de zaak verder te compliceren, het voorbeeld van zijn eigen lustgevoelens voor volslagen vreemden, bepaalde studentes van hem of de vrouwen van zijn vrienden, heeft opgevat als onweerlegbaar bewijs van de lustgevoelens die zijn vrouw er vast en zeker op nahoudt ten opzichte van andere mannen dan hij. Wanneer ik aan haar twijfelde, was het namelijk haar loyaliteit waaraan ik twijfelde, maar ter verdediging van mezelf zou ik graag willen aanvoeren dat dit niet vaak voorkwam, en ook dat het niet altijd meevalt het zwijgen van je vrouw te eerbiedigen zoals ík dat heb geprobeerd, je eigen behoefte aan geruststelling te temperen, je vragen te smoren voordat ze opwellen en uit je mond ontsnappen. Een man zou bovenmenselijk moeten zijn om zich niet af en toe te hoeven afvragen of zijn vrouw soms in die grotere vorm van verzwijgen waarover jullie het lang geleden eens waren geworden, niet iets anders had binnengesmokkeld, namelijk andere, goedkopere vormen van zwijgen – noem het omissies of zelfs leugens – ter maskering van wat neerkomt op een verraad.

Hier knipperde Gottlieb met zijn ogen, en in de stilte van die zonnige middag hoorde ik zijn wimpers, vele malen uitvergroot, langs zijn brillenglazen strijken. Verder leek het of de kamer, het huis en de dag zelf zich van alle geluiden hadden ontdaan, op mijn stem na.

Ik veronderstel dat de basis voor mijn onbehagen door iets anders werd gelegd, vervolgde ik, iets uit Lottes leven van voordat ik haar leerde kennen. Omdat het tot haar verleden behoorde, had ik niet het recht haar uit te horen, vond ik, hoewel ik me teleurgesteld voelde over haar terughoudendheid en me stoorde aan haar onuitgesproken eis om privacy in deze kwestie, want voor zover ik wist, bestond er geen verband met alle verliezen die ze had geleden. Natuurlijk wist ik dat ze vóór mij andere minnaars had gehad. Toen ik haar leerde kennen, was ze immers achtentwintig en al vele jaren alleen, zonder nog ergens familie op de wereld. Ze was in veel opzichten een vreemde vrouw, een vrouw die anders was dan het soort waar veel mannen van haar leeftijd doorgaans mee geconfronteerd werden, maar als ik van mijn eigen gevoelens mag uitgaan, zou ik haast zeggen dat ze daardoor extra aantrekkelijk voor die mannen werd. Ik weet niet hoeveel minnaars ze heeft gehad, maar ik neem aan dat het er heel wat zijn geweest. Ze zal wel over hen zijn blijven zwijgen omdat ze baas over haar eigen verleden wilde blijven, maar ook om niet mijn jaloezie op te wekken.

En desondanks was ik jaloers. Vaagweg jaloers op hen allemaal – op hoe en waar ze haar hadden aangeraakt en op wat ze hun misschien over zichzelf had verteld, op de lach waarmee ze had gereageerd op iets wat ze hadden gezegd – en pijnlijk jaloers op een van hen in het bijzonder. Ik wist niets van hem af, behalve dat hij de meest serieuze van het hele stel moet zijn geweest, voor haar de meest serieuze, omdat alleen hij een spoor had mogen achterlaten. Je moet namelijk begrijpen dat er in Lottes leven, een leven waarin zo werd gesnoeid dat het in de kleinst mogelijke ruimte paste, vrijwel geen enkel spoor van haar verleden aanwezig was. Geen foto's, geen aandenkens, geen familiestukken. Zelfs geen brieven – ik heb er in elk geval nooit een gezien. De weinige spullen waarmee ze leefde, dienden een louter praktisch doel en hadden voor haar geen enkele gevoelswaarde. Daar zorgde ze wel voor: het was een regel waar ze zich destijds heel streng aan hield. De enige uitzondering gold haar bureau.

Het een bureau noemen is te weinig gezegd. Dat woord doet denken aan een alledaags, pretentieloos artikel om aan te werken of als huisraad, een onbaatzuchtig en praktisch voorwerp dat altijd klaarstaat om zijn rug voor zijn eigenaar te krommen en dat nederig de hem toebedeelde ruimte inneemt wanneer het niet wordt gebruikt. Nou, zei ik tegen Gottlieb, zet dat beeld maar meteen uit je hoofd. Dit bureau was iets totaal anders: een onheilspellend gevaarte dat een benauwende uitwerking had op alle bewoners van de kamer waarin het stond, zogenaamd levenloos, maar intussen klaar om als een venusvliegenvanger toe te slaan en die bewoners te verteren in een van zijn vele verschrikkelijke laatjes. Misschien vind je dat ik er een karikatuur van maak. Ik neem het je niet kwalijk. Je had het bureau met eigen ogen moeten zien om te begrijpen dat het voor honderd procent klopt wat ik vertel. Het nam bijna de helft van de huurkamer waar ze woonde in beslag. De eerste keer dat ik bij haar mocht blijven overnachten in dat zielige kleine bedje, daar doodsbenauwd weggeschoven in de schaduw van dat bureau, werd ik badend in het zweet wakker. Als een donkere en vormeloze gestalte torende het boven ons uit. Ook droomde ik een keer dat ik een van de laden opentrok en zag dat er een wegrottende mummie in lag.

Het enige wat ze erover wilde zeggen was dat het een geschenk was geweest; het was niet nodig, of misschien kon je beter zeggen dat zij er niet de noodzaak van inzag of zich tegen de noodzaak verzette, om te zeggen van wie. Ik had geen idee wat er van hem was geworden. Misschien had hij haar hart gebroken, of zij het zijne; misschien was hij voorgoed verdwenen of kwam hij ooit een keer terug; misschien leefde hij nog of was hij dood. Ik was ervan overtuigd dat ze meer van hem hield dan ze ooit van mij zou kunnen houden en dat er een onneembare hindernis tussen hen was gerezen. Ik ging er kapot aan. Ik fantaseerde er weleens over dat ik hem op straat zou tegenkomen. Soms gaf ik hem een ongeschoren gezicht of vuile hemdsboord, alleen maar om ervoor te zorgen dat ik me niets van hem hoefde aan te trekken en weer rustig kon slapen. Het trof me als een daad van doortrapte wreedheid, het cadeau doen van dat bureau, een manier om zijn aanspraken kracht bij te zetten, op slinkse wijze de onbereikbare wereld van haar verbeelding binnen te dringen, opdat zij zijn bezit zou worden, opdat zij telkens als ze ging zitten schrijven, dat in aanwezigheid van zijn schenking zou doen. Soms draaide ik me in het donker om met de bedoeling een slapende Lotte voor het blok te zetten: Hij eruit of ik eruit, had ik dan willen zeggen. Tijdens die lange, koude nachten in haar kamer bestond er in mijn gedachten geen enkel verschil tussen hem en het bureau. Maar ik heb nooit de moed gehad het echt te zeggen. In plaats daarvan liet ik mijn hand onder haar nachtpon glijden en begon ik haar warme dijen te strelen.

Uiteindelijk bleef daar niets van over, zei ik tegen Gottlieb, of vrijwel niets. Met elke maand die verstreek, kreeg ik meer vertrouwen in Lottes gevoelens voor mij. Ik vroeg haar ten huwelijk en ze zei ja. Hij, wie het ook mocht zijn, vormde een deel van haar verleden en was net als de rest weggezonken in de duistere, niet opvraagbare diepten van haar binnenste. We leerden elkaar vertrouwen. En bijna vijftig jaar lang bleken de verdenkingen die ik soms koesterde, het lachwekkende idee dat ze me met een andere man zou bedriegen, ongegrond te zijn. Ik geloof niet dat Lotte tot iets in staat was wat gevaar zou opleveren voor het thuis dat we samen met zoveel zorg hadden opgebouwd. Ik denk dat ze wel wist dat ze zich nooit staande had kunnen houden in een ander leven, een van onbekende dimensies. Ook geloof ik niet dat ze het kon opbrengen me te kwetsen. Uiteindelijk stierven mijn twijfels altijd een zachte dood, zonder dat er een confrontatie nodig was, en keek ik al gauw weer normaal tegen alles aan.

Pas in de laatste maanden van Lottes leven, vertelde ik Gottlieb, kwam ik erachter dat ze al die jaren iets ontzettend groots verborgen voor me had gehouden. Het gebeurde heel toevallig en sindsdien word ik nog dikwijls getroffen door de gedachte dat het haar bijna was gelukt haar geheim tot het eind toe te bewaren. Toch is ze daar niet in geslaagd en hoewel haar geest haar al in de steek liet, kan ik niet anders dan geloven dat ze er uiteindelijk zelf voor heeft gekozen haar geheim prijs te geven. Ze koos een vorm van opbiechten die bij haar paste, die in haar duistere geestestoestand iets zinnigs had. Hoe meer ik erover nadacht, hoe minder het me een daad van wanhoop leek en hoe meer het iets weg had van de logische conclusie van een scheef soort redenering. In haar eentje wist ze bij die rechter te komen. God mag weten hoe. Er waren tijden dat ze amper de weg naar de wc wist te vinden. En toch waren er nog steeds momenten van helderheid, wanneer haar geest zich opeens weer in de oude staat herstelde, en dan was ik net een zeevaarder die plotseling de lichtjes van zijn woonplaats aan de horizon ziet opgloeien en als een wildeman koers zet naar wal, met als enige resultaat dat hij ze een paar tellen later weer ziet doven en opnieuw alleen is in het oneindige donker. Op een dergelijk moment, zo zei ik tegen Gottlieb, die roerloos in zijn stoel zat, moet Lotte zijn opgestaan van de bank waarop ze televisie had zitten kijken en heeft ze, terwijl de verpleeghulp druk in de andere kamer zat te kletsen aan de telefoon, kalmpjes het huis verlaten. Een ingebakken reflex moet haar eraan hebben herinnerd haar tas van de haak te halen, vooraan in de gang. Ze heeft vrijwel zeker de bus genomen. Ze zal minstens één keer hebben moeten overstappen, iets wat te ingewikkeld was om zelf uit te puzzelen, en dus moet ik me maar voorstellen dat ze zich aan de chauffeur heeft toevertrouwd door hem te vragen waar ze eruit moest, net zoals wij dat vroeger als kind deden. Ik herinner me nog dat mijn moeder me op vierjarige leeftijd in Finchley op de bus zette en aan de conducteur vroeg me te laten uitstappen op Tottenham Court Road, waar mijn tante op me zou staan wachten. Ik herinner me mijn gevoel van verwondering terwijl we door de natte straten reden, mijn uitzicht op de gespierde nek van de chauffeur, de rilling van opwinding over het voorrecht alleen te reizen die gepaard ging met een rilling van angst omdat ik weigerde te geloven dat aan het einde van al dat schijnbaar willekeurige gedraai aan het kolossale zwarte stuur mijn tante zich zou aandienen, met haar blozende wangen en malle roodgerande hoedje. Misschien heeft Lotte hetzelfde gevoeld. Of misschien was ze, vastbesloten als ze moet zijn geweest, juist helemaal niet bang en bedankte ze de chauffeur die haar de juiste halte wees en aangaf welke bus ze daarna moest nemen, met de brede glimlach die ze voorbehouden hield aan vreemden, alsof ze terdege besefte dat ze in hun ogen kon doorgaan voor een doodgewone vrouw.

Toen ik Gottlieb vertelde wat er tussen Lotte en de rechter had plaatsgevonden, en ik daarna de ziekenhuisverklaring en haarlok beschreef die ik bij haar paperassen had gevonden, merkte ik dat er een zware last van me afviel en voelde ik me opgelucht bij de wetenschap dat ik voortaan niet meer als enige de verantwoordelijkheid voor haar geheim zou dragen. Ik zei dat ik haar zoon wilde vinden. Gottlieb ging rechtop zitten in zijn stoel en slaakte een diepe zucht. En nu zat ík te wachten op wat ik te horen zou krijgen, wetend dat ik me aan hem had toevertrouwd en alleen zou doen wat hij besloot. Hij zette zijn bril af en zijn ogen slonken en verkleinden zich weer tot de scherpe ogen van een jurist. Hij stond op van tafel, liep de kamer uit en keerde even later terug met een pen en papier; vervolgens haalde hij de vulpen tevoorschijn die hij te allen tijde bij zich had. Hij vroeg me de gegevens uit de ziekenhuisverklaring te herhalen. Ook vroeg hij me de exacte datum dat Lotte met het kindertransport in Londen was aangekomen, plus de adressen waar ze gewoond had voordat ze mij leerde kennen. Ik vertelde hem wat ik wist en hij maakte overal een aantekening van.

Toen hij klaar was met schrijven, legde hij de blocnote neer. En het bureau? vroeg hij. Wat is er met het bureau gebeurd? Op een avond in de winter van 1970, zei ik, werd er bij ons aangebeld door een jonge man, een dichter uit Chili. Hij was een bewonderaar van Lottes werk en wilde haar ontmoeten. Een paar weken lang werd hij deel van haar leven. Ik begreep destijds niet wat hij nu precies had dat haar – normaal gesproken een heel teruggetrokken en introvert iemand – ertoe bracht zoveel van zichzelf te geven. Ik werd jaloers. Op een dag kwam ik terug nadat ik een paar dagen was weggeweest en ontdekte dat ze hem het bureau had gegeven. Destijds was ik daar verbijsterd over. Het bureau waar ze zo krampachtig geen afstand van had willen doen, dat ze met zich mee had gesleept zolang ik haar al kende. Pas veel later ging ik begrijpen dat die jonge man, Daniel Varsky, dezelfde leeftijd had als de zoon die ze had afgestaan. Wat moet hij haar aan haar eigen kind hebben doen denken, en aan hoe het samen met hem geweest had kunnen zijn. Wat moeten die dagen met Daniel aangrijpend voor haar zijn geweest, op een manier die hij zelf nooit had kunnen bevroeden. Ook hij moet zich hebben afgevraagd wat ze in hem zag en waarom ze hem zoveel van zichzelf gaf. Al die jaren had ze zich onderworpen aan het monsterachtige meubel dat haar minnaar haar had gegeven, het meubel waarmee hij haar aan zich had gebonden – aan hem en later aan het duistere geheim van hun kind waarvan ze afstand deed. Al die jaren had ze het met zich meegetorst zoals ze ook haar schuldgevoel had meegetorst. Het moet voor haar, in de mysterieuze poëzie van gedachteassociaties, iets heel terechts hebben gehad dat bureau eindelijk weg te geven aan deze jongen, die haar aan haar eigen zoon deed denken.

Ik draaide me om en keek uit het raam, moe na zoveel te hebben gezegd. Gottlieb verschoof in zijn stoel. Ze zitten nu eenmaal anders in elkaar dan wij, zei hij bedaard, waarmee hij vrouwen bedoelde, nam ik maar aan, of onze vrouwen, en ik knikte, hoewel ik eigenlijk wilde zeggen dat Lotte op een geheel eigen manier in elkaar zat. Geef me een paar weken, zei hij. Ik zal eens zien wat ik kan vinden.

Dat najaar viel de vorst pas laat in. Een week nadat ik de voorjaarsbollen had geplant, pakte ik mijn tas in, sloot het huis af en nam de trein naar Liverpool. Het had Gottlieb minder dan een maand gekost naam en adres te achterhalen van het echtpaar dat Lottes kind had geadopteerd. Op een avond kwam hij even bij me langs om me een velletje papier met de gewenste informatie te geven. Ik heb hem niet gevraagd hoe hij eraan was gekomen. Hij had zo zijn eigen manieren – door zijn werk kende hij mensen van allerlei rangen en standen en omdat hij iemand was die zich dikwijls voor anderen uitsloofde, stonden er volop mensen bij hem in het krijt voor een wederdienst, die hij zonder schroom ooit een keer kwam opeisen. Misschien ben ik er daar ook wel een van. Weet je zeker dat je dit wilt, Arthur? vroeg hij, terwijl hij een dikke pluk zilvergrijs haar van zijn voorhoofd wegstreek. We stonden in de gang, waar de verzameling van ongedragen strohoeden aan de muur hing als de kostuums uit een ander, theatraler bestaan. Buiten stond zijn auto met stationair draaiende motor. Ja, zei ik.

Toch ondernam ik een paar weken lang nog niets. Ik was er ten dele van overtuigd gebleven dat alle sporen van het kind waren verdwenen, en dus had ik me er niet voldoende op voorbereid de namen van zijn ouders te horen te krijgen, de ouders met wie hij door het leven was gegaan. Elsie en John Fiske. John, die misschien Jack werd genoemd, dacht ik toen ik een paar dagen later geknield de hosta's zat te splitsen, en ik stelde me daarbij een forsgebouwde man voor die in de kroeg op een barkruk zat, met een chronische hoest, bezig zijn sigaret uit te doven. Terwijl ik de wirwar van wortels met mijn vingers uit elkaar haalde, maakte ik me ook een voorstelling van Elsie, die boven de vuilnisbak etensresten van een vuil bord stond te schrapen, gekleed in een peignoir, met haar krulspelden nog in, beschenen door het bikkelharde licht van een zonsopgang in Liverpool. Het was alleen het kind dat ik niet kon peilen, een jongen met Lottes ogen of haar mimiek. Haar eigen kind! dacht ik toen ik mijn rugzak op het rek boven mijn zitplaats legde, maar op het moment dat de trein uit Euston Station wegreed, zag ik in mijn verbeelding achter de ramen van een passerende trein de onrustig oplichtende gezichten van de mensen van wie Lotte tijdens haar leven afscheid had moeten nemen – haar vader en moeder, broers en zussen, vrienden, zesentachtig dakloze kinderen op weg naar het onbekende. Viel het haar echt te verwijten dat ze in haar eigen diepten was gestuit op een bepaalde onwil – de onwil om een kind te leren lopen, een kind dat ze vervolgens van zich zag weglopen? Ik had het eigenlijk nooit zo beseft, maar in haar geheugenverlies, het verlies van haar geestelijke vermogens op het allerlaatst, lag een groteske logica: een manier waarop ze zonder inspanning bij me kon weggaan, elk uur van de dag een onmeetbare hoeveelheid minder aanwezig kon zijn, allemaal om een definitief, verpletterend afscheid te vermijden.

Dat was het begin voor mij, het begin van een lange en ingewikkelde reis waarvan ik niet wist dat ik hem maakte. Hoewel ik het misschien toch heb aangevoeld, ten dele, want toen ik de huisdeur op slot deed, werd ik bekropen door een gevoel van melancholie dat ik alleen maar krijg bij vertrek voor een lange reis, een hol gevoel van onzekerheid en spijt, en toen ik over mijn schouder achteromkeek en de donkere ramen van ons huis zag, dacht ik dat het niet onmogelijk was, rekening houdend met mijn leeftijd en alle dingen die je kunnen overkomen, dat ik het nooit meer zou zien. Ik stelde me een opnieuw overwoekerde tuin voor, weer helemaal verwilderd zoals destijds, toen we hem voor het eerst zagen. Het was een melodramatische gedachte die ik meteen weer als zodanig van me af zette, maar onderweg werd ik er toch dikwijls aan herinnerd dat hij bij me was opgekomen. Tussen de gebruikelijke kledingstukken en boeken in mijn tas had ik de haarlok, de ziekenhuisverklaring en een exemplaar van *Kapotte ramen* bij me om aan Lottes zoon te geven. Op de achterflap stond een foto van haar, en dat ik dit boek van haar had gekozen, en geen ander, lag aan die foto. Ze zag er meer uit als een moeder dan ze ooit had gedaan, heel jong, haar gezicht heel zacht en vol, een zich nog niet duidelijk aftekenende schedel, zoals je dat rond je veertigste krijgt, en volgens mij was dit de Lotte die haar zoon zou willen zien, áls hij haar tenminste wilde zien. Maar telkens wanneer ik in mijn tas reikte, werd ik aangestaard door haar bezeerde blik; nu eens leek het alsof ze me vermaande, dan weer alsof ze me een vraag stelde en soms alsof ze me een doodstijding wilde overbrengen, net zolang tot ik het niet meer uithield en haar ergens naar de bodem probeerde weg te werken, en toen me dat niet lukte (ze kwam steeds weer naar boven), duwde ik het boek naar beneden en begroef het onder een paar andere, zware spullen.

Kort voor drie uur 's middags reed de trein Liverpool binnen. Ik zat net naar een troep ganzen te kijken die door de loodgrijze hemel vloog toen we een tunnel indoken en onder de glazen koepel van Lime Street Station weer naar boven kwamen. Het adres dat Gottlieb me van de Fiskes had gegeven was in Anfield. Ik was van plan geweest langs het huis te lopen voordat ik ergens in de buurt een hotelletje zou zoeken om daar te overnachten en hen de volgende ochtend op te bellen. Maar toen ik over het perron liep, voelde ik een loodzware pijn in mijn benen, alsof ik zojuist te voet uit Londen was aangekomen in plaats van tweeënhalf uur rustigjes in de trein te hebben gezeten. Ik bleef staan om mijn tas naar de andere schouder over te hevelen, en zonder omhoog te kijken voelde ik hoe de grijze lucht op de glazen overkapping neerdrukte, en toen de letterpaneeltjes op het bord boven het perron begonnen te gonzen en klikken, tijden en bestemmingen hun samenhang verloren en wij, de pas aangekomenen, geen idee meer hadden waar we aan toe waren, werd ik overvallen door een misselijkmakende golf van claustrofobie en moest ik mijn uiterste best doen niet te zwichten voor de drang linea recta naar de loketten te lopen en daar een kaartje voor de eerstvolgende trein terug naar Londen te kopen. De letters begonnen weer te ratelen en heel even verkeerde ik in de ban van de gedachte dat de snorrende letters namen van mensen weergaven. Al zou ik niet weten welke mensen. Ik moet daar een tijdje hebben gestaan, want er kwam een spoorwegbeambte op me af om te vragen of ik wel in orde was. Hij had een uniform met goudkleurige knopen aan. Er zijn momenten waarop andermans hartelijkheid het er alleen maar erger op maakt, omdat je beseft hoe dringend je behoefte aan hartelijkheid hebt en dat die hartelijkheid alleen maar bij een vreemde te vinden is. Maar het lukte me weerstand aan mijn zelfmedelijden te bieden, de man te bedanken en mijn weg te vervolgen, gesterkt door het geluk dat ik niet zo'n pet hoefde te dragen, een parmantig hoofddeksel met een glimmende klep dat de dagelijkse strijd om eigenwaarde voor de spiegel onmetelijk veel zwaarder maakt. Bij de informatiebalie was het alweer snel met mijn tevredenheid gedaan toen ik aansloot in de rij reizigers die bezig waren het uiterste te vergen van een meisje dat eruitzag alsof ze op een onbewaakt ogenblik haar blik had neergeslagen en bij het weer opkijken daar in dat ronde hokje bleek te staan om er informatie over Liverpool te verstrekken waarvan ze nooit had geweten dat ze hem bezat.

Toen ik bij het hotel aankwam, was het inmiddels bijna donker. Het behang op de muren van de piepkleine, bloedwarme lobby had een bloemendessin, er stonden boeketten zijden bloemen op de bij elkaar geschoven tafeltjes achterin en hoewel het pas over een paar weken Kerstmis was, hing er een grote plastic krans aan de muur; het geheel gaf je het gevoel dat je was beland in een museum waar de herinnering aan een lang uitgestorven flora levend werd gehouden. Opnieuw werd ik overvallen door een golf van de claustrofobie die ik op het station had gevoeld, en toen de receptioniste me vroeg een inschrijfformulier in te vullen kwam ik in de verleiding gewoon maar iets te verzinnen, alsof een valse naam en een vals beroep weleens het soelaas van een andere, nog niet aangeboorde dimensie zouden kunnen opleveren. Mijn kamer keek uit op een bakstenen muur, en ook binnen zette het bloementhema zich uitgebreid voort, zodat het me de paar minuten dat ik in de deuropening stond onmogelijk leek er ooit te kunnen logeren. Als ik niet die loodzware pijn in mijn benen had gehad, en voeten die aanvoelden als een stel aambeelden, zou ik vrijwel zeker rechtsomkeert hebben gemaakt; het was uit pure uitputting dat ik alsnog naar binnen ging en op de stoel met zijn drukke patroon van uitbundige rozen neerplofte, al duurde het nog minstens een uur voordat ik de deur achter me dicht durfde te trekken, uit angst voor eenzame opsluiting tussen die woekering van kunstmatige bloemenweelde. Terwijl de muren op me af dreigden te komen, vroeg ik me onwillekeurig af, niet in evenzovele woorden, maar in het fragmentarische gedachtesteno waarmee je dingen overdenkt: welk recht heb ik om de onderste steen boven te halen terwijl zij hem juist onaangeraakt wilde laten? En op dat moment kwam er als een oprisping van gal een gevoel bij me op dat ik tevergeefs probeerde te onderdrukken, het gevoel dat ik eigenlijk een poging aan het doen was om haar schuld aan het licht te brengen. Tegen haar wil aan het licht te brengen, om haar te bestraffen. En waarvoor, kun je vragen, die arme vrouw bestraffen waarvoor? En het antwoord dat bij me opkomt, dat slechts ten dele een antwoord is, luidt dat ik haar wilde straffen voor haar onuitstaanbare stoïcisme, dat verhinderde dat ze me ooit echt nodig had, op de meest diepgaande manieren waarop iemand een ander nodig kan hebben, een behoefte die vaak de naam liefde draagt. Natuurlijk had ze me wel nodig – om geen chaos te laten ontstaan, om aan de dagelijkse boodschappen te denken, om de rekeningen te betalen, om haar gezelschap te houden, om haar genot te verschaffen en, op het eind, om haar te baden, op de wc te helpen en aan te kleden, om haar naar het ziekenhuis te brengen en ten slotte om haar te begraven. Maar dat ze míj nodig had om deze taken te verrichten, en niet een andere man, die al net zo verliefd op haar was, die al net zo voor haar klaarstond, is me nooit helemaal duidelijk geweest. Je zou misschien kunnen stellen dat ik nooit van haar heb geëist dat ze voor haar liefde zou uitkomen, maar ja, ik heb nooit gevonden dat ik daar het recht toe had. Of misschien was ik wel bang dat zij, eerlijk als ze was, niet in staat ook maar de minste onoprechtheid te tolereren, er niet voor zou opkomen, dat ze zou stamelen en in alle talen zwijgen, en wat zou ik dan anders kunnen doen dan opstaan en voorgoed weggaan, of op de oude voet doorgaan, alleen nu in de volle wetenschap dat ik zomaar iemand was terwijl ik ook een heel stel anderen had kunnen zijn? Het is niet zo dat ik dacht dat ze minder van mij hield dan ze misschien van een andere man zou hebben gehouden (hoewel er momenten zijn geweest dat ik daar wél bang voor was). Nee, waar ik het nu over heb of probéér te hebben, is iets anders, het gevoel dat haar onafhankelijkheid – het bewijs dat ze op eigen kracht weerstand kon bieden aan een onvoorstelbare tragedie, dat juist die weerstand voortkwam uit de extreme eenzaamheid die ze om zich heen had opgetrokken door zichzelf klein te maken, zich in zichzelf te keren, een stille schreeuw om te zetten in de lading van persoonlijk werk – het voor haar onmogelijk maakte me ooit zo nodig te hebben als ik haar nodig had. Ongeacht hoe somber of tragisch haar verhalen waren, hun bedoeling, hun schepping kon altijd alleen maar een vorm van hoop zijn, een ontkenning van de dood of een gierende levenskreet in het aangezicht van de dood. En voor mij was daar geen plaats in. Of ik beneden nu wel of niet bestond, ze zou gewoon blijven doen wat ze altijd had gedaan, alleen achter haar bureau, en dat ze kon overleven, kwam door dat werk, en niet door mijn zorg of gezelschap. Ons hele leven lang heb ik beweerd dat zij afhankelijk van mij was. Dat zij beschermd moest worden, dat zij een teer gestel had en constante zorg vereiste. Maar in werkelijkheid had ik juist behoefte aan het gevoel dat iemand mij nodig had.

Met veel moeite wist ik me de trap af te slepen naar de bar van het hotel om mezelf met een gin-tonic tot bedaren te brengen. De enige andere bargasten waren twee oude vrouwen, zusters, denk ik, misschien zelfs wel een tweeling, griezelig broos, hun handen misvormd rond hun glas. Tien minuten nadat ik was aangekomen, stond er eentje op die zó langzaam vertrok dat het veel weg had van een pantomime; de ander bleef alleen achter totdat ook zij al even traag haar zitplaats verliet, als een gedementeerde versie van de Von Trapps die op de melodie van 'Adieu, vaarwel' het toneel verlaten, en terwijl ze langs me liep, draaide ze haar hoofd mijn kant op en schonk me een angstaanjagende grijns. Ik glimlachte terug; het belang van omgangsvormen, zei mijn moeder altijd, is omgekeerd evenredig aan de manier waarop je ze doorgaans toepast, of met andere woorden, soms is beleefdheid de enige barrière tussen jou en de waanzin.

Toen ik een uur later in kamer 29 terugkwam, leek ook de lucht een misselijkmakende bloemengeur te hebben aangenomen. Uit mijn tas diepte ik het telefoonnummer op dat ik van Gottlieb had gekregen. Ik toetste het in en er werd opgenomen door een vrouw. Mag ik mevrouw Elsie Fiske spreken? vroeg ik. Daar spreekt u mee. Echt waar? vroeg ik bijna, want ik hield nog volop rekening met de mogelijkheid dat Gottliebs speurwerk zinloos was geweest en ik onverrichter zake naar Londen zou terugkeren, naar mijn tuin en boeken en het schoorvoetende gezelschap van de kater, na een mislukte poging om Lottes kind te vinden. Hallo? vroeg ze. Neem me niet kwalijk, zei ik, dit komt u waarschijnlijk rauw op het dak vallen. Het ligt niet in mijn bedoeling u te overvallen, maar ik had graag iets heel persoonlijks met u willen bespreken. Met wie spreek ik? Mijn naam is Arthur Bender. Mijn vrouw – dit is echt een lastige toestand, neemt u me maar niet kwalijk, ik verzeker u dat ik u op geen enkele manier in verlegenheid wil brengen, maar een tijdje geleden is mijn vrouw overleden en ben ik erachter gekomen dat ze een kind had van wie ik nooit iets heb geweten. Een jongen, die ze in juni 1948 voor adoptie heeft afgestaan. Er viel een zware stilte aan de andere kant van de lijn. Ik schraapte mijn keel. Haar naam was Lotte Berg, begon ik, maar ze viel me in de rede. Wat wilt u precies, meneer Bender? Ik weet niet wat me bezielde om zo vrijuit te spreken; misschien lag het aan de klank van haar stem, de helderheid of intelligentie die ik erin dacht te horen, maar wat ik zei was: Als ik die vraag eerlijk zou beantwoorden, mevrouw Fiske, had ik u misschien de hele avond aan de lijn. Om er maar geen doekjes om te winden, ik ben naar Liverpool gekomen en ik vroeg me af of het niet te veel gevergd is kennis met u te mogen maken en wellicht, als u zou vinden dat het kan, uw zoon te leren kennen. Het bleef opnieuw stil, een stilte die heel lang leek te duren, terwijl de vegetatie intussen welig tierend omhoogkroop langs de muren. Hij is dood, zei ze eenvoudig. Hij is al zevenentwintig jaar dood.

De nacht duurde lang. Het was onverdraaglijk warm in de kamer en af en toe stapte ik uit bed om het raam open te doen, maar herinnerde me pas dan dat het potdicht zat. Ik smeet alle dekens op de grond en lag met uitgespreide armen en benen op de matras de hitte in te ademen die van de radiator opsteeg, een hitte die als een tropische koorts mijn dromen vervuilde. Het waren dromen voorbij de taal, groteske beelden van rauw, vochtig, opgezwollen vlees dat was opgehangen in zwarte netten, en in witte zakken waaruit traag en kleurloos iets op de vloer druppelde, met zachte nagalm, beelden uit kindernachtmerries die eindelijk naar me waren teruggekeerd, nog gruwelijker dan destijds omdat ik in mijn half hallucinerende toestand begreep dat ze alleen maar met mijn dood te maken konden hebben. We moeten toch ergens onderscheid maken, herhaalde ik voortdurend tegen mezelf, althans, niet ik maar een lichaamloze stem waarvan ik aannam dat het de mijne was. Maar er was één droom die afweek van deze monsterlijke stoet, een eenvoudige droom over Lotte op een strand, die met haar knokige teen lange lijnen in het zand tekende terwijl ik achterover op mijn ellebogen lag toe te kijken, in het lichaam van een veel jongere man waarvan ik vaag aanvoelde, als een nimbus aan de rand van deze stralende dag, dat het niet aan mij toebehoorde. Toen ik wakker werd, deed de dreun van haar afwezigheid me kokhalzen. Gulzig stond ik uit de badkamerkraan te drinken en toen ik probeerde te urineren, kwamen er maar een paar druppels en had ik een branderig gevoel, alsof ik zand uitplaste, en opeens, vanuit het niets, op de manier waarop inzichten over jezelf zich zo dikwijls aandienen, drong het tot me door hoe belachelijk het was om je hele leven te wijden aan het bestuderen van de zogenaamde romantische dichters. Daarna trok ik de wc door. Ik nam een douche, kleedde me aan en vroeg om de hotelrekening. Toen de receptioniste wilde weten of alles naar genoegen was geweest, glimlachte ik en zei dat dat inderdaad het geval was.

Een lange wandeling in de vroege uurtjes, waarvan me weinig is bijgebleven. Alleen dat ik voor negenen bij het huis arriveerde, hoewel Elsie Fiske om tien uur met me had afgesproken. Ik kom al mijn hele leven overal te vroeg, met als gevolg dat ik met een opgelaten gevoel in een hoek moet blijven staan, ergens voor een deur, in een lege kamer, maar hoe dichter ik bij de dood ben, des te vroeger ik overal arriveer, des te langer ik bereid ben te wachten, misschien om mezelf de valse gewaarwording te geven dat er tijd te véél is in plaats van niet genoeg. Het was een rijtjeswoning van twee woonlagen, alleen aan het huisnummer naast de voordeur te onderscheiden van de andere huizen in de straat – dezelfde saaie vitrage, dezelfde ijzeren roede. Het miezerde en ik bleef aan de overkant van de straat op en neer lopen om warm te blijven. Er was iets aan de aanblik van die vitrage wat me een misselijkmakend schuldgevoel bezorgde. De jongen was dood, het verhaal dat ik mevrouw Fiske had gevraagd te vertellen zou slecht aflopen. Al die jaren had Lotte me nooit verteld dat ze een kind had. Hoezeer hij ook in haar gedachten rondspookte, hij had geen toestemming gekregen om ons leven binnen te dringen. Ons geluk binnen te dringen, moet ik zeggen, want gelukkig zijn we altijd geweest. Net als een gewichtheffer die een enorm gewicht tilt, had ze haar zwijgen in haar eentje getorst. Het was een kunstwerk, haar zwijgen. En nu zou ik het gaan vernietigen.

Om tien uur precies belde ik aan. De doden nemen hun geheimen met zich mee, althans, dat wordt gezegd. Maar eigenlijk is dat niet waar, hè? De geheimen van de doden hebben virale trekjes en verstaan de kunst om zich levend te houden in een gastlichaam. Nee, mij kon alleen maar worden verweten dat ik het onvermijdelijke bespoedigde.

Ik dacht dat ik de gordijnen zag bewegen, maar het duurde een tijdje voordat er iemand naar de deur kwam. Ten slotte hoorde ik voetstappen en werd de sleutel omgedraaid. De vrouw die daar stond had heel lang, grijs haar, haar dat in losse toestand tot ver op haar rug moest hebben gehangen, maar dat ze had gevlochten en in slagen op haar hoofd vastgezet, het kapsel van iemand die zojuist van een bühne was gestapt waar ze Tsjechov had gespeeld. Ze had een kaarsrechte houding en kleine, grijze ogen.

Ze liet me in de woonkamer. Meteen wist ik dat haar man was overleden en dat ze alleen woonde. Misschien heeft een alleenstaand iemand een speciaal instinct voor de kleuren, tinten en bijzondere echo's van zo'n leven. Ze gebaarde naar de bank, die was versierd met kwastjes en een overvloed aan gehaakte kussens, in de vorm van allerlei soorten honden en katten, voor zover ik kon zien. Ik ging ertussen zitten; een of twee gleden op mijn schoot en maakten het zich er gemakkelijk. Van de weeromstuit aaide ik een klein zwart hondje over zijn kop. Op de tafel had mevrouw Fiske een pot thee en een schaal met koekjes neergezet, hoewel ze heel lang geen aanstalten maakte om in te schenken en toen ze dat wél deed, was de thee te sterk. Ik weet niet meer hoe het gesprek op gang kwam. Ik herinner me alleen dat ik kennismaakte met dat knuffelhondje, een spaniëlachtig beestje, en vervolgens waren mevrouw Fiske en ik diep met elkaar in gesprek verwikkeld, een gesprek waar we allebei sinds jaar en dag op hadden gewacht, hoewel we dat geen van tweeën hadden geweten. Er was heel weinig (althans, daar leek het op, gezeten in die kamer waarvan ik al snel besefte dat hij was volgestouwd met honden en katten van allerlei slag en soort, niet alleen de kussens, maar ook de schilderijtjes aan de muur en de beeldjes die elkaar op de kastplanken verdrongen) wat we niet tegen elkaar konden zeggen, zelfs als we besloten niet alles te zeggen, en toch was er tussen ons geen sprake van intimiteit, en zeker geen warmte, maar iets wat eerder op wanhoop leek. Op geen enkel moment spraken we elkaar anders aan dan met meneer Bender en mevrouw Fiske.

Ons gesprek ging over onze wederhelften, over de dood van haar man elf jaar geleden, die in het voetbalstadion was bezweken aan een hartaanval onder het zingen van 'You'll Never Walk Alone', over nog steeds boven water komende hoeden en petten en sjaals en schoenen van de overledenen, afnemend concentratievermogen, geretourneerde brieven, over reizen met de trein, over staan naast een graf, over alle manieren waarop het leven uit het menselijk lichaam kan worden gewrongen, tenminste, ik heb nu de indruk dat we over die dingen hebben gesproken, maar ik geef toe dat het ook mogelijk is dat we hebben gesproken over de moeite die het kost om lavendel te kweken in een vochtig klimaat, en dat die andere dingen daar alleen maar de subtekst van waren, en dus tussen mevrouw Fiske en mij onderling wel degelijk verstaan. Maar ik geloof toch van niet, ik geloof niet dat we ook maar één woord aan lavendel of tuinen hebben besteed. De bittere thee werd koud, ondanks de theemuts. Bij mevrouw Fiske sprongen een paar grijze haren los uit haar eerder op de dag aangebrachte coiffure.

U moet namelijk begrijpen, zei ze ten slotte, ik was al dertig toen ik John leerde kennen, en een paar weken daarvoor had ik mezelf weerspiegeld gezien in een etalageruit, zonder eerst de kans te hebben gehad een fatsoenlijk gezicht te trekken, en daarna, toen ik in de bus naar huis zat, kwam ik ertoe bepaalde dingen te aanvaarden. Dat was geen wereldschokkende ontdekking, zei ze, het was eerder een kwestie van zaken die een bepaald punt hadden bereikt, en dat spiegelbeeld in die ruit was eigenlijk de laatste druppel. Kort daarna was ik bij mijn zus op bezoek, en haar man had een vriend van kantoor meegenomen. Op een gegeven moment probeerden John en ik elkaar te passeren in de smalle gang naar de keuken, te passeren zonder elkaar aan te raken, en vroeg hij, tamelijk onhandig, of hij me nog een keertje mocht zien. De eerste avond dat hij met me uitging, was ik ontdaan door de ontdekking dat je zijn vullingen kon zien als hij lachte, en ook het donker dat zich achter in iemands keel ophoopt. Hij had de gewoonte te lachen met zijn mond wijd open en zijn hoofd naar achteren, iets waaraan ik pas na een hele poos kon wennen. Ik was nogal serieus aangelegd, zoals je het kunt noemen, zei mevrouw Fiske, langs me heen uit het raam kijkend, serieus en verlegen, en ondanks de muziek van zijn lach was ik bang voor wat ik daar achter in zijn keel dacht te zien. Maar toch vonden we de weg naar elkaar en vijf maanden later zijn we getrouwd in aanwezigheid van een groepje familieleden en vrienden, van wie velen zich erover verbaasden dat het toch zover was gekomen; ze waren namelijk gaan geloven dat ik een oude vrijster zou worden, als ik dat in hun ogen al niet was. Ik maakte John duidelijk dat ik geen tijd wilde verspillen alvorens we aan een kind begonnen. We deden ons best, maar makkelijk was het niet. Toen ik eindelijk zwanger werd

– het klinkt vreemd om het te zeggen – onderging ik dat als een getij dat in me opkwam en afnam, en wanneer het tij opkwam, zat het kind veilig in me en wanneer het afnam, werd het kind van me weggetrokken, alsof hij ergens anders iets fleurigs en stralends had gezien, en hoe hard ik ook probeerde hem vast te houden, het wilde me niet lukken. De aantrekkingskracht van dat andere, dat andere, stralende leven, was te sterk om er weerstand aan te bieden. En toen ik op een nacht in bed lag te slapen, voelde ik het getij voorgoed uit me wegebben en bij het ontwaken was ik aan het bloeden. We bleven het daarna weer proberen, maar diep in mijn hart geloofde ik niet meer dat ik in staat was een kind te baren. Dat was voor mij een tijd vol pijn, en terwijl ik normaal gesproken al weinig lachte, lachte ik nu bijna helemaal niet meer, maar ik herinner me dat John nog even veel bleef lachen. Het is niet zo dat hij niet bedroefd was, maar hij had een opgewekt karakter, hij kon de dingen achter zich laten en vanuit een ander perspectief zien, hij kon een grap op de radio horen en dat was voor hem al genoeg. En als hij lachte, met zijn hoofd achterover, leek het donker achter in zijn keel me nog onheilspellender dan vroeger en trok er een lichte huivering door me heen. Ik wil geen verkeerde indruk van hem wekken. Hij steunde me in alles en deed zijn best me op te vrolijken. Het donker dat ik daar zag, zei mevrouw Fiske, had niets of heel weinig met John zelf te maken en alles met mij, op een manier die ik niet kan uitleggen; achter in zijn keel was toevallig de plaats waar het donker zich ophield. Ik begon de andere kant op te kijken wanneer hij zo lachte, om het niet te hoeven zien, en vervolgens hoorde ik op een dag zijn gelach uitgeschakeld worden als een lamp, en toen ik me weer omdraaide, was zijn mond dichtgeklemd en lag er een blik van schaamte op zijn gezicht. Ik voelde me verschrikkelijk op dat moment, wreed eigenlijk, belachelijk en egoïstisch, en al snel daarna zorgde ik ervoor dat alles tussen ons begon te veranderen. Allengs mocht er een soort tederheid ontstaan die er vroeger niet was geweest. Ik leerde iets over het beheersen van bepaalde soorten gevoelens, over niet meteen toegeven aan de eerste emotie die zich aandient, en ik weet nog dat ik destijds bedacht dat dergelijke discipline de sleutel tot geestelijk evenwicht vormt. Ongeveer een halfjaar later besloten we een kind te adopteren.

Mevrouw Fiske boog zich naar voren en roerde door haar laatste beetje thee, alsof ze het misschien nog zou opdrinken, of alsof de woorden voor de rest van haar verhaal tussen de theeblaadjes onder in het porseleinen kopje lagen. Maar toen leek ze zich te bedenken, zette het kopje terug op zijn schoteltje en schoof weer naar achteren op haar stoel.

Het ging allemaal niet vanzelf, zei ze. We moesten eindeloze formulieren invullen, er bestond een procedure. Op een dag kwam een dame in een gele deux-pièces bij ons thuis. Ik weet nog dat ik naar haar deux-pièces stond te kijken en vond dat het net een stukje zonneschijn was, en zij een afgezant uit een ander klimaat waar kinderen gedijden en gelukkig waren, en dat ze bij ons was gekomen om zelf ook licht uit te stralen en te kijken hoe dat eruitzag, of zoveel licht en geluk misschien wel op onze kleurloze muren zouden overslaan. Vlak voor haar komst zat ik dagenlang op mijn knieën de vloeren te schrobben. Ik heb zelfs een cake gebakken op de ochtend dat ze kwam, zodat het in huis naar iets zoets zou ruiken. Ik droeg een blauwe zijden jurk en liet John een pied-de-poule colbertje aantrekken dat hij nooit zelf zou hebben uitgekozen; ik vond namelijk dat het iets optimistisch en zwierigs had. Maar toen we gespannen in de keuken op haar zaten te wachten, zag ik dat de mouwen te kort waren en dat het colbertje, de ineengedoken houding waarin John daar in dat belachelijke colbertje zat, alleen maar verried hoe wanhopig we waren. Maar het was te laat om iets anders aan te trekken, er werd aangebeld en daar stond ze, met de lakleren tas waarin ons dossier zat onder haar arm gestoken, deze felgele bewaakster uit het land van de kleine nageltjes en melktandjes. Ze ging aan tafel zitten en ik zette een plakje cake voor haar neer, waar ze niet van at. Ze haalde een paar paperassen tevoorschijn die wij moesten ondertekenen, en begon met het gesprek. John, die zich snel liet intimideren door gezag, begon te stotteren. Uit het veld geslagen en onzeker, overdonderd door de macht die ze over ons had, begon ik te stuntelen, raakte verstrikt in de antwoorden die ik probeerde te geven en maakte mezelf belachelijk. Terwijl ze om zich heen keek, met een kunstmatig lachje dat gespannen om haar lippen speelde, zag ik haar rillen, en ik besefte dat het koud was in huis. Toen wist ik ook dat ze ons geen kind zou geven.

Daarna belandde ik in een depressie, zoals dat waarschijnlijk heet, al had ik het zelf destijds niet in de gaten. Toen de lucht weer geklaard was, vele maanden later, was ik gewend geraakt aan het idee van een leven zonder kinderen. Tijdens een logeerpartij bij mijn zus, die naar Londen was verhuisd, zat ik op een dag de krant te lezen en viel mijn oog op een kleine annonce vlak onder aan de pagina. Ik had hem makkelijk kunnen missen, het waren maar een paar woordjes, heel klein gedrukt. Maar ik zag het toch: *Jongetje van drie weken beschikbaar voor onmiddellijke adoptie.* Er stond een adres onder. Zonder te aarzelen pakte ik een stuk papier en schreef een brief. Er was iets wat bezit van me nam. Mijn pen haastte zich over het vel en probeerde gelijke tred te houden met de woorden die uit me vloeiden. Ik schreef alles wat me niet gelukt was kenbaar te maken aan de dame in het geel die van het adoptiebureau was gekomen, en terwijl de letters uit de punt van mijn pen vlogen, wist ik dat die advertentie alleen voor mij was bestemd. Dat jongetje alleen voor mij. Zonder iets tegen John te zeggen deed ik de brief op de bus. Ik wilde hem niet nog meer ellende bezorgen dan ik al had gedaan: me nu weer ten prooi zien vallen aan blinde hoop na me eerst door mijn diepste depressie te hebben geholpen zou een al te zware last op zijn schouders leggen. Maar ik wist dat het geen blinde hoop was. En ja hoor, toen ik een paar dagen later thuiskwam, in Liverpool, lag er een brief op me te wachten. Hij was alleen met haar initialen ondertekend: L.B. Totdat u belde, gisteravond, heb ik nooit geweten hoe ze heette. Ze wilde met me afspreken over vijf dagen, om vier uur op 18 juli, bij de loketten van West Finchley Station. Ik wachtte totdat John om acht uur naar zijn werk vertrok en ging toen haastig zelf de deur uit. Ik zou kennismaken met mijn kind, meneer Bender. Het kind waar ik al zo lang op wachtte. Kunt u zich voorstellen met wat voor gevoelens ik in die trein stapte? Ik kon nauwelijks stil blijven zitten. Ik wist dat ik hem Edward zou noemen, naar de grootvader van wie ik zoveel had gehouden. Natuurlijk moest hij al een naam hebben gehad, maar ik heb er niet aan gedacht ernaar te vragen, en zij heeft verder niets verteld. We hebben heel weinig gezegd. Ik kon nauwelijks praten en zij ook niet. Of misschien kon ze het wel, maar deed ze het liever niet. Ja, dat moet het zijn geweest. Ze had iets vreemd kalms over zich – het waren juist mijn handen die trilden. Pas later, tijdens die eerste dagen, in een huis vol geurtjes van een nieuwe baby, dacht ik aan die andere naam, die zich als een schaduw schuilhield achter de naam die wij hem hadden gegeven. Maar na verloop van tijd zette ik dat uit mijn hoofd, of als ik het niet helemaal uit mijn hoofd had gezet, dacht ik er maar heel af en toe aan, de enkele keer dat ik iemands naam hoorde noemen op straat, in een winkel of in de bus, en dan vroeg ik me even af of het soms die naam was.

Toen ik in Londen aankwam, nam ik de ondergrondse naar West Finchley. Het was een warme, zonnige dag en zij stond als enige in de hal. Ze keek me strak aan, maar liep niet op me af. Ik had het gevoel dat ze ín me keek, onder mijn huid. Een vreemde kalmte, heel opvallend. Even dacht ik aan de mogelijkheid dat het niet de moeder zelf was, maar iemand die als plaatsvervangster was gestuurd om deze bittere taak uit te voeren. Maar toen ze het dekentje opzijduwde en ik naar haar toe liep en het gezicht van de baby zag, wist ik dat hij alleen van haar kon zijn. Toen ze eindelijk iets zei, bleek ze een zwaar accent te hebben. Ik wist niet waar ze vandaan kwam, Duitsland of Oostenrijk misschien, maar ik begreep dat ze een vluchtelinge was. De baby sliep, zijn vuistjes stevig gebald langs zijn gezicht. We stonden daar in de lege hal van de ondergrondse. Hij houdt er niet van als zijn mutsje te laag over zijn voorhoofd zit, zei ze. Dat waren haar eerste woorden tegen me. Een paar tellen later, heel lange tellen, zei ze: Als je hem tegen je schouder legt nadat hij heeft gegeten, huilt hij minder. En toen: Hij heeft gauw last van koude handjes. Alsof ze me aanwijzingen gaf over hoe ik met een weerspannige auto moest omgaan en niet haar eigen baby aan me afstond. Maar later, toen ik hem eenmaal een paar weken had, keek ik daar anders tegenaan. Ik begreep dat die paar dingen de kostbare ontdekkingen waren van iemand die het mysterie van haar kind had bestudeerd en proberen te doorgronden.

We gingen naast elkaar op de harde bank zitten, zei mevrouw Fiske. Ze gaf nog een klopje op het bundeltje in haar armen en stak het daarna aan mij toe. Ik voelde de warmte van zijn lijfje door de deken heen. Hij wriemelde een beetje, maar sliep gewoon door. Ik dacht dat ze iets wilde gaan zeggen, maar ze zweeg. Er stond een tas op de grond, die ze met haar voet naar me toe schoof. Toen keek ze uit het raam en leek te schrikken van iets wat ze op het perron zag, want opeens kwam ze overeind. Ik bleef zitten, want ik had slappe benen en was bang dat ik de baby zou laten vallen. Abrupt liep ze weg, zomaar. Pas toen ze bij de deur was, bleef ze staan en keek ze achterom. Ik trok de baby tegen mijn borst en hield hem stevig vast. Ik voelde hem daar snuffelen, en toen begon ik hem een beetje te wiegen en hij werd rustig en kirde zelfs een beetje. Zie je wel! wilde ik tegen haar roepen. Maar toen ik opkeek, was ze verdwenen.

Zonder me te bewegen bleef ik zitten. Ik wiegde de baby en begon zachtjes voor hem te zingen. Ik boog mijn hoofd over het zijne om te verhinderen dat het licht in zijn oogjes viel en toen ik mijn lippen op zijn hoofd drukte, leek er een wolk van warmte van hem af te komen, en ik rook de zoetheid van zijn huid en ook een vies ruikend luchtje van achter zijn oren. Hij draaide zijn gezicht met een ruk naar me toe en opende zijn mond. Zijn ogen stonden wijd van schrik en zijn armpjes vlogen omhoog, alsof hij probeerde te voorkomen dat hij zou vallen. Hij begon te huilen. Ik kreeg opeens een warm gezicht en begon te zweten. Ik schommelde wat met hem heen en weer, maar hij begon nog harder te huilen. Ik keek op en daar, voor het raam, stond een jonge man naar ons te staren, in een vreemde, bijna sjofele jas met een verklitte bontkraag. Hij had heel zwarte, glanzende ogen. Er liep een rilling over mijn rug omdat hij zo naar ons keek, naar de baby en mij. Hij keek ons aan met de honger van een wolf, en ik wist dat hij alleen maar de vader van de baby kon zijn. Dat moment leek iets langgerekts te hebben, iets uitgesponnens, terwijl er intussen een uitgehongerd verlangen of vreselijke spijt in hem woedde. Toen reed er een trein het station binnen en hij stapte in zijn eentje in en daarna heb ik hem nooit meer gezien. Toen u gisteravond opbelde, meneer Bender, was ik ervan overtuigd dat u die man was. Pas toen u aanbelde, besefte ik dat u hem niet kon zijn.

Op dat punt kwam ik overeind uit mijn stoel en vroeg mevrouw Fiske waar de wc was. De zwarte spaniël viel op de grond en stuiterde op een weemakende manier terug. Ik was duizelig en voelde me niet goed. Ik deed de deur dicht en liet me op de toiletbril zakken. In het bad stond een houten rekje waaraan twee of drie panty's hingen te drogen, met ineengeschrompelde, nog nadruppelende voeten, en boven de badkuip zat een raampje dat met condens was beslagen. Ik stelde me voor hoe ik erdoor zou ontsnappen en over straat zou wegrennen. Ik hield mijn hoofd tussen mijn knieën om de duizeligheid tegen te gaan. Achtenveertig jaar had ik mijn leven gedeeld met een vrouw die in staat was zonder emoties haar kind aan een vreemde weg te geven. Een vrouw die een advertentie in de krant had gezet voor haar eigen baby

– haar eigen baby – zoals je adverteert met een meubel dat je aan de man wilt brengen. Ik wachtte tot dit nieuwe weten zijn schrille licht op alles zou werpen, wachtte op inzicht, wachtte tot de deur naar een heel leven aan opgepotte waarheid zou openzwaaien. Maar die openbaring bleef uit.

Is alles wel in orde met u? vroeg mevrouw Fiske. Haar stem klonk als van veraf. Ik weet niet hoe ik gereageerd heb, alleen dat ze me een paar minuutjes later mee de trap op nam naar een kleine kamer met een tweepersoonsbed, waarop ik zonder tegenspraak ging liggen. Ze bracht me een glas water, en toen ze zich vooroverboog om het glas op het nachtkastje te zetten, deed de aanblik van haar hals me aan mijn eigen moeder denken. Mag ik iets vragen? vroeg ik. Ze zweeg. Hoe is hij gestorven? Ze zuchtte en kneep haar handen samen. Bij een verschrikkelijk ongeluk, zei ze. Toen ging ze weg en deed de deur zachtjes achter zich dicht, en pas terwijl ik luisterde hoe haar voetstappen op de trap wegstierven, telkens iets minder hoorbaar, en de kamer langzaam, bijna ontspannen begon te tollen, drong het tot me door dat ik in de kamer lag die van hem was geweest, van Lottes kind.

Ik deed mijn ogen dicht. Zodra dit weer over is, dacht ik, zal ik mevrouw Fiske bedanken, afscheid nemen en op de eerstvolgende trein naar Londen stappen. Maar ook al dacht ik het, ik geloofde het zelf niet. Opnieuw had ik het gevoel dat het nog heel lang zou duren voordat ik het huis in Highgate weer zou zien, als ik het al ooit zou terugzien. Het was koud aan het worden, de kater zou zijn avondmaaltje ergens anders bij elkaar moeten scharrelen. De zwemvijvers zouden dichtvriezen. Wat lag daar op de zachte, slijmerige bodem te slapen, waar werd Lotte zo door aangetrokken, dag in dag uit? Elke ochtend daalde ze af zoals Persephone destijds was afgedaald; ze verdween in de zwarte diepte om dat donkere iets weer aan te raken. Waar ik bij was! En ik kon haar nooit volgen. Begrijpt u hoe dat was? Alsof er een klein scheurtje in de dag was gemaakt en alleen zij erdoorheen glipte. Een plons, en dan een stilte die eindeloos leek te duren. Ik werd bekropen door een soort paniek. En net wanneer ik ervan overtuigd was dat ze haar hoofd tegen een grote kei had gestoten of haar nek had gebroken, brak het oppervlak en kwam ze weer tevoorschijn, water wegknipperend uit haar ogen, haar lippen blauw. En was er iets vernieuwd. Op de terugwandeling werd er weinig gesproken. Het enige wat je hoorde waren de bladeren en takjes die onder onze voeten een knerpend geluid maakten, als van gebroken glas. Na haar overlijden ben ik nooit meer teruggeweest.

Er moesten een paar uur zijn verstreken voordat ik weer wakker werd. Buiten schemerde het. Ik lag nog steeds naar dat rechthoekige stuk zwijgende lucht te kijken. Ik ging met mijn gezicht naar de muur liggen. En terwijl ik dat deed, kwam er een beeld bij me op, van Lotte in de tuin. De oorsprong van die herinnering bleef me onduidelijk en eigenlijk kan ik ook niet zeggen of het allemaal echt gebeurd is. Ze staat in de buurt van de achtermuur, zich niet bewust van het feit dat ik vanuit een raam op de eerste verdieping toekijk. Bij haar voeten smeult een klein vuurtje dat ze bijhoudt met een stok of misschien ook wel de kachelpook. Met een gele sjaal over haar schouders staat ze diep geconcentreerd over haar werk gebogen. Af en toe gooit ze nog een paar stukjes papier op de vlammen, of misschien schudt ze een map leeg waaruit de losse vellen neerdwarrelen in het vuur. De rook stijgt omhoog met een kronkelende paarse pluim. Wat ze aan het verbranden was en waarom ik zwijgend uit het raam toekeek, zou ik niet kunnen zeggen, en hoe sterker ik het me probeerde te herinneren, hoe minder levendig het beeld werd en hoe onrustiger ik me voelde.

Mijn schoenen stonden naast elkaar onder een stoel, hoewel ik me niet kon herinneren dat ik ze had uitgetrokken. Ik deed ze aan, streek de kanten beddensprei glad en liep de trap af. Toen ik in de keuken kwam, stond mevrouw Fiske met haar rug naar me toe bij het fornuis. Het was dat uur voor het donker waarin je er nog niet aan hebt gedacht het licht aan te doen. Uit de pan waarin ze roerde, steeg damp omhoog. Ik trok een stoel weg van de keukentafel en ze draaide zich om, rood aangelopen van de hitte. Meneer Bender, zei ze. Alstublieft, zei ik, zeg toch Arthur, hoewel ik daar meteen spijt van had, omdat ik wist dat ze juist zo openlijk met me sprak omdat ik een vreemde voor haar was. Ze zei niets, pakte alleen een diep bord van een plank, schepte er wat soep in en veegde haar handen af aan haar schort. Ze zette het bord voor me neer en ging tegenover me zitten, net zoals mijn eigen moeder altijd deed. Ik had geen honger, maar er zat niets anders op dan die soep op te eten.

Na een lange stilte begon mevrouw Fiske weer te spreken. Ik heb altijd gedacht dat ze contact met me zou opnemen. Ze wist uiteraard waar we woonden. In het begin was ik bang dat ik een telefoontje of brief zou krijgen of dat ze gewoon aan de deur zou verschijnen om te zeggen dat er sprake was van een vergissing, dat ze Teddy terug wilde. Wanneer ik hem 's avonds in slaap wiegde of in het donker bleef stilstaan zodat hij niet wakker werd van de krakende vloerplanken, hield ik zwijgend een heel pleidooi. Ze heeft hem weggegeven! En ik heb hem in huis genomen. Ik hield van hem alsof het mijn eigen kind was! Toch ging ik gebukt onder een schuldgevoel. Hij huilde altijd zo, met een verwrongen gezichtje, zijn mondje wijd open. Hij was namelijk ontroostbaar. De dokter zei dat het koliek was, maar dat geloofde ik niet. Ik dacht dat hij om haar huilde. Soms schudde ik hem uit frustratie door elkaar en schreeuwde dat hij moest ophouden. Dan keek hij me even aan, verbaasd, of misschien zo geschrokken dat hij er stil van werd. In zijn donkere ogen zag ik de harde glinstering van iets eigenzinnigs. En daarna begon hij nog feller te krijsen dan tevoren. Soms sloeg ik de deur dicht en liet ik hem huilen. Dan zat ik hier, waar ik nu zit, met mijn handen over mijn oren, totdat ik zenuwachtig begon te worden dat de buren het zouden horen en me van verwaarlozing zouden verdenken.

Maar dat telefoontje of die brief is nooit gekomen, zei mevrouw Fiske. En na drie of vier maanden begon Teddy minder te huilen. Samen ontdekten hij en ik bepaalde dingen, kleine rituelen en liedjes waar hij rustig van werd. Er begon een soort begrip tussen ons te ontstaan, hoe aarzelend dan ook. Hij leerde naar me te glimlachen, een scheve, wijd gapende glimlach, maar die maakte me dolgelukkig. Ik begon wat zelfvertrouwen te krijgen. Voor het eerst sinds ik met hem was thuisgekomen, nam ik hem in de kinderwagen mee naar buiten. We wandelden naar het park en daar lag hij in de schaduw te slapen terwijl ik ernaast zat, op het bankje, bijna net als alle andere moeders. Bijna, maar niet helemaal, want in een kleine, verborgen cel van elke dag – die zich dikwijls manifesteerde in het uur dat de schemering inviel of wanneer ik de baby te slapen had gelegd en een bad voor mezelf liet vollopen, maar soms ook volkomen onaangekondigd, juist op het moment dat ik met mijn lippen langs zijn wang streek – kreeg het gevoel dat ik een bedriegster was me in zijn greep. Het gleed als een paar kleine, koude handjes rond mijn nek en deed al het andere binnen een oogwenk teniet. Eerst werd ik er radeloos van, zei mevrouw Fiske. Ik haatte mezelf omdat ik maar net bleef doen alsof ik echt zijn moeder was, iets wat ik op dat verkillend heldere ogenblik dacht nooit te kunnen worden. Wanneer ik hem te eten gaf, in bad deed of iets voorlas, was ik altijd voor een deel ergens anders: ik zat in de tram in een vreemde, verregende stad, maakte een wandeling over een mistige boulevard langs een alpenmeer, zo groot dat elke schreeuw zou haperen en verloren gaan voordat hij ooit aan de overkant kwam. Mijn zus had geen kinderen en ik kende niet veel andere jonge moeders. En die ik kende, zou ik nooit hebben durven vragen of ze ooit hetzelfde voelden. Ik zag het maar als mijn eigen tekortschieten, een tekortschieten dat iets te maken had met het feit dat ik niet zelf zwanger van Teddy was geweest, maar uiteindelijk neerkwam op een gebrek diep in mijn eigen wezen. En toch, wat kon ik anders doen dan gewoon blijven proberen, ondanks mezelf? Niemand kwam hem ophalen. Hij had alleen mij. Ik deed mijn uiterste best, besteedde uit compensatie eindeloos veel aandacht aan hem. Teddy groeide uit tot een tevreden kind, maar het gebeurde weleens dat ik in zijn ogen een vluchtige blik van lange, intense wanhoop zag of dacht te zien, hoewel ik achteraf nooit met zekerheid wist of het niet gewoon bedachtzaamheid was, iets waarin om een of andere reden altijd een vage indruk van droefenis ligt als je het op een kindergezichtje ziet verschijnen.

In die tijd maakte ik me er geen zorgen meer over dat ze hem zou komen opeisen, zei mevrouw Fiske. Ik dacht aan hem als van mij, ongeacht mijn gebreken, ongeacht de inzakkende aandacht waarvan hij me steeds beslister terugriep, mijn ongeduld met bepaalde spelletjes die hij almaar opnieuw wilde spelen, ongeacht het gevoel van verlammende verveling dat soms toesloeg nadat ik hem had aangekleed en de dag zich weer als een eindeloze parkeerplaats voor ons uitstrekte. Ik wist dat hij desondanks toch van me hield, en wanneer hij bij me op schoot kroop en de plek vond waar hij zich heel natuurlijk kon nestelen, had ik het gevoel dat er geen twee mensen konden bestaan die elkaar beter begrepen dan hij en ik, en dat uiteindelijk daarin de betekenis van moeder en kind zijn moest liggen. Mevrouw Fiske stond op om mijn bord af te ruimen, zette het in de gootsteen en keek uit het raam naar de kleine tuin achter het huis. Ze leek haast in trance te verkeren en ik durfde niets te zeggen uit angst die trance te doorbreken. Ze vulde de ketel, zette hem op het fornuis en kwam weer aan tafel zitten. Toen zag ik hoe moe ze leek te zijn. Ze keek me recht in mijn ogen. Wat wilde u hier eigenlijk te weten komen, meneer Bender?

Uit het veld geslagen reageerde ik niet meteen.

Want als u hier bent gekomen om iets over uw vrouw te begrijpen, kan ik u niet helpen, zei ze.

Er viel een lange stilte. En toen zei mevrouw Fiske: Ik heb nooit meer van haar gehoord. Ze heeft nooit geschreven. Soms dacht ik weleens aan haar. Ik zag hoe de baby lag te slapen en ik vroeg me af hoe ze tot haar daad was gekomen. Pas later ging ik begrijpen dat het moederschap een illusie is. Ongeacht hoe waakzaam ze is, uiteindelijk kan een moeder haar kind niet beschermen – niet tegen pijn of angst, of de gruwel van geweld, tegen hermetisch afgesloten treinen die met hoge snelheid de verkeerde kant op rijden, de verdorvenheid van vreemden, valluiken, afgronden, vlammenzeeën, auto's in de regen, tegen het toeval.

Na verloop van tijd dacht ik steeds minder aan haar. Maar toen hij doodging, kwam ze weer bij me terug. Hij was drieëntwintig toen het gebeurde. Ik dacht dat zij als enige ter wereld de diepte van mijn verdriet kon peilen. Maar toen besefte ik dat ik me vergiste, zei mevrouw Fiske. Zij kon het niet weten. Ze wist helemaal niets over mijn zoon.

Op een of andere manier belandde ik weer op het station. Het kostte me moeite helder te blijven denken. Ik nam de trein terug naar Londen. Bij elk station waar we doorheen reden, zag ik Lotte op het perron. Wat ze gedaan had, in koelen bloede, vervulde me van afschuw, een afschuw die werd versterkt door het feit dat ik zo lang met haar had samengeleefd zonder ook maar het minste benul te hebben van waartoe ze in staat was. Alles wat ze ooit tegen me gezegd had, moest ik nu in dit nieuwe licht beschouwen.

Toen ik die avond terugkwam in Highgate, zag ik dat de voorruit van het huis was ingegooid. Vanuit het grote gat liep een schitterend, ragfijn web van barstjes naar alle kanten. Het was prachtig om te zien en ik raakte er diep van onder de indruk. Binnen vond ik tussen het gebroken glas op de grond een steen ter grootte van een vuist. Er stroomde koude lucht de woonkamer in. Wat me schokte, was de bijzondere stilte die er heerste, het soort dat alleen voorkomt in het kielzog van geweld. Ten slotte zag ik een traag over de muur kruipende spin en was de ban gebroken. Ik haalde de bezem. Toen ik klaar was met opruimen, plakte ik een stuk plastic over het gat. De steen bewaarde ik en legde ik op de salontafel. Toen de glaszetter kwam, de volgende dag, zei hij hoofdschuddend iets over losgeslagen jeugd, geteisem, al het derde raam dat ze die week hadden ingegooid, en opeens ging er een steek door me heen en besefte ik dat ik had gewild dat die steen voor mij bedoeld was, de daad van iemand die een steen door míjn raam wilde gooien, alleen dat van mij, niet zomaar een raam. En toen dat korte moment van pijn voorbij was, begon ik me aan de glaszetter met zijn harde en opgewekte stem te storen. Pas nadat hij was vertrokken, begreep ik hoe eenzaam ik was. De kamers van het huis zogen me naar binnen en leken me te berispen omdat ik ze alleen gelaten had. Zie je nou? leken ze te zeggen. Zie je nou wat er gebeurt? Maar ik zag het niet. Ik had het gevoel dat ik steeds minder begreep. Het werd moeilijk me alles te blijven herinneren – of niet te herinneren, maar te gelóven wat ik me herinnerde – van wat Lotte en ik vroeger in die kamers deden, hoe we onze tijd besteedden, waar en hoe we er altijd zaten. Ik zat in mijn oude stoel en probeerde me Lotte voor de geest te halen zoals ze altijd tegenover me had gezeten. Maar al gauw kreeg het allemaal iets absurds. Het plastic golfde over het gapende gat en het spectaculair gebarsten glas hing los in de sponning. Eén zware stap of een windvlaag, en het hele zaakje leek in duizenden stukjes uiteen te zullen vallen. Toen de glaszetter er de volgende dag weer was, liep ik met een verontschuldiging de tuin in. Toen ik binnenkwam, was het raam weer heel en stond de glaszetter breed lachend naar het resultaat van zijn werk te kijken.

Ik begreep toen wat ik diep in mijn hart altijd had begrepen: dat ik haar nooit zo erg kon straffen als ze zichzelf al had gestraft. Dat ik uiteindelijk degene was geweest die nooit aan zichzelf had toegegeven hoeveel hij eigenlijk wist. De daad van liefde is altijd een bekentenis, schreef Camus. Maar dat geldt ook voor het zachte dichtdoen van een deur. Een schreeuw in de nacht. Een val van de trap. Een kuchje op de gang. Mijn hele leven had ik geprobeerd me voor te stellen hoe het was om haar te zijn. Haar verliezen te hebben geleden. Had ik dat geprobeerd, maar had ik daarin gefaald. Alleen was het misschien zo – hoe moet ik dat zeggen – dat ik juist *wílde* falen. Omdat ik op die manier op de been bleef. Mijn liefde voor haar was een falen van de verbeelding.

Op een avond ging de deurbel. Ik verwachtte eigenlijk niemand. Er valt eigenlijk niets of niemand meer te verwachten. Ik legde mijn boek neer nadat ik eerst zorgvuldig een bladwijzer had aangebracht. Lotte had haar boeken nooit anders dan opengeslagen neergelegd en in de tijd dat ik haar net had leren kennen, zei ik altijd dat ik aan het ijle, hoge kreetje kon horen hoe hun rug werd gebroken. Het was een grapje, maar als ze later de kamer uit liep of ging slapen, pakte ik haar boek om er gauw een bladwijzer in te steken, totdat ze op een dag haar boek optilde, er met een ruk de bladwijzer uit trok en hem op de grond liet vallen. Doe dat nooit meer, zei ze. En ik begreep dat er nog een plekje was dat alleen van haar was en voor mij voortaan verboden terrein zou zijn. Vanaf dat moment vroeg ik nooit meer wat ze aan het lezen was. Ik wachtte tot ze uit zichzelf iets losliet – een zin die haar ontroerde, een spitse passage, een levendig getekend personage. Soms kwam het en soms kwam het niet. Maar ik kon er beter niet naar vragen.

Ik liep de paar passen door de gang naar de deur. Geteisem, dacht ik, het woord van de glaszetter dat weer bij me opkwam. Maar door het kijkgaatje zag ik dat het een man van ongeveer mijn eigen leeftijd was, keurig in het pak. Ik vroeg wie daar was. Hij schraapte zijn keel aan de andere kant van de deur. Meneer Bender? vroeg hij.

Het was een kleine man die eenvoudig en smaakvol gekleed ging. De wandelstok met zilveren handvat was het enige blijk van zwierigheid. Het leek me onwaarschijnlijk dat hij me kwam beroven of neerknuppelen. Ja? vroeg ik nadat ik de deur had opengedaan. Mijn naam is Weisz, zei hij. Neem me niet kwalijk dat ik niet van tevoren gebeld heb. Verder verklaarde hij zich niet nader. Er is iets wat ik graag met u wil bespreken, meneer Bender. Als ik u niet al te zeer ontrief – hij keek langs me heen, het huis in –, mag ik misschien binnenkomen? Ik vroeg waar het over ging. Een bureau, zei hij.

Mijn knieën begonnen te knikken. Ik was als verlamd, er zeker van dat alleen hij het kon zijn: degene van wie zij had gehouden, in wiens schaduw ik mijn leven met haar bij elkaar had moeten schrapen.

Als in een droom liet ik hem de woonkamer in. Hij bewoog zich zonder aarzeling, alsof hij er de weg wist. Er gleed iets kouds door me heen. Waarom was het nooit bij me opgekomen dat hij hier al eens eerder geweest kon zijn? Hij liep recht op Lottes stoel af en bleef daar staan wachten. Terwijl mijn benen het langzaam onder me begaven, gebaarde ik hem te gaan zitten. We zaten tegenover elkaar. Ik in mijn stoel, hij in de hare. Zoals het altijd was geweest, dacht ik nu.

Ik heb u gestoord, zei hij, het spijt me. En toch sprak hij met een kalmte die zijn woorden logenstrafte, met een zelfvertrouwen dat iets intimiderends had. Zijn accent was Israëlisch, hoewel dat werd getemperd, dacht ik, door klinkers en klemtonen van elders. Hij zag eruit alsof hij achter in de zestig was, zeventig bijna, wat hem een paar jaar jonger dan Lotte zou hebben gemaakt. Toen begon het me te dagen. Hoe had ik dat over het hoofd kunnen zien? Een van de leden uit haar kindertransport! Een jongen van veertien, misschien vijftien. Zestien op zijn hoogst. In het begin hadden die paar jaren misschien heel veel uitgemaakt. Maar met het verstrijken van de tijd steeds minder. Op zijn achttiende zou zij eenentwintig of tweeëntwintig zijn geweest. Ze zouden een onverbrekelijke band met elkaar hebben gehad, een persoonlijke taal met elkaar hebben gedeeld, een verloren wereld, gecomprimeerd in afgebeten lettergrepen die ze elk alleen maar hoefden uit te spreken om door de ander volkomen te worden verstaan. Of juist helemaal geen taal – een zwijgen dat stond voor alles wat niet hardop kon worden gezegd.

Hij zag eruit als om door een ringetje te halen: iedere haar op zijn plaats en geen enkel pluisje op zijn donkere pak. Zelfs de zolen van zijn schoenen leken onbekrast, alsof hij er amper de grond mee aanraakte. Een paar minuutjes van uw tijd, zei hij. Daarna beloof ik u met rust te laten.

Met rust! riep ik bijna. U die me al die jaren hebt gekweld! Mijn vijand, degene die een hoekje in beslag nam bij de vrouw van wie ik hield, een hoekje van haar als een zwart gat waarin, door een soort tovenarij die ik nooit heb begrepen, haar diepste boekdelen lagen opgeslagen.

Ik vind het moeilijk mijn werk aan anderen te beschrijven, begon hij. Het is niet mijn gewoonte over mezelf te praten. Het is altijd mijn vak geweest te luisteren. De mensen komen naar mij toe. In eerste instantie zeggen ze niet veel, maar langzaam komt het er toch uit. Ze kijken uit het raam, naar hun voeten, naar een punt achter me in de kamer. Ze ontwijken mijn blik. Want als ze zich zouden herinneren dat ik er was, zouden hun woorden misschien niet over hun lippen komen. Ze beginnen te praten en ik ga met ze terug naar hun jeugd, vóór de oorlog. Door hun woorden heen zie ik de manier waarop het licht op de houten vloer viel. De manier waarop hij zijn soldaatjes onder de zoom van het gordijn opstelde. Hoe zij haar theeserviesje uitstalde. Ik zit samen met hem onder de tafel, vervolgde Weisz. Ik zie zijn moeder heen en weer lopen door de keuken, ik zie de kruimels die de bezem van de dienstbode heeft gemist. Hun jeugd, meneer Bender, want alleen de mensen die destijds kind waren, komen tegenwoordig bij me. De anderen zijn overleden. Toen ik met mijn bedrijf begon, zei hij, waren het voornamelijk gelieven. Of mannen die hun vrouw hadden verloren, vrouwen die hun man hadden verloren. Ouders zelfs. Al waren dat er heel weinig – voor de meesten zouden mijn diensten onverdraaglijk zijn geweest. Degenen die wel kwamen, spraken eigenlijk amper, net genoeg om een kinderbedje of de speelgoedkist te beschrijven. Net als een dokter luister ik zonder een woord te zeggen. Met dit verschil: wanneer men is uitgepraat, kom ík met een oplossing. Weliswaar ben ik niet in staat de doden tot leven te wekken. Maar de stoel waarop ze ooit hebben gezeten, het bed waarin ze hebben geslapen – die kan ik ze terugbezorgen.

Ik bestudeerde zijn gelaatstrekken. Nee, dacht ik nu. Ik had me vergist. Hij kon die man niet zijn geweest. Ik weet niet hoe ik het wist, maar toen ik naar zijn gezicht keek, wist ik het. En tot mijn verbazing voelde ik de bittere smaak van teleurstelling. Er was zoveel dat we tegen elkaar hadden kunnen zeggen.

Elk van hen wordt getroffen door een diepe verwondering, vervolgde Weisz, als ik ze ten slotte het voorwerp laat zien waarvan ze al een half leven lang dromen, waarin ze de volle lading van hun verlangen hebben gelegd. Het is alsof hun hele gestel een schok te verduren krijgt. Ze hebben hun herinneringen geplooid rond een leemte en nu staat daar iets wat ooit is weggeraakt. Ze kunnen het nauwelijks geloven, alsof ik op de proppen kom met het goud en zilver dat werd geroofd tijdens de verwoesting van de Tempel door de Romeinen, tweeduizend jaar geleden. De heilige, door Titus buit gemaakte voorwerpen, die op mysterieuze wijze verdwenen, opdat het rampzalige verlies totaal zou zijn, opdat er geen enkel bewijs meer zou zijn om de Jood ervan te weerhouden een plaats om te zetten in een verlangen dat hij voor altijd mee kon nemen, overal waar hij rondzwierf.

We bleven zwijgend zitten. Dat raam, zei hij ten slotte, achter me kijkend. Hoe is het kapotgegaan? Ik was verrast. Hoe wist u dat? vroeg ik. Heel even had ik het idee dat me iets sinisters bij hem was ontgaan. Het glas is nieuw, zei hij, en de stopverf is vers. Er is een steen door de ruit gegooid, zei ik. Zijn scherpe gelaatstrekken werden verzacht door een peinzende uitdrukking, alsof mijn woorden een herinnering bij hem hadden losgemaakt, maar dat moment ging voorbij, en hij begon weer te spreken:

Maar dat bureau, moet u weten – dat verschilt van die andere meubelstukken. Ik erken dat het weleens onmogelijk bleek om precies de tafel, kast of stoel te vinden waarnaar mijn cliënten op zoek waren. Het spoor liep dood. Of het was nooit ergens begonnen. Spullen blijven niet eeuwig bestaan. Het bed dat de ene man zich herinnert als de plek waar hij tot in het diepst van zijn wezen werd geraakt, is voor de andere man niet meer dan een bed. En wanneer het kapotgaat, uit de mode raakt of geen nut meer voor hem heeft, dankt hij het af. Maar de man die tot in het diepst van zijn wezen werd geraakt, wil nog één keer in dat bed liggen voordat hij sterft. Hij komt naar mij toe. Hij heeft een blik in zijn ogen, en ik begrijp hem. En dus vind ik het, zelfs wanneer het niet meer bestaat. Begrijpt u wat ik zeg? Ik tover het tevoorschijn. Desnoods vanuit het niets. En als het hout anders is dan hem is bijgebleven, of de poten zijn te dik of te dun, dan heeft hij dat maar heel even in de gaten, een moment van schok en ongeloof, en daarna dringt de realiteit van het bed dat daar voor hem staat zijn geheugen binnen. Omdat hij er meer behoefte aan heeft dat dát het bed is waarin zij ooit naast hem heeft gelegen dan dat hij weet wat de waarheid is. Begrijpt u? En als u me vraagt, meneer Bender, of ik me schuldig voel, of ik het gevoel heb dat ik die man bedrieg, is het antwoord nee. Want zodra hij met zijn hand langs de spijlen gaat, bestaan er voor hem geen andere bedden op de wereld.

Weisz ging met zijn hand naar zijn voorhoofd, wreef eroverheen en masseerde zijn slaap. Ik merkte nu hoe moe hij eruitzag, ondanks de intense scherpte van zijn blik.

Maar de man die naar dit bureau zoekt, verschilt van alle anderen, zei hij. Het ontbreekt hem aan het vermogen om toch een beetje te kunnen vergeten. Zijn geheugen laat zich niet binnendringen. Hoe meer tijd er verstrijkt, hoe scherper zijn geheugen wordt. Hij kan de woldraden van een tapijt waar hij als kind op heeft gezeten vol aandacht bestuderen. Hij kan een la opentrekken van een bureau dat hij sinds 1944 niet meer gezien heeft en de inhoud bekijken, al die spullen, stuk voor stuk. Zijn geheugen is reëler voor hem, nauwkeuriger, dan het leven dat hij leeft en dat voor hem steeds vager wordt.

U hebt geen idee hoe hij me op mijn huid zit, meneer Bender. Hoe hij steeds weer opbelt. Hoe hij me lastigvalt. Voor hem trok ik van stad naar stad, ging ik op informatie uit, klopte ik overal op de deur, liep ik elke denkbare bron af. Maar vinden deed ik niets. Het bureau – immens, in alles uniek – was gewoonweg verdwenen, net als zoveel andere dingen. Hij wilde het niet horen. Om de paar maanden belde hij weer. Daarna eens per jaar, altijd op dezelfde dag. Met altijd dezelfde vraag: En? Nog iets gevonden? En altijd moest ik hem hetzelfde antwoord geven: Niets. Toen kwam er een jaar dat hij niet belde. En ik dacht, niet zonder opluchting, dat hij misschien was overleden. Maar wel kwam er met de post een brief van hem, geschreven op de datum dat hij altijd belde. Een verjaardag, min of meer. En ik begreep toen dat hij pas kon sterven als ik dat bureau gevonden had. Dat hij wilde sterven, maar dat hij het niet kon. Ik werd bang. Ik wilde van hem af. Wat voor recht had hij me hiermee te belasten? Met de verantwoordelijkheid voor zijn leven als ik het níét vond, en zijn dood als ik het wél vond?

En toch kon ik hem niet uit mijn hoofd zetten, zei Weisz, die nu iets zachter ging spreken. Dus begon ik opnieuw te zoeken. En toen, niet lang geleden, kreeg ik op een dag een tip. Als een piepklein luchtbelletje dat opstijgt uit de diepten van de oceaan waar mijlen onder het oppervlak iets ligt te ademen. Ik ging erachteraan en zo kwam ik bij een volgende tip. En nog een. Plotseling bestond het spoor weer. Ik volg het al maanden. En ten slotte ben ik hier uitgekomen, bij u.

Weisz keek me aan, afwachtend. Ik verschoof in mijn stoel, bezwaard door het bericht dat ik hem zou moeten geven: dat het bureau dat voor ons allebei een spookbeeld was geweest al lang weg was. Meneer Bender – begon hij. Het was eigendom van mijn vrouw, zei ik, alleen kwamen mijn woorden er als een gefluister uit. Maar het staat hier niet. Het staat hier al achtentwintig jaar niet meer.

Hij trok met zijn mond, en zijn gezicht leek heel even te verkrampen, een spasme dat weer wegebde en een pijnlijk wezenloze uitdrukking achterliet. We bleven zwijgend zitten. Ergens in de verte sloegen de kerkklokken.

Toen ik haar leerde kennen, zei ik rustig, woonde ze ermee samen, alleen. Het doemde boven haar op en nam de helft van de kamer in beslag. Hij knikte, zijn donkere ogen glazig en helder, alsof ook hij het bureau voor zich zag opdoemen. Langzaam, als met een zwarte pen en simpele lijnen, begon ik hem een beeld van het bureau te schetsen, van het kamertje waarover het de scepter zwaaide. En onder het spreken gebeurde er iets. Ik voelde hoe er aan de uiterste rand van mijn begripsvermogen iets rondwaarde dat door Weisz' aanwezigheid naderbij werd gebracht, iets wat ik kon aanvoelen, maar net niet kon bevatten. Het zoog alle lucht op, fluisterde ik, tastend naar een besef dat vlak buiten mijn bereik lag. We leefden in zijn schaduw. Alsof zij aan mij was uitgeleend vanuit zijn duisternis, zei ik, een duisternis waaraan ze altijd zou toebehoren. Alsof – en er laaide iets gloeiends in me op en toen dat weer een zwarte vlek was geworden, voelde ik de plotselinge koelte van het inzicht. Alsof de dood zelf bij ons in dat kamertje woonde, ons dreigde te vermorzelen, fluisterde ik. De dood, die elke hoek binnendrong en maar heel weinig ruimte overliet.

Het kostte me een hele tijd om hem het verhaal te doen. De smeulende, gepijnigde blik in zijn ogen en de manier waarop hij luisterde, alsof hij elk woord wilde onthouden, dreven me voort tot ik ten slotte bij het verhaal over Daniel Varsky kwam, die op een avond bij ons aanbelde, die mijn verbeelding op de pijnbank legde en daarna even snel verdween als hij was gekomen, met medeneming van het verschrikkelijke, allesoverheersende bureau. Toen ik was uitgepraat, bleven we zwijgend zitten. Op dat moment herinnerde ik me iets. Een ogenblikje, zei ik en liep naar de andere kamer, waar ik de lade van mijn eigen bureau opentrok en er de kleine zwarte agenda uit haalde die ik al bijna dertig jaar bewaarde en die was volgeschreven in het minuscule handschrift van de jonge Chileense dichter. Toen ik in de woonkamer terugkwam, zat Weisz afwezig naar het raam te staren dat de glaszetter had vervangen. Een ogenblik later draaide hij zich mijn kant op. Meneer Bender, bent u bekend met de eerste-eeuwse rabbijn Jochanan ben Zakkai? Alleen met zijn naam, zei ik. Hoezo? Mijn vader was een geleerde die zich had toegelegd op de Joodse geschiedenis, zei Weisz. Hij schreef een groot aantal boeken, die ik allemaal heb gelezen, jaren later, na zijn dood. Ik herkende er de verhalen in die hij me altijd vertelde. Een van zijn lievelingsverhalen ging over Jochanan ben Zakkai, die al een oude man was toen de Romeinen Jeruzalem belegerden. Omdat hij genoeg had van de strijdende partijen binnen de stad, ensceneerde hij zijn eigen dood, vertelde Weisz. De lijkdragers brachten hem voor de laatste keer door de stadspoort en leverden hem af bij de tent van de Romeinse veldheer. In ruil voor zijn profetie van de Romeinse overwinning werd hem toegestaan naar Javne te gaan en daar een leerschool te openen. Later, in dat kleine stadje, hoorde hij het nieuws dat Jeruzalem in brand was gestoken. Dat de tempel was verwoest. Dat degenen die het hadden overleefd in ballingschap werden gezonden. Diep gekweld dacht hij: Wat is een Jood zonder Jeruzalem? Hoe kun je een Jood zijn zonder eigen land? Hoe kun je een offer brengen aan God als je niet weet waar je hem moet vinden? In de gescheurde kleren van de rouwdrager keerde rabbijn Jochanan terug naar zijn school. Hij kondigde aan dat het in Jeruzalem afgebrande gerechtshof hier, in het slaperige stadje Javne, zou herrijzen. Dat de Joden, in plaats van offers te brengen aan God, vanaf dat moment tot hem zouden bidden. Hij gaf zijn studenten opdracht een begin te maken met het verzamelen van meer dan duizend jaar aan mondeling overgeleverde wetten.

Dag en nacht discussieerden de geleerden over de wetten, en

uit hun discussies groeide de Talmoed, ging Weisz verder. Ze gingen zo op in hun werk dat ze soms vergaten welke vraag hun leraar had gesteld: Wat is een Jood zonder Jeruzalem? Pas later, na Jochanan ben Zakkais overlijden, heeft zijn antwoord zich langzaam geopenbaard, zoals een enorme muurschildering zich pas laat overzien wanneer je er achteruit van wegloopt: Zet Jeruzalem om in een denkbeeld. Zet de tempel om in een boek, een boek zo groot en heilig en complex als de stad zelf. Voeg een volk naar wat het heeft verloren en laat alles een weerspiegeling zijn van die uiterlijke afwezigheid. Later werd zijn leerschool bekend als Het Grote Huis, naar de Talmoedische interpretatie van 2 Koningen: *Hij stak het huis van God in brand, en ook het huis van de koning en alle andere huizen van Jeruzalem; zelfs ieder groot huis liet hij in vlammen opgaan.*

Er zijn inmiddels tweeduizend jaar verstreken, zei mijn vader altijd, en tegenwoordig is elke Joodse ziel gebouwd rond het huis dat in die vlammen is opgegaan, die zo immense vlammen dat elk van ons, wij allemaal, zich alleen maar een heel klein fragment herinnert: een grillige vorm op de muur, een knoest in het hout van een deur, een herinnering aan de manier waarop het licht over de vloer streek. Maar als elke Joodse herinnering opnieuw in elkaar werd gezet, elk laatste heilige fragment weer tot één geheel samengevoegd, dan zou het Huis weer worden opgebouwd, sprak Weisz, of liever gezegd, een zo volmaakte herinnering aan het Huis dat die herinnering in wezen het oorspronkelijke gebouw zou zijn. Misschien bedoelen ze dat wel als ze het over de Messias hebben: een volmaakte vereniging van de oneindige onderdelen van de Joodse herinnering. In de volgende wereld zullen we allemaal tezamen in de herinnering aan onze herinneringen wonen. Maar dat zal niet voor ons zijn weggelegd, zei mijn vader altijd. Niet voor jou of mij. Elk van ons, wij allemaal, leeft om zijn eigen fragment te bewaren, in een toestand van voortdurend verdriet en verlangen naar een plaats waarvan we alleen maar weten dat hij bestaan heeft omdat we ons een sleutelgat herinneren, een tegel, de manier waarop de drempel was uitgesleten onder een open deur.

Ik gaf Weisz de agenda. Misschien hebt u hier iets aan, zei ik. Hij hield hem even in zijn hand, als om het gewicht te taxeren. Toen liet hij hem in zijn zak glijden. Ik bracht hem naar de voordeur. Als ik ooit iets voor u kan terugdoen, zei hij. Maar hij gaf me niet zijn kaartje en liet me ook niet weten hoe ik met hem in contact kon komen. We drukten elkaar de hand en hij draaide zich al om. Maar toen werd het me te veel, en niet bij machte mezelf in te houden riep ik: Heeft híj u soms hierheen gestuurd? Wie? vroeg hij. Degene van wie Lotte dat bureau had gekregen. Hebt u me soms op die manier gevonden? Ja, zei hij. Ik begon te hoesten. Mijn stem klonk als een jammerlijk gekwaak. En is hij nog steeds –? maar ik kon me er niet toe brengen die woorden uit te spreken.

Weisz keek me aandachtig aan. Hij stak de wandelstok onder zijn arm, ging met zijn hand naar zijn borstzak en haalde er een pen en een leren etuitje met een blocnote uit. Hij schreef iets op, vouwde het papiertje dubbel en stak het me toe. Toen draaide hij zich om naar de straat, maar na een stap bleef hij staan en draaide zich weer om zodat hij naar de ramen van de werkkamer op de zolderverdieping kon kijken. Hij was best makkelijk te vinden, zei hij rustig, zodra ik eenmaal wist waar ik moest zoeken.

De koplampen van een donkere auto die voor het huis van de buren geparkeerd stond, kwamen tot leven en wierpen hun schijnsel op de mist. Het beste, meneer Bender, zei hij. Ik zag hem het tuinpaadje af lopen en op de achterbank van de auto plaatsnemen. Tussen mijn vingers had ik het opgevouwen papiertje met de naam en het adres van de man van wie Lotte ooit had gehouden. Ik keek omhoog naar de natte, zwarte takken van de bomen, boomtoppen waarop ze vanachter haar bureau had uitgekeken. Wat zou ze eruit opgemaakt hebben? Wat zou ze gezien hebben in de kruisarcering van zwarte strepen over de hemel, welke echo's en herinneringen en kleuren die ik nooit heb kunnen zien? Of geweigerd heb te zien.

Ik stak het papiertje in mijn zak, liep naar binnen en deed zachtjes de deur achter me dicht. Het was kil, dus haalde ik mijn trui van de kapstok. Ik legde wat stukken hout in de haard, maakte een prop van een stuk krantenpapier en ging op mijn hurken zitten om het vuur aan te blazen. Ik zette theewater op, goot wat melk in het bakje van de kater en zette het in de lichtplas die vanuit de keuken op de tuin viel. Voorzichtig legde ik het opgevouwen stukje papier voor me op tafel.

En ergens knipte die ander zijn lamp aan. Zette hij theewater op. Sloeg hij de bladzij van zijn boek om. Of draaide hij aan de zenderknop van de radio.

Wat zouden we elkaar veel te zeggen hebben gehad, hij en ik. Wij die aan haar zwijgen hadden meegewerkt. Hij die het nooit heeft durven verbreken, en ik die me neerlegde bij vastgestelde grenzen, opgetrokken muren en verboden gebieden, die zich afkeerde en nergens naar vroeg. Die elke ochtend stond te kijken hoe ze in de koude, zwarte diepten verdween en deed alsof hij niet kon zwemmen. Die een pact van onwetendheid sloot en inwendige woelingen smoorde, zodat alles op de oude voet kon blijven doorgaan. Zodat het huis niet onder water kwam te staan en de muren niet zouden instorten. Zodat we niet zouden worden binnengevallen, vermorzeld of overweldigd door wat zich ophield in de stilten waar we zo voorzichtigjes, zo vernuftig, een heel leven omheen hadden gebouwd.

Ik zat daar vele lange uren, tot laat in de nacht. Het vuur ging steeds lager branden. De prijs die we betaalden voor de boekdelen van onszelf die we lieten verstikken in het donker. Ten slotte, zo tegen middernacht, pakte ik het opgevouwen papiertje van tafel. Zonder aarzelen liet ik het in het vuur vallen. Het verschroeide en vatte vlam, heel even laaide het vuur op met nieuw leven, en was in een oogwenk verteerd.

Weisz

Een raadsel: Op een winteravond in 1944 wordt er in Boedapest een steen gegooid. De steen zeilt door de lucht naar het verlichte raam van een huis waar een vader een brief zit te schrijven achter zijn bureau, een moeder zit te lezen en een jongen zit te dagdromen over een schaatswedstrijd op de bevroren Donau. Het glas breekt, de jongen houdt zijn handen boven zijn hoofd, de moeder slaakt een gil. Vanaf dat moment is het leven zoals ze dat kennen voorgoed voorbij. *Waar komt die steen terecht?*

Toen ik in 1949 uit Hongarije wegging, was ik eenentwintig. Ik was mager, iemand die gedeeltelijk was uitgewist, bang om stil te staan. Op de zwarte markt wist ik een gouden ring die ik op een dode soldaat had gevonden in twee kratten worst om te zetten, en die twee kratten in twintig flesjes medicijn, en die twintig flesjes medicijn in honderdvijftig doosjes met zijden kousen. Ik verscheepte die kousen in een laadkist, samen met andere luxeartikelen die moesten dienen als handelswaar in mijn tweede leven, dat in de haven van Haifa op me lag te wachten zoals een schaduw om twaalf uur 's middags ligt te wachten onder een rots. In de kist, opgevouwen tussen de andere voorwerpen, lagen vijf zijden overhemden die zo waren gemodelleerd dat ze me pasten als een tweede huid, met mijn initialen als monogram op het borstzakje. Ik kwam aan, maar die laadkist niet. De Turk van de douane aan de voet van het Carmelgebergte beweerde geen inklaringsdocumenten te hebben. Achter me wiegden de boten op de golven van de zee. Er gleed een strookje schaduw vanonder een kei bij de kolossale rechtervoet van de Turk. Een vrouw in een dunne jurk boog zich voorover om de verzengde grond te kussen, huilend. Misschien had ze onder een andere steen haar eigen schaduw gevonden. Ik zag iets glinsteren in het zand en pakte een halve lira van de grond. Een halve kan een hele worden, een hele kan er twee worden, kan er vier worden. Zes maanden later belde ik aan bij het huis van een man. De man had zijn neef uitgenodigd en die neef, mijn vriend, had mij weer meegenomen. Toen de man opendeed, bleek hij een zijden overhemd te dragen, met op het borstzakje mijn initialen genaaid. Zijn jonge vrouw kwam aandragen met koffie en *halva* op een dienblad. Toen de man zijn hand uitstak om mijn sigaret aan te steken, streek de zijde van zijn mouw langs mijn arm, en we waren als twee mensen die zich elk tegen een andere kant van hetzelfde raam aan drukken.

Mijn vader was geschiedkundige. Hij schreef achter een enorm bureau met een groot aantal laden en als klein jongetje geloofde ik dat er tweeduizend jaar in die laden waren opgeslagen, op dezelfde manier als Magda, de huishoudster, bloem en suiker in de provisiekast bewaard hield. Er was maar één la met een slot, en voor mijn vierde verjaardag kreeg ik van mijn vader het kleine koperen sleuteltje. Ik kon er 's nachts niet van slapen en probeerde te bedenken wat ik in de la zou leggen. Het was een loodzware verantwoordelijkheid. In gedachten nam ik de hele lijst van mijn meest gekoesterde bezittingen door, maar opeens hadden ze allemaal iets armetierigs en uitgesproken onbenulligs. Uiteindelijk heb ik de lege la afgesloten en verder niets tegen mijn vader gezegd.

Voordat mijn vrouw verliefd op mij werd, werd ze verliefd op dit huis. Op een dag nam ze me mee naar de kloostertuin van de Zusters van Zion. We dronken thee onder de loggia, ze bond een rode sjaal om haar haren en haar profiel tekende zich af tegen cipressen die nog uit de oudheid dateerden. Ik had nooit eerder een vrouw ontmoet die het niet nodig vond de doden tot leven te wekken. Ik trok mijn witte zakdoek uit mijn zak en legde hem op tafel. Ik geef over, fluisterde ik. Mijn grammatica was nog niet volmaakt. Heb je dan iets verkeerds gegeten? vroeg ze. Daarna liepen we terug naar het dorp en onderweg bleef ze staan bij een groot stenen huis met groene luiken. Daar, wees ze, onder die moerbeiboom, daar zullen onze kinderen op een dag spelen. Het was maar geflirt, maar toen ik me omdraaide en keek waar ze met haar vinger naar wees, zag ik in de schaduw onder de takken van de oude boom een lichtstreep opblinken, en ik voelde me bedroefd.

Mijn bedrijf, dat ik was begonnen met een bewerkte commode van walnotenhout die ik voor een prikje van de Turk bij de douane had gekocht, werd steeds groter. Later verkocht hij me een tafel met inklapbare bladen, een porseleinen pendule, een Vlaams wandtapijt. Ik ontdekte dat ik over bepaalde talenten beschikte; ik kreeg een zekere deskundigheid. Uit de bouwvallen van de geschiedenis wist ik een stoel, een tafel, een ladekastje op te diepen. Ik vestigde mijn naam, maar de lichtstreep onder de moerbeiboom vergat ik niet. Op een dag ging ik naar het huis terug, klopte aan en bood de man die er woonde een bedrag waar hij geen nee op kon zeggen. Hij vroeg me binnen te komen. We drukten elkaar de hand in zijn keuken. Toen ik hier kwam, zei hij, lag de vloer nog bezaaid met doppen van de pistachenootjes die de Arabier had zitten eten voordat hij met vrouw en kinderen op de vlucht sloeg. Boven vond ik de pop van het meisje, zei hij, met echt haar waarin ze liefderijk vlechtjes had gevlochten. Ik heb hem een tijdje gehouden, maar op een dag begonnen de glazen ogen me vreemd aan te kijken.

Na afloop mocht ik een rondje maken door het huis dat ons huis zou worden, van haar en van mij. Ik liep van de ene kamer naar de andere, op zoek naar die ene. Ze waren geen van alle geschikt. Toen deed ik een deur open en had ik hem gevonden.

Toen ik terugkeerde naar het huis in Boedapest waar ik was opgegroeid, was de oorlog voorbij. Het was er smerig. De spiegels waren kapotgeslagen, de tapijten zaten vol wijnvlekken, op de muur had iemand met houtskool een man getekend die sodomie bedreef met een ezel. En toch was het nooit méér mijn thuis geweest dan in zijn geschonden staat. Onder in haar leeggeroofde kast vond ik drie haren van mijn moeder.

Ik bracht mijn vrouw naar het huis waar ze al van hield voordat ze van mij hield. Het is van ons, zei ik. We liepen door de gangen. Een huis dat zo was gebouwd dat mensen erin konden verdwalen. Geen van ons had het over de kou. Er is één ding dat ik graag wil, zei ik. Wat, vroeg ze afwezig, ademloos. Gun mij één kamer, zei ik. Wat? vroeg ze weer, iets zachter. Een kamer die van mij alleen is, waar jij nooit naar binnen zult gaan. Ze keek uit het raam. Langzaam streek er een stilte tussen ons neer.

Als jongen wilde ik het liefst op twee plaatsen tegelijk zijn. Het werd een obsessie van me, ik kon er maar niet over ophouden. Mijn moeder moest lachen, maar mijn vader, die overal waar hij kwam tweeduizend jaar met zich meedroeg zoals andere mannen een zakhorloge bij zich hebben, zag het anders. In mijn kinderlijke verlangen zag hij het symptoom van een erfelijke ziekte. Naast mijn bed gezeten, geteisterd door een lelijke hoest waar hij maar niet van af kon komen, las hij me de gedichten van Juda ha-Levi voor. Wat begon als een fantasie veranderde mettertijd in een diepgewortelde overtuiging: terwijl ik in bed lag, voelde ik hoe mijn andere ik door een lege straat in een vreemde stad liep, 's morgens in de vroegte op een boot stapte, achter in een zwarte auto reed.

Mijn vrouw stierf en ik ging weg uit Israël. Een mens kan op veel meer plaatsen tegelijk zijn dan twee. Ik nam mijn kinderen mee van de ene stad naar de andere. Ze leerden hun ogen dicht te doen in auto's en treinen, op de ene plek in slaap te vallen en op de andere plek wakker te worden. Ik bracht hun bij dat ongeacht het uitzicht uit het raam, de stijl van de architectuur, de kleur van de avondhemel, de afstand tussen jou en jezelf onveranderlijk blijft. Ik legde ze altijd bij elkaar in één kamer te slapen, ik leerde ze niet bang te zijn als ze in het holst van de nacht wakker werden zonder te weten waar ze waren. Zolang Joav riep en Lea antwoordde of Lea riep en Joav antwoordde, konden ze weer in slaap komen zonder dat te hoeven weten. Er ontstond een speciale band tussen hen, mijn enige dochter en mijn enige zoon. Tijdens hun slaap verplaatste ik het meubilair. Ik leerde hun alleen zichzelf te vertrouwen, niemand anders. Ik leerde hun niet bang te zijn als ze in slaap vielen wanneer de stoel op de ene plek stond en wakker werden wanneer hij ergens anders stond. Ik leerde hun dat het niet uitmaakt waar je de tafel neerzet, tegen welke muur je het bed aan schuift, zolang je de koffers maar altijd boven op de kast bewaart. Ik leerde hun te zeggen: We gaan morgen weg, net zoals mijn vader, een geschiedkundige, me heeft geleerd dat de afwezigheid van dingen meer nut heeft dan hun aanwezigheid. Hoewel ik vele jaren later, een halve eeuw na zijn dood, op een zeewering naar de branding stond te kijken en dacht: Meer nut waarvoor?

Jaren geleden, toen ik pas met mijn bedrijf was begonnen, kreeg ik een telefoontje van een oude man. Hij wilde gebruikmaken van mijn diensten en noemde de naam van een wederzijdse kennis door wie ik was aanbevolen. Hij vertelde dat hij geen reizen meer maakte, dat hij eigenlijk nog zelden wegging uit de kamer die hij bewoonde, aan de rand van de woestijn. Toevallig moest ik bij hem in de buurt zijn, dus zei ik dat ik hem wel persoonlijk zou komen opzoeken. We zaten koffie te drinken. In de kamer was een raam en op de vloer eronder lag een donkere halve maan, gevolg van een jarenlang verzuim het raam dicht te doen wanneer het regende. De man zag me naar de vlek kijken. Ik heb dit leven niet altijd geleid, zei hij. Ik heb vroeger een ander leven geleid, heb in andere landen gewoond. Ik heb een groot aantal mensen ontmoet en ben erachter gekomen dat iedereen een eigen manier heeft om met de werkelijkheid om te gaan. De een moet zich zien te verzoenen met een door de regen verkleurde vloer in een kamer van een huis aan de rand van de woestijn, zei hij. Maar voor de ander is juist die tegenstrijdigheid de vorm die de verzoening aanneemt. Ik knikte en nam een slok van mijn koffie. Maar het enige wat ik ervan begreep was dat zijn treurigheid te maken had met een vlek op de vloer door regen die neerviel in een stad waar hij al in geen jaren meer geweest was.

Mijn vader stierf vijftig jaar geleden op een dodenmars naar het Reich. Nu zit ik in zijn kamer in Jeruzalem, een stad waarvan hij zich alleen een voorstelling kon maken. Zijn bureau staat veilig opgeborgen in een New Yorkse opslagruimte waarvan mijn dochter de sleutel heeft. Ik geef toe dat ik daar niet op bedacht ben geweest. Ik heb haar moed en wil onderschat. Haar sluwheid. Ze dacht dat ze me iets onthield. In haar ogen zag ik een hardheid die ik nooit eerder had gezien. Ze was doodsbang, maar haar besluit stond vast. Het kostte een tijdje, maar al snel drong de zin ervan tot me door. Ik had zelf geen passender einde kunnen bedenken. Ze had een oplossing voor me gevonden, al was dat niet de oplossing die we allebei voor ogen hadden gehad.

De rest was eenvoudig. Ik vloog naar New York. Op het vliegveld nam ik een taxi naar het adres waar ik mijn dochter het bureau had laten ophalen. Ik sprak met de conciërge. Hij was een

Roemeen, ik wist hoe ik me verstaanbaar moest maken tegenover hem. Ik bood hem vijftig dollar als hij zich de naam herinnerde van het verhuisbedrijf waardoor het bureau was opgehaald. Hij wist van niets meer. Ik bood hem er honderd, en nog steeds wist hij het niet meer. Voor tweehonderd dollar kwam zijn herinnering met verbluffende helderheid terug; hij zocht zelfs het telefoonnummer op. Vanuit zijn groezelige kantoortje in de kelder waar zijn dagelijkse kloffie aan een verwarmingsbuis hing, pleegde ik een telefoontje. Ik werd met de bedrijfsleider doorverbonden. Dat weet ik nog heel goed, zei hij. Die mevrouw zei een bureau, ik heb twee mannen gestuurd, het heeft ze bijna hun rug gekost. Ik zei dat ik graag wilde weten waar ik hun welverdiende fooi moest achterlaten. De bedrijfsleider gaf me zijn naam en adres. Toen gaf hij me het adres van het pakhuis waar zijn mannen het bureau hadden afgeleverd. De Roemeen hield een volgende taxi voor me aan. De huurster van wie dat bureau was, zei hij, die ging op reis. Dat weet ik, zei ik. Hoe weet u dat dan? Ze is me komen opzoeken, zei ik, en daarna trok de chauffeur op en kon de Roemeen ons alleen maar verbaasd nakijken op straat.

Het pakhuis stond in de buurt van de rivier. Ik rook het rivierslib, en in de vuilgrijze lucht werden de meeuwen voortgedragen door de wind. In het kantoortje achterin trof ik een jonge vrouw die haar nagels zat te lakken. Toen ze me zag, draaide ze het flesje lak dicht. Ik ging in de stoel aan de andere kant van haar bureau zitten. Ze kwam overeind en zette de radio zachter. Een van de opslagruimtes in dit gebouw staat op naam van Lea Weisz, zei ik. De enige inhoud is een bureau. U krijgt duizend dollar van me als ik er een uur achter mag zitten.

Ze zal zelf nooit kinderen hebben, mijn dochter. Dat weet ik al heel lang. Het enige wat ze ooit uit zichzelf heeft laten ontsnappen zijn muzieknoten. Ze is er als kind mee begonnen: *pling plong pling plong.* Tot iets anders is ze niet in staat. Maar Joav – er is iets onbeantwoords in Joav, en ik weet dat er een vrouw voor hem zal zijn, misschien wel heel veel vrouwen, in wie hij zich zal uitstorten om het antwoord te zoeken. Op een dag zal er een kind geboren worden. Een kind dat voortkomt uit de vereniging van een vrouw en een raadsel. Op een nacht, als het kind ligt te slapen in de slaapkamer, zal zijn moeder een aanwezigheid voor het raam bespeuren. In eerste instantie zal ze denken dat het gaat om haar eigen spiegelbeeld, afgetobd in haar kamerjas vol melkvlekken. Maar even later bespeurt ze die aanwezigheid nog een keer en opeens bang geworden zal ze alle lichten uitdoen en haastig naar de kamer van de baby lopen. De glazen deur van de slaapkamer zal openstaan. Boven op het stapeltje witte kinderkleertjes zal zijn moeder een envelop zien liggen met zijn naam erop, geschreven in een klein, keurig handschrift. In de envelop zal een sleutel zitten, plus het adres van een opslagruimte in New York. En buiten, in de donkere tuin, zal het natte gras zich langzaam weer oprichten om de voetstappen van mijn dochter uit te wissen.

Ik deed de deur open. Het hok was koud en raamloos. Heel even geloofde ik bijna dat ik er mijn vader zou zien zitten, gebogen over het bureau, zijn pen bewegend over de bladzijde. Maar het enorme bureau stond er alleen, stom en niet-begrijpend. Er hingen drie of vier laden open, allemaal leeg. Maar de la die ik als kind had afgesloten, zat zesenzestig jaar later nog steeds op slot. Ik stak mijn hand uit en ging met mijn vingers over het donkere bureaublad. Er zaten een paar krasjes in, maar verder hadden degenen die erachter hadden gezeten geen sporen achtergelaten. Ik kende dat moment goed. Hoe vaak was ik er niet getuige van geweest bij anderen en toch werd ik er nu bijna door verrast: de teleurstelling, daarna de opluchting dat er eindelijk iets wegzakte.

Mijn diepe dankbaarheid gaat uit naar het Dorothy and Lewis B. Cullman Center for Scholars and Writers in de New York Public Library, de Rona Jaffe Foundation en ook de American Academy in Berlijn, voor de genoten hartelijkheid en steun en voor de rustige werkkamer die ik er kreeg wanneer ik hem het hardst nodig had. Rafi's verhaal waarin hij uitkijkt over het niemandsland in Jeruzalem komt uit het *Eruv*-project van Sophie Calle. Mijn relaas over Jochanan ben Zakkai heb ik ontleend aan *Israel is Real* van Rich Cohen.